D1213193

LES SAISONS DE L'ÂME

Marie-Claire LOYER-DOLGHIN

LES SAISONS DE L'ÂME

Des labours aux moissons
L'analyse jungienne des contes de fées

2e édition corrigée

Éditions DERVY
34, boulevard Edgar Quinet
75014 Paris

ISBN : 2-85076-982-7

à Marc,

Cécile et Catherine

Que les saisons de leur vie portent leur fruit.

Remerciements,

J'aimerais remercier tout particulièrement madame Marie-Louise von Franz et monsieur Pierre Solié pour les encouragements qu'ils m'ont prodigués, madame Françoise Trompette-Perpès pour le soin vigilant qu'elle a apporté à la correction du manuscrit.

SOMMAIRE

PREFACE

Les indiens du Nouveau Mexique avaient coutume chaque matin d'accomplir un certain nombre de rites qui n'avaient point d'autre dessein que d'aider le soleil à triompher de la nuit, d'aider la lumière à vaincre les ténèbres. Témoignage de la très antique alliance de l'homme et de la nature, signe de la profonde complicité des espèces vivantes avec la création. Et si aujourd'hui nous nous retournons avec tant de fascination vers les communautés archaïques, c'est sans nul doute parce que nous sentons confusément que, dans le cœur même des forces cosmiques, nos ancêtres ont situé l'énigme de leur destin et le sens de leur aventure.

Les mythologies antiques, et l'immense foisonnement de légendes et de contes qui s'est greffé sur le tronc bourgeonnant des mythes, racontent, sous des visages différents et souvent déconcertants, cette communion de l'âme humaine et de l'âme du monde. Cette communion, l'histoire semble l'avoir lentement, insidieusement, détruite, nous abandonnant ainsi à cette solitude qui transforme tant d'existences en déserts. La mort des dieux n'ouvre point sur l'avènement de l'homme, elle le laisse seulement démuni et déchiré devant le silence glacé d'un monde qui n'a plus de message à nous transmettre, ce qui nous renvoie à nous mêmes, c'est à dire à notre nuit.

C'est dans cette perspective qu'il nous faut lire sans doute l'originalité profonde, au delà des multiples interrogations de la psychologie contemporaine, de l'œuvre de Carl Gustav Jung. Elle vient éclairer à nouveau toute une face du monde que notre histoire avait occultée, elle arrache le cœur humain à sa solitude pour l'inviter à s'immerger dans le flux créateur dont nous nous sommes exilés. Chaque destinée humaine, nous dit Hermann Hesse, est un projet de la nature, un essai de la création pour donner forme et fécondité à cette « grande vie » qui en nous se cherche, puisqu'elle n'en aura jamais fini de s'accomplir.

Dans le sillon ainsi tracé par celui qui, avant de devenir le vieux sage de Böllingen avait été un errant de la connaissance comme l'avaient été les alchimistes ou les mystiques, il appartient à notre temps d'entretenir et de raviver les feux allumés au travers du vaste paysage qui s'offre à notre enchantement.

Tel est le sens de l'entreprise de Marie-Claire Dolghin. Et si je parle de paysage, ce n'est pas innocemment. Dans un paysage, on marche, et chacun le découvre selon son pas, et selon son regard. Les uns iront hâtivement, les autres méditeront au creux d'un arbre, d'autres encore garderont les yeux fixés au sol, en quête de la pierre magique ou de la fleur étoilée. Il n'importe. La marche s'accomplit selon les besoins de chacun. Et ce qui nous est murmuré ici, c'est que le cœur humain est comme une demeure qui ouvre sur le monde extérieur par de multiples portes, les unes cachées, les autres clairement décelables, les unes compliquées, les autres sans serrure, mais qu'il nous est toujours loisible de choisir celle qui répondra le mieux à notre attente ou à notre désir d'aventure. Dans ce voyage à travers les incertitudes et les obscurités de l'âme, sont dessinés un certain nombre de chemins qui sont tous porteurs d'une histoire. Apparemment cette histoire prend le masque du conte ou de la légende, et semble nous renvoyer au vieux fonds archaïque de la communauté humaine, en ce temps où le récit, plus ou moins magique, représentait le véritable pont entre les hommes et les énergies mouvantes du monde, auxquelles on prêtait le visage de la divinité.

Mais ces récits, s'ils s'enracinent dans le plus lointain de l'expérience humaine, sont des dramaturgies où sont clairement lisibles les tracés de nos existences contemporaines. Elles nous disent comment des êtres, confrontés comme nous à l'angoisse, à la difficulté du vivre et du mourir, ont tenté de donner sens à leur usage quotidien du vivant.

Marie-Claire Dolghin n'a point oublié ici la longue méditation de Bachelard sur la flamme nourrissante des images, sur l'infinie puissance d'invention que portent en elles les figures du rêve ou de la rêverie.

Bachelard évoque dans « la Poétique de l'espace », ce qu'il nomme l'immensité intime. Et c'est là le sens même de notre circulation intérieure : notre route nous mène incessamment de l'immensité à l'intime et le désordre de l'âme commence sans doute quand l'immensité et l'intimité deviennent visages antagonistes au lieu d'être miroirs renvoyant l'un à l'autre leur propre richesse. Ici sont rassemblés quelques chemins de traverse au bout desquels peut être s'offriront ces lieux où l'intime devient immensité, et où l'immense devient maison de l'intimité.

Claude Mettra

Préface à la seconde édition

Il est d'évidence, qu'au moins dès notre naissance, nous nous sommes sentis inscrits dans le cycle des saisons. Dans un village breton proche de la forêt de Brocéliande, ou au centre de Manhattan dans un jardin public un peu chlorotique, nous avons de tous nos sens rencontré une première fois, puis tous les ans rencontré de nouveau automne, hiver, printemps et été.

Si à l'âge de six ans comme le prétendent les psychologues, notre psyché est déjà structurée ; si à l'âge de sept ans comme le prétendaient de plus anciens éducateurs notre âme avait atteint son âge de raison, c'est bien certainement aussi parce que cette circularité de la biologie végétale, animale et également humaine autour d'un axe central chronologique s'était spiralée.

À travers ce ressenti de spiralisation de notre vie il est possible donc à six ou sept ans de percevoir, de comprendre, d'espérer, mais aussi de redouter, de craindre, d'appréhender le sens de la vie. La vie serait-elle donc spirale ? Oui sans doute comme elle est respiration, inspiration et Esprit.

Du plus petit au plus grand, de la particule quantique à l'organisation de l'atome, de la molécule d'ADN au mouvement orbital des planètes et des étoiles tout tourne et avance en même temps dans ce parcours en spirale. Si volontairement dans cette énumération je n'ai cité ni le chêne ni le roseau, ni le loup ni l'agneau, ni la femme ni l'homme c'est parce que l'auteur des *Saisons de l'âme*, Marie-Claire DOLGHIN, elle, s'y emploie avec autant de rigueur que de poésie.

Véritable "horlogère" des ressorts de l'âme humaine en évolution constante entre ses révolutions intérieures, et les révolutions extérieures du cosmos, elle nous permet de comprendre que la psyché déréglée peut retrouver son rythme et ses résonances essentielles avec les saisons, mais aussi avec les lois physiques les plus récentes, mais encore avec les représentations mythologiques les plus anciennes, et enfin avec les potentialités archétypiques évoquées voire invoquées en premier par Carl Gustav Jung. Lui-même dans une lettre adressée au pasteur Walter BERNET, le 13 juin 1955, au sujet de "l'expérience des réalités religieuses" présentait les symboles archétypiques comme une "circumambulation d'un centre."

Décidément toute vie de la matière ou de l'esprit serait un enroulement continu. Ainsi est-ce avec cette sensation, puis ce sentiment d'une mise en spirale logique et poétique à la fois, que de cercle en cercle, de clinique psychanalytique en contes et légendes, de physique en métaphysique, de mythologie en psychologie nous pouvons nous laisser convaincre et envelopper par cette œuvre. Y résister n'est pas de saison !

Henri DUPLAIX

AVANT-PROPOS

Cet ouvrage est né d'une série de conférences, tenues entre novembre 1984 et juillet 1985 et remaniées depuis. Ces conférences, portant sur la symbolique des saisons et son illustration dans les problèmes de la guérison psychologique, furent le fruit d'une coïncidence particulière.

Dans un rêve du printemps 1984, *j'accompagnais une femme d'un certain âge, de type hindou, qui donnait des cours sur l'inconscient. J'étais son assistante et elle me disait : « la prochaine fois, c'est toi qui seras la conférencière. »*

Or, le soir même, un ami me suggérait de donner quelques cours pour traiter de l'inconscient et du point de vue particulier développé par Jung. Après un moment d'hésitation, le rêve de la nuit me revint à l'esprit. C'est sans doute ce qui m'engagea dans cette activité inhabituelle pour moi car, aussitôt, je désirai me mettre au travail pour formuler ce que je comprenais de la psychologie analytique.

Pour exprimer et rendre abordable le monde complexe de la psychologie jungienne — et ceci pour un public peut-être non averti — il fallait le situer dans le contexte des connaissances psychologiques de notre époque. Le fil conducteur du déroulement temporel dans une évolution psychologique permettait d'évoquer les différentes phases que traverse un individu, tout en les rattachant aux différents concepts psychologiques en vigueur. Mais il m'importait aussi d'appuyer la démonstration sur des images bien vivantes ; plus particulièrement, le déroulement des saisons, avec ce qu'il a d'évocateur et de symbolique, me parut être une image assez puissante pour étayer l'explication théorique, le rythme des saisons étant encore profondément ressenti par l'homme du XXe siècle, malgré l'urbanisation et la technologie.

Il s'agit en effet, principalement, de rendre sensible le fait qu'une évolution psychique n'est pas seulement intellectuelle mais aussi affective et qu'elle s'incarne nécessairement à travers divers stades ou phases dessinant un processus progressif tout à fait comparable au cheminement qui, dans la nature, mène des semailles à la récolte.

Ce processus mène à un état nouveau qu'on peut qualifier de « guérison », terme qui par sa simplicité désigne ce qu'au fond chacun recherche en entreprenant une démarche psychologique : que celle-ci conduise effectivement à un mieux-être et à une transformation. Plus précisément, le processus de guérison psychologique nous fait partir des éléments négatifs de notre comportement, de nos affects et de l'état actuel de notre vie pour nous mener, au travers d'une transformation de cette matière première, à une métamorphose de la personne. Si les éléments constitutifs, présents au départ, sont toujours là, ils sont cependant dans un arrangement différent à l'arrivée : l'être a changé.

Ce qui se passe dans l'esprit trouve dans la matière et dans la nature des reflets dont la forme évocatrice devient symbole du monde intérieur. Il nous faut, pour exprimer le monde insaisissable du psychisme, des formes nous permettant de mieux le comprendre ; d'où le besoin qu'ont toujours eu les inspirés, les artistes, les mystiques ou les chercheurs d'utiliser la comparaison comme outil explicatif. Nous ferons de même en étudiant la comparaison entre le développement psychique et le déroulement d'une année culturale. A chaque stade, nous rencontrerons, pour chaque saison, les sentiments qu'elle inspire, les traditions qui sont nées autour d'elle ainsi que les mythes qu'on peut y rattacher ; puis nous verrons quelles transpositions psychologiques sont ainsi éclairées. Cette méthode, s'inspirant directement de la méthode d'amplification jungienne, vise à situer un événement psychique, une image onirique, dans son contexte le plus large ; elle emprunte ses données à différentes sources et ne cherche pas à rétrécir la description psychologique au seul domaine des faits observables.

Utiliser la méthode jungienne d'amplification, pour introduire la psychologie jungienne elle-même, semble être la meilleure méthode puisqu'elle permet aussi de parler de l'âme et du psychisme dans ce qu'ils ont de naturel et de vivant. Mais ce sera moins de façon technique qu'à la manière des anciens conteurs quand ils « disaient » leurs histoires au coin du feu. Que ces histoires soient évocatrices et fassent rêver, que l'on découvre en quoi elles parlent aussi de nos états psychiques... et leur cheminement poétique éveillera alors compréhension et rêverie, faisant vivre les deux aspects, rationnel et irrationnel, de l'esprit humain.

L'AUTOMNE

Il faut blesser son âme aux griffes des douleurs
Pour qu'y entrent les flammes
De l'horizon astral !

Federico Garcia Lorca
Les peupliers d'argent

LA SAISON

C'est par l'automne que j'ai choisi de commencer cette étude bien qu'apparemment cette saison soit une fin : c'est le moment des dernières récoltes, les moissons sont engrangées, les vendanges se terminent. La nature se pare des teintes les plus splendides et chatoie dans un dernier incendie avant de mourir, éveillant un sentiment de beauté et de nostalgie mêlé aux regrets de l'été qui se meurt. C'est une fin et pourtant, tout à la fois, un recommencement. Les feuilles tombent mais les arbres qui se dénudent se préparent déjà pour la renaissance du printemps : un examen attentif de leurs branches montre, recroquevillé sur lui-même, le futur bourgeon qui éclatera dans quelques mois. Les jours diminuent, la lumière descend dans un cortège d'amoncellements nuageux et de tempêtes qui rehaussent les couleurs des dernières végétations. Avant de s'engloutir dans le noir de l'hiver, cette lumière semble jeter un dernier éclat qui vient du sol.

Aussitôt les moissons terminées, les vendanges faites, le paysan remet la terre en travail. Pour le cultivateur, l'automne apparaît bien comme le début logique du cycle annuel quand, avec les labours, il inaugure une nouvelle année de culture, remet en terre les semences des futures moissons, taille la vigne ou fume la terre. Dans le travail de l'homme apparaît aussi cette idée de fin préparant un renouvellement : fin puisque les moissons se terminent et que leurs fruits sont engrangés, renouvellement puisqu'aussitôt la terre est remise en travail — et quel travail ! le labour.

Le soc de la charrue, qu'elle soit moderne ou antique, pénètre la terre et la déchire. Plus l'instrument est puissant, plus la blessure du sol est profonde ; non seulement déchiré — « défoncé » parfois

— il est retourné, émietté. Les racines des anciennes plantations sont déchiquetées. Le sillon s'allonge dans toute sa beauté. Mais la terre qui a subi le labour a connu une violence : celle du fer. Elle est exposée maintenant, nue, aux rayons du soleil, à la pénétration de la pluie. Il faut ce retournement, ce morcellement, pour que soient détruites les anciennes structures végétales ; leurs débris, chaumes ou feuilles mortes, vont alors traverser un processus de décomposition. Cette mort des débris végétaux devenus caducs est déjà une première fumure ; elle est aussi une ouverture, celle de la terre, offerte aux pluies, aux remaniements structuraux, aux semences. Cette disponibilité de la terre labourée prépare le futur.

La transposition psychologique se propose sans difficultés et, on le verra, l'inconscient a recours, pour illustrer certaines souffrances, à des images de ce genre. Psychologiquement, le remaniement se présente aussi comme une nécessité. Toutes les fois que l'individu est parvenu à un certain stade d'évolution ou a acquis quelques résultats d'un travail psychologique entrepris, il goûte quelques temps de cette moisson-là ; puis de nouveaux problèmes se posent, la stabilité enfin acquise est encore ébranlée. Autant la chose semble compréhensible et supportable dans la nature que nous savons cyclique, autant, moralement, il peut être difficile d'accepter cet éternel mouvement. Après la résolution d'un problème et l'état d'éclaircissement qui en résulte, l'horizon psychique s'assombrit de nouveau, l'individu doit être remanié, remodelé pour de nouvelles récoltes.

Un paysan qui a engrangé son blé, sa paille, son raisin, ne ressent pas le nouveau labour comme une destruction ou un échec — comme un pénible recommencement peut-être. Il a conscience que les fruits de ses peines passées sont bien acquis, dans ses greniers, et qu'il est nécessaire, pour les moissons futures, de rentrer dans un nouveau cycle. C'est le désir que nous avons d'être psychologiquement toujours au mieux de nous-mêmes qui nous rend pénible la remise en cause. Peut-être n'avons-nous pas tout à fait l'intuition qu'il ne s'agit pas d'une régression mais de la préparation de futures moissons dont nous pourrions nous réjouir. Il n'est pas possible d'être en perpétuelle moisson : il est des périodes de la vie où, certains aspects de la personnalité n'étant pas élaborés, une nouvelle confrontation avec les ombres est nécessaire ; elle n'est pas recul mais début d'un processus de renouvellement.

Le sens du labour est donc un remaniement qui se présente

comme une forme de mort. L'individu comme la terre, est remanié, remodelé, déchiré, découpé. C'est ce qu'on voit apparaître au début d'un travail psychologique : l'être est assailli par les problèmes non résolus, déchiré par les conflits, divisé, en miettes ; on peut dire alors que « rien ne va plus ». On voudrait en général anesthésier cette période difficile à vivre. Or, c'est à partir de ce découpage ou de cet émiettement que va naître une nouvelle réorganisation. Le même phénomène apparaît en biologie ou en chimie par exemple : pour qu'un nouveau corps chimique soit créé, il faut que le corps précédent se décompose en ses éléments primaires, à partir desquels la synthèse d'un nouveau corps est possible. Ainsi, au début d'un travail psychologique, voit-on survenir cette phase qui ressemble à une petite mort : souffrance, conflits, déchirement, angoisse... Les premiers rêves qui se présentent alors illustrent bien cet état de torture intime.

En voici un exemple saisissant. Une personne a décidé de venir à un entretien psychologique parce qu'elle souffre de divers problèmes. Elle a vécu, dans son passé, des événements douloureux qui n'ont été ni vraiment assimilés, ni vraiment anesthésiés. Les images symboles de ces souffrances sont là, quelque part en elle-même, faisant obstacle au développement harmonieux de sa personnalité. En effet, le premier rêve qu'elle soumet, lors du premier entretien, est le suivant :

> *« Je suis dans un café... dans une cheminée, on passe au gril un homme et, avec des tiges en fer, on fait bien attention qu'il brûle de partout. Il y a aussi, dans cette salle, un chien blessé. »*

Les images du rêve traduisent évidemment une souffrance interne à coloration sadique. Quel est donc ce cadavre humain qu'on fait cuire avec attention sur un gril ? Le langage figuré utilise des expressions comme « retourner sur le gril », « passer au feu des questions » ou « être sur des charbons ardents » pour exprimer une situation d'investigation pénible ou d'attente anxieuse. On peut penser que la rêveuse craignait ce premier entretien et le tir croisé de l'interrogatoire. Mais quelle image de mort cette investigation allait-elle révéler ? Celle de la mort par suicide d'un frère, quelques années auparavant ? Celle des propres désirs de mort de la rêveuse et de l'état de mort intérieure où l'avait laissée cette perte ? Ce deuil, événement impossible à avaler, n'avait jamais été, à proprement parler, « digéré ». Ici, on prend bien soin de retourner le corps de tous les côtés afin que sa cuisson soit complète. Voilà le but premier de l'entretien : exhumer une vieille souffrance non assimilée et l'examiner en tous sens pour la « cuire ». L'idée de cuisson totale sous-tend celle de transformation pour rendre une matière assimilable. Cette mort doit devenir, par un travail de la pensée, un aliment consommable. C'est ce qu'attend inconsciemment la rêveuse de la démarche entreprise. C'est sans doute la raison pour laquelle elle a situé l'action dans un café : lieu public, tout d'abord, car il lui faut extérioriser une douleur restée jusque là secrète ; lieu d'éveil ensuite, le café représentant cette boisson qui réveille ; mais c'est une boisson noire, parfois mauvaise à boire. D'ailleurs, ne disons-nous pas d'une révélation brutale ou étonnante qu'elle est un peu « forte de café » ? Ainsi le premier éveil proposé par cette démarche psychologique passe par la souffrance qu'occasionnera le fait de retourner le problème dans tous les sens pour l'amener à maturation. L'action du feu suggère un désir de transformation accélérée[1].

Ce feu qui transforme la matière opère la métamorphose ; c'est lui qui, autrefois, portait au ciel, vers les dieux, le fumet des sacrifices. Il permet la sublimation de la matière et sa transformation en esprit. Ce qui se passe dans la cheminée, c'est l'acte essentiel qui s'opère dans l'esprit de la rêveuse, celui qui requiert toute l'attention. La sensibilité de la personne humaine, elle, est blessée par une telle opération : c'est là le chien malade. Au-delà de la tonalité sadique du rêve apparaît une intention : la torture a un sens évolutif ; elle est présentée comme nécessaire pour une maturation complète des événements du passé. L'inconscient prévoyait ou indiquait un chemin à suivre, avertissait qu'il serait d'abord douloureux, que tout commencerait par un sombre labour. Ce genre de rêve apparaissant au premier entretien a une sonorité particulière : il semble prévoir la marche à suivre ; rêve initial, il contient, comme enroulé sur lui-même, le projet évolutif de la personne, ses épreuves mais aussi son courage et sa détermination. Malgré l'ombre qu'il annonce, il permet d'espérer aussi une issue favorable.

Si j'ai choisi, pour désigner l'issue favorable, le terme de « guérison », c'est qu'il exprime bien précisément le but de l'entreprise. Ce but sera atteint par une « analyse », un examen des différents éléments du problème, s'appuyant sur l'inconscient pour y trouver à la fois les racines profondes du mal et le dynamisme qui cherche à se restaurer ; c'est la recherche d'une compréhension et d'un nouvel équilibre psychique. Dans certains processus psychanalytiques, les patients ne découvrent pas toujours un mieux-être ; l'analyse a découpé, examiné mentalement les comportements et les motivations du sujet, celui-ci comprend intellectuellement ce qui lui arrive, mais il ne se sent pas mieux pour autant. Il se trouve, pourrait-on dire, devant les différents morceaux de son réveil mais ne sait comment le remonter. Cette situation de lyse est assez désespérante. Ainsi, lorsqu'on entreprend un tel nettoyage, il faut parallèlement s'assurer du dynamisme de l'inconscient et s'appuyer sur lui pour la création d'une nouvelle synthèse, d'une personnalité rénovée. L'analyse elle-même n'est qu'une partie du chemin. Si on s'en tient là, on risque de « jeter l'enfant avec l'eau du bain » ; cet enfant est la fonction vitale et rénovatrice qui, une fois lavée, doit renaître du processus de travail intérieur entrepris.

D'où vient, cette force, ce dynamisme qui assure la guérison ? Pas de l'analyste. L'analyste est là pour accompagner la personne dans ce difficile chemin, pour rentrer avec elle dans son labyrinthe, pour attester — parce qu'il l'a fait lui-même — qu'il est possible d'en sortir. Dans les moments de désorientation et de solitude extrême, il est une présence humaine qui rejoint l'être perdu dans son monde intérieur. Cependant, ce n'est pas lui qui donne le dynamisme ; ce dynamisme est présent en chacun de nous et c'est lui qui opère la guérison, avec l'aide extérieure. Ainsi, le médecin qui traite une fracture ouverte désinfecte d'abord la plaie, si nécessaire, vérifie s'il n'y a pas de nerf ou de vaisseau lésé et répare le dommage, remet enfin la fracture et s'assure de son maintien par un plâtre ou des broches ; son aide est indispensable, mais ce qui cicatrise, ce n'est pas le médecin, c'est l'os, c'est la force vitale du sujet que le médecin a mis en état d'exercer son action bénéfique. Qu'il soit médecin, jardinier, cultivateur, éleveur, éducateur... celui qui s'occupe de la vie se trouve devant le même principe : un mariage entre le travail de l'homme et la force d'une puissance de croissance qui le dépasse. C'est à partir de ce mariage que naît une évolution de la vie.

Ce qui se comprend pour les événements biologiques et n'éveille pas de craintes doit se comprendre aussi pour le psychisme. On peut dire, en effet, qu'une telle force, d'une nature psychique cette fois, est en nous et repose dans l'inconscient.

Le dictionnaire définit l'inconscient comme « l'ensemble de ce qui se passe en nous-mêmes sans que nous en ayons conscience »[2]. C'est plus précisément une forme de pensée latente en nous qui persiste dans les états de sommeil et de veille, comme un continuum psychique souterrain, et dont certains fragments peuvent passer dans le champ de la conscience en s'exprimant sous forme de rêves, de fantasmes, d'actes manqués, de fantaisies créatrices. Si des éléments inconscients peuvent faire irruption dans le champ de la conscience ou être saisis par les rêves ou par l'imagination active, la totalité de l'inconscient lui-même nous échappe toujours ; nous en pressentons l'existence dans l'arrière-plan de la conscience, sans pouvoir toutefois le saisir totalement. C'est à la fois une mémoire des divers événements vécus, consciemment ou non, par le sujet et une mémoire plus large que la mémoire personnelle, mémoire de l'espèce, fonction psychologique qu'on ne saisit que dans ses manifestations et non dans sa globalité. En tant que mémoire, l'inconscient est le réceptacle des expériences vécues par le sujet, mais il n'est pas une mémoire inerte. Remaniant les événements psychiques et élaborant des « pensées » ou des solutions aux problèmes qui se posent, l'inconscient est créateur ; c'est de lui que surgit « l'inspiration » de l'artiste et bien des savants ont témoigné du fait que certaines découvertes s'étaient faites en eux par un surgissement de cette nature[3].

Cette pensée latente fonctionne selon des lois qui sont communes à tous les individus humains. Ainsi, dans le développement de l'intelligence chez l'enfant, voit-on toujours apparaître les mêmes stades de développement aux mêmes âges (s'agissant de l'enfant normal)[4]. L'inconscient se présente donc comme la matrice de notre développement psychique, évoluant selon des modes de fonctionnement précis — « patterns of behaviour » — qui s'expriment en comportements mais aussi en images symboliques, particulièrement dans les rêves mais aussi dans toutes les créations de l'esprit humain, notamment dans les mythes et les grandes traditions. C'est Jung qui a montré que les traditions mythologiques et religieuses, exotériques et ésotériques, avaient la même source que les rêves : l'inconscient[5].

Freud a été le premier à le dire : « le rêve est la voie royale vers l'inconscient. » C'est un fonctionnement psychique qui s'exprime par le rêve. La nuit, l'inconscient remanie, examine et digère les événements, récents ou lointains, et fournit de leur compréhension des images : les rêves. Bien qu'on ne se souvienne pas toujours des rêves, leur importance n'en est pas pour autant annulée. En effet, des expériences ont montré que si l'on empêchait un animal de rêver — l'animal rêve tout comme l'homme — il présentait vite des troubles de comportement graves.

Ces rêves, reflets de la pensée inconsciente, s'expriment d'une manière très différente de la pensée conceptuelle consciente. Le langage de l'inconscient est imagé, allégorique, symbolique, global. Il établit des rapports multiples entre les choses. Dans l'expression consciente, nous sommes réduits à la rigueur de la phrase — sujet, verbe, complément — avec toute la pauvreté qui peut en découler. Dans le monde de l'inconscient, un foisonnement d'images, qui rend souvent le rêve difficile à décrire, vient exprimer une pensée complexe qui ne s'embarrasse pas des contradictions. Le langage de l'inconscient est imaginaire, allégorique, analogique, symbolique. Le symbole est une image ou un assemblage d'éléments cherchant à désigner un ensemble complexe de sentiments ou de pensées qui ne peuvent être exprimés par une définition conceptuelle claire. En tant que porteur d'une signification complexe, le symbole est inépuisable dans ses interprétations. On pourrait prendre la comparaison suivante : le rayon d'une sphère définit la taille de celle-ci et une seule mesure est nécessaire pour le connaître ; cependant, l'infinité des rayons est indispensable pour composer véritablement la sphère en question. La mesure du rayon et les trois directions de l'espace définissent la pensée conceptuelle, mais il faut l'infinité des rayons de la sphère pour approcher la pensée symbolique, plus globale. C'est grâce à cette pensée symbolique et à sa compréhension que l'analyste va pouvoir suivre l'évolution psychologique du sujet, seconder son inconscient d'abord dans le travail de décantation, puis dans celui de reconstruction.

FÊTES – TRADITIONS – MYTHES

Nous avons comparé le début d'un travail psychologique au labour de l'automne et montré, par les images d'un rêve, comment l'inconscient percevait et décrivait le remaniement intérieur préparant une transformation psychologique. Pour approfondir la comparaison, nous étudierons l'automne à travers les fêtes, les mythes et les traditions qui se rattachent à cette saison.

Chaque saison était traditionnellement inaugurée par des fêtes représentatives. Ces fêtes étaient, en somme, des rites d'entrée qui préparaient l'adaptation des hommes au sens de la nouvelle saison à vivre. Nous sommes peut-être légèrement moins sensibles aux variations saisonnières que nos ancêtres car la technicité actuelle permet de les neutraliser quelque peu. Mais si certaines variations cosmiques peuvent échapper au citadin, elles sont toujours aussi vivantes pour le paysan. Aucun de nous n'est indifférent à l'augmentation ou à la diminution de la longueur des jours, aux couleurs de l'automne ou à la réapparition du froid.

Avec le passage de l'équinoxe d'automne, l'ombre commence à monter, les jours deviennent plus courts que les nuits. Dans certaines régions de montagne, la chose est particulièrement sensible. Un roman de Ramuz décrit une vallée de montagne suisse où, l'hiver, le soleil ne pénètre plus ; chaque hiver, l'angoisse monte dans le village de ne plus revoir le soleil au printemps prochain. Cette montée de l'ombre évoque la mort. Ainsi, les fêtes de l'automne, inaugurant une descente dans l'obscurité et l'approche de la mauvaise saison, sont symboliquement des fêtes célébrant le monde des morts : dans notre monde chrétien, ce sont la Toussaint et le jour des Morts qui la suit.

Les fêtes de la Toussaint sont passées dans l'usage courant comme des célébrations à nos morts: culte du souvenir des défunts, visite au cimetière. Cependant, si on ouvre un livre de messe pour étudier la liturgie catholique de cette fête, on découvre qu'il s'agit, non d'une célébration en l'honneur des morts, mais en l'honneur des vivants de l'autre monde: les saints. L'ensemble des textes liturgiques de la Toussaint célèbrent la joie de la victoire contre la mort: la cohorte des saints chante autour du trône de Dieu; « oh! Mort où est ta victoire? » clame saint Paul. C'est le lendemain, jour des Morts, qu'est véritablement célébrée la mort — vue de la terre, pourrait-on dire — chagrin, douleur, séparation, respect dû aux défunts, drame profond; le contraste est saisissant. Ainsi, dans le message chrétien, « les morts sont bien vivants »; il faut cependant traverser le mystère de la mort pour passer d'une vie à l'autre, ce qui est la suprême souffrance, l'ambivalence même du symbole de la mort.

Le monde chrétien n'est pas le seul à célébrer l'autre monde. La civilisation celte, qui a précédé en Europe la civilisation chrétienne, considérait la nuit du 31 octobre au 1er novembre — 40 jours après l'équinoxe d'automne — comme une nuit sacrée: la nuit de Samain, nouvel an celte. Pendant cette nuit-là, les deux mondes — celui des vivants et celui des morts — pouvaient s'interpénétrer; des vivants pouvaient pénétrer dans l'au-delà ou des morts en revenir. Certaines légendes, plus ou moins christianisées, tirent leur origine de ces croyances. En Bretagne, par exemple, on dit que parfois un pêcheur est appelé cette nuit-là pour conduire un bateau mystérieux: c'est la barque des âmes que le pêcheur, devenu pour une nuit serviteur de la mort, doit conduire vers leur nouvel asile. Dans « l'Herbe d'Or », Pierre Jacquez-Hélias raconte une de ces légendes de la Toussaint[6].

Il s'agit d'un maître de ferme, parti en ce jour de fête vers le village, pour y prier au cimetière devant les tombes de ses parents. Il emprunte le chemin traditionnel de sa famille, chemin creux qui est aussi celui que suivent les enterrements. Il découvre dans ce chemin une plante inconnue et la ramasse pour la rapporter chez lui. Sans le savoir, il a cueilli l'herbe d'or qui fait passer les vivants dans le monde des morts et les morts dans les monde des vivants. Le voilà qui continue son chemin mais les vivants ne le voient plus, ni au cimetière, ni à l'église, ni même à la taverne. Personne ne se retourne sur son

passage, ne répond à son salut, ne semble même le voir ; un chariot le traverse sans encombre : il est devenu immatériel, comme les morts qui reviennent et que les vivants ne voient plus.
Il s'éloigne alors de son village et pénètre dans un pays inconnu de lui. Une grande plaine s'étend devant son regard ; d'un côté un chemin monte vers des hauteurs où il entend le son des cantiques, de l'autre un sentier descend vers une profonde vallée d'où résonnent cris et jurons. Notre fermier explore la plaine entre Paradis et Enfer et y découvre des êtres en peine, chacun ayant à refaire indéfiniment une tâche représentative de sa vie et de sa punition : aller porter secours à sa fille malade, chercher un trésor enfoui, remettre à sa place une borne injustement déplacée, défricher un camp convoité...
Notre héros explore ce purgatoire et rencontre une âme en peine parce qu'elle a perdu la fleur d'or qui permet aux morts de circuler librement entre les deux mondes. C'est ainsi que, pour aider cette âme, il lui donne la fleur trouvée un peu plus tôt dans le chemin creux.
C'est là qu'on le retrouvera d'ailleurs, inanimé, et personne ne voudra croire à son histoire ; il mourra à quelques temps de là...

Que signifient dans le contexte d'études psychologiques, de telles références au monde de la mort et à la croyance de l'au-delà ? Il semble que l'on puisse faire une comparaison entre cet au-delà du mythe et l'inconscient. En tant que mémoire profonde, mémoire de l'espèce, notre inconscient est en effet quelque peu comparable à ce monde brumeux où se conservent les expériences vécues, où flottent les âmes, éléments psychiques fragmentaires. Plonger dans l'inconscient, où le passé n'est jamais tout à fait aboli, ressemble à une descente aux enfers. La plupart des initiations comportaient une confrontation avec ce monde mystérieux qui nous éloigne de la conscience diurne, monde nocturne où l'initié rencontrait les âmes des ancêtres ou des animaux totems qui lui transmettaient la sagesse. Les exemples en sont innombrables ; on peut citer ici les initiations chamaniques, indiennes, ou le voyage d'Ulysse aux enfers...

Ainsi, le monde décrit dans « l'herbe d'or » ou dans d'autres contes est aussi un au-delà en nous. La vie nocturne des rêves nous plonge dans un espace particulier qui a un peu la même nature que cet arrière-plan mythique.

Mais revenons à l'automne, au monde des vivants et au labour qui est la tâche principale de cette saison. Pour l'illustrer, je vous propose d'étudier une chanson populaire que beaucoup d'entre nous ont dû connaître dans leur enfance. Il s'agit de la légende de saint Nicolas ; il y est question du démembrement.

LA LÉGENDE DE SAINT NICOLAS

Ils étaient trois petits enfants
Qui s'en allaient glaner aux champs.
S'en vinrent un soir chez le boucher
— Boucher, voudrais-tu nous loger ?
— Entrez, entrez petits enfants,
Y a de la place assurément.

Ils n'étaient pas sitôt entrés
Que le boucher les a tués,
Les a coupés en p'tits morceaux,
Mis au saloir comme pourceaux.

Saint Nicolas, au bout d'sept ans,
Vint à passer dedans ce champ,
Alla frapper chez le boucher
— Boucher, voudrais-tu me loger ?
— Entrez, entrez saint Nicolas,
Y a de la place, il n'en manqu' pas.

Il n'était pas sitôt entré
Qu'il a demandé à souper...
— Du p'tit salé je veux avoir
Qu'y a sept ans qu'est dans l'saloir.

Quand le boucher entendit c'la
Hors de sa porte, il s'enfuya...
— Petits enfants qui dormez là,
Je suis le grand saint Nicolas,
Et le saint étendit trois doigts,
Les petits se levèrent tous les trois.

Le premier dit: j'ai bien dormi,
Le second dit: et moi aussi,
Et le troisième répondit:
Je me croyais au paradis.

Il est difficile de situer l'origine de cette légende attribuée à saint Nicolas. Jacques de Voragine, dans la « Légende dorée », n'y fait aucune allusion[7]. Il relate par contre que l'évêque Nicolas aurait sauvé de la mort par condamnation trois soldats innocents, puis trois princes, également innocents, qui l'auraient imploré. Il aurait aussi sauvé plusieurs enfants de la mort. Nous ne savons pas comment cette légende s'esst propagée, mais elle est encore chantée par nos enfants.

L'iconographie représente souvent saint Nicolas devant une sorte de baquet où trois enfants debout semblent prier. Peut-être est-ce de la maladresse des représentations populaires qu'est venue la confusion, le baquet ou la barque pouvant suggérer un saloir ; cependant, on ne sait comment le glissement s'est opéré[8].

Si nous étudions cette chanson du point de vue psychologique, qu'y trouvons-nous ?

« Ils étaient trois petits enfants qui s'en allaient glaner aux champs » : c'est l'automne et, traditionnellement, les enfants ou les pauvres pouvaient passer après les récoltes pour ramasser ce qui restait dans les champs, épis ou grapillons oubliés. Les enfants sont des représentations des énergies juvéniles, des forces de renouvellement. Le chiffre trois a des significations symboliques multiples. Il peut être rapporté aux différentes formes de manifestation de l'énergie humaine, énergie matérielle — le corps —, énergie psychique, affective — l'âme —, énergie spirituelle — l'esprit.

« S'en vinrent un soir chez le boucher. Boucher, voudrais-tu nous loger? Entrez, entrez petits enfants, y a de la place assurément » : ils vont frapper chez le boucher à la nuit tombée. Avec la fin de l'automne, l'obscurité monte et le seul asile trouvé par les enfants, c'est la maison du boucher !

« Ils n'étaient pas sitôt entrés que le boucher les a tués, les a coupés en p'tits morceaux, mis au saloir comme pourceaux. » On peut se demander pourquoi tant d'enfants ont chanté cette chanson avec plaisir, étant donné son sadisme. Ici, le boucher représente l'aspect cruel de la vie qui nous blesse, nous détruit, nous découpe, nous tue ou nous remet en cause, l'aspect brutal de l'existence que tout enfant rencontre un jour et qui détruit son enfance, jusque là protégée du mal. Ce peut être aussi l'aspect

destructeur des parents — ici, plus particulièrement du père — que l'enfant rencontre tôt ou tard et qui apparaît aussi dans les contes, sous la forme de l'ogre. Ces énergies enfantines sont donc tuées, découpées, mises au saloir. Ce qui est remarquable dans cette mise au saloir, c'est que les enfants sont plongés dans un élément qui les conserve ; ils sont traités comme les futures momies, plongés dans le sel, le chlorure de sodium, le « natron » utilisé par les Égyptiens pour la conservation des corps.

Établir un rapport entre la tradition égyptienne et cette chanson peut paraître surprenant ; pourtant, elle n'est pas sans évoquer le mythe d'Osiris que nous étudierons plus loin. Les Égyptiens conservaient les corps des morts par momification, dans le but de maintenir un abri pour l'âme du défunt. La conservation du corps permettait, pensaient-ils, d'assurer directement la vie de l'âme dans l'au-delà. Dans notre chanson, quelque chose de vivant est détruit, mais partiellement cependant. Il s'agit plutôt d'un arrêt de l'évolution, d'une stase pendant laquelle les éléments dissociés sont mis en attente.

Sept ans plus tard, apparaît le grand saint Nicolas, saint qui préside aux fêtes de Noël. Dans certaines régions du nord de la France, on fête la St Nicolas et c'est à cette occasion que le vieux bonhomme donne des cadeaux aux enfants ou parfois, sous la forme du Père Fouettard, les punit en leur donnant le martinet. Ancêtre du Père Noël, saint Nicolas est un aspect paternel bienveillant, comme le boucher en était un aspect malveillant. Le grand saint Nicolas entre chez le boucher et lui demande à manger de ce petit salé qui depuis sept ans est au saloir. Effrayé, le boucher s'enfuit et le saint ressuscite les enfants.

« Le premier dit : j'ai bien dormi, le second dit : et moi aussi, et le troisième répondit : je me croyais au Paradis. » Les éléments psychiques représentés par les enfants se trouvaient malgré le découpage, en maturation — ailleurs — et la renaissance a pu se faire, grâce au principe masculin protecteur. A partir du démembrement et de la stase, quelque chose, quelque part, germe. Le sujet ne le sait pas puisqu'il vit la conscience du démembrement. Pendant ce temps, les énergies psychiques susceptibles de renaissance sont mises en attente ou en maturation, dans le sel. Il faut, pour que répparaissent le germe et les énergies, un cycle qui prépare la renaissance.

Beaucoup de mythes, de contes, de traditions religieuses parlent d'un tel cycle et l'identifient souvent au cycle cosmique du Soleil.

Depuis des millénaires, les hommes, face à la problématique de la vie et de la mort, ont tenté de trouver une réponse dans cette image de renaissance de l'astre après sa mort nocturne. Toutes les découvertes concernant les hommes préhistoriques montrent que là où apparaît l'homme, apparaissent aussi des rites qui touchent à la mort : enterrement, réunion d'ossements indiquant la présence de la notion de respect dû aux défunts. Ces rites peuvent être de différente nature mais ils sont toujours là. Cela sous-entend une interrogation — reste-t-il quelque chose qui persiste après la mort ? — et peut-être un refus de l'idée même de la mort, « quelque chose » vivant ailleurs, comme le soleil au-delà du couchant.

Dans un travail psychologique, il ne serait pas possible d'entreprendre quoi que ce soit, sans l'intuition que sous la souffrance destructrice à laquelle est soumise la personne, atteignant parfois un état de mort intérieure, il existe un potentiel de vie psychique promis à un réveil. Sans une telle certitude, le travail ne pourrait faire qu'un constat de destruction et deviendrait vain. Sous un état de mort apparente, se prépare une nouvelle vie qui surgira un jour, comme le soleil au matin.

Les trois petits enfants ont donc subi le cycle et sont revenus à la vie. Pour qu'une chanson populaire, construite sur l'interprétation fausse d'une iconographie légendaire et contenant des images aussi sadiques, ait la vie aussi dure, il faut qu'elle soit porteuse d'un message éloquent pour l'inconscient. Aucun de nous n'ignore aujourd'hui qu'en tout endroit de la planète et en tout instant, des milliers d'enfants et d'innocents sont encore les victimes de l'agressivité des « bouchers » de toutes sortes. Que dit notre air populaire ? Que le mal existe et que la montée des ombres de l'automne ne fait que le rappeler fort justement ; que le mal n'est pas tout puissant cependant et que la décomposition qu'il opère n'est pas une destruction totale ; que quelque chose persiste, vivant dans l'ombre de la mort, et renaîtra grâce à une force secourable ; cette force secourable peut faire obstacle aux puissances du mal et les chasser. S'il est lucide d'estimer que la vie est bien souvent une boucherie pour innocents, faut-il pour autant considérer comme illusoire l'intervention bénéfique ? Les forces de démembrement, nous les rencontrons partout. Doivent-elles nous faire nier l'existence des forces de remembrement ? Le message de la chanson, qui ne nie pas certaines réalités, propose un espoir. A chacun de choisir si l'espoir est illusion ou réalité.

Cette chanson montre la permanence de la vie malgré le découpage et la mise dans le sel. Ceci nous renvoie aux pratiques d'embaumement des Égyptiens et au mythe d'Isis et Osiris[9].

> *« Nouit, la déesse du ciel, et Sibou, le dieu de la terre — enfants de Ré, dieu solaire — s'étaient mariés malgré son interdiction. Pesait sur eux une malédiction : ils ne pouvaient avoir d'enfants, en aucun jour d'aucune année. Mais, avec la complicité de Thot, Nouit mit cependant au monde cinq enfants pendant cinq jours, volés à la lune, qui ne figuraient pas au calendrier. Ces jours qui sont une infraction à l'ordre divin du monde resteront comptés à part dans le calendrier égyptien (360 jours + 5). Ils virent la naissance d'Osiris, d'Harveris, de Seth ou Typhon, d'Isis et de Nephtys. Ces dieux, nés d'une faute, d'une infraction à l'ordre, d'un mariage interdit, portent dans leur histoire la marque du problème du mal. Ils inaugurent d'une certaine manière le drame historique, la catastrophe de l'histoire émergeant de la perfection divine anhistorique. Ce sont les enfants de l'union du ciel et de la terre, avec toute la dualité que cela suppose et qui va s'illustrer dans le mythe d'Isis et d'Osiris.*
>
> *Frère et sœur, Isis et Osiris se marient et règnent sur l'Égypte comme des dieux civilisateurs. Osiris apprend aux hommes l'art de l'agriculture, la culture des céréales et de la vigne ; il leur fait découvrir les métaux et leur utilisation. C'est le grand Roi qui sera le modèle des rois futurs. Isis, de son côté, leur enseigne la fabrication du pain, l'art de filer et de tisser le lin. D'après la légende, Osiris, dieu-homme vivant parmi les hommes, est le roi lumineux et bénéfique qui règne par l'harmonie qu'il crée autour de lui ; mais auprès de lui vit aussi Seth-Typhon, son frère, principe obscur incarnant l'esprit du mal. Osiris et Seth représentent l'opposition irréconciliable entre les principes du mal et du bien.*
>
> *Seth ayant préparé un sarcophage aux mesures exactes d'Osiris l'y enferme par traîtrise et jette le coffre dans le Nil. Isis, sœur et épouse d'Osiris, part en quête du coffre qui contient le corps de son mari. Celui-ci a été englobé par le tronc d'un gigantesque acacia dont le roi de Byblos a fait le pilier de son palais. Isis, chaque nuit, sous la forme d'une hirondelle, vole en se lamentant autour de ce pilier. Quand le roi apprend qui est Isis et ce qu'elle cherche, il fait abattre le pilier et lui rend le coffre contenant le corps d'Osiris. Elle le cache dans un bras*

du Nil ; c'est là qu'elle met au monde son fils Horus, le jeune soleil, personnification d'Osiris sur terre. C'est là aussi que Typhon retrouve le corps et, pour achever son œuvre de destruction, le démembre en quatorze morceaux qu'il disperse au hasard.
Quand Isis découvre ce nouveau forfait, elle repart dans une quête désespérée et rassemble les morceaux avec l'aide de Thot et Anubis. Les ayant tous réunis, à l'exception du membre viril, elle reconstitue le corps d'Osiris, l'embaume et le transforme en une momie impérissable, capable de supporter éternellement l'âme du dieu. « Elle récita les prières et les formules magiques qui le firent revenir à la vie » ; mais la nouvelle vie d'Osiris est différente de la précédente, il ne séjourne plus chez les humains, mais dans l'autre monde où il règne éternellement et reçoit les morts, tandis que son fils Horus règne sur ce monde-ci.

Ainsi Osiris, dieu cultivateur lumineux subit les embûches de l'esprit du mal. Il incarne de cette manière le drame de la destinée humaine. Homme-dieu, il est fils du ciel et de la terre (dans le panthéon égyptien, le ciel est féminin et la terre masculine). Cette union de l'esprit et de la matière s'avère conflictuelle. Le problème du mal est ainsi exprimé. Dans la tradition biblique, il le sera par l'irruption du serpent et la curiosité d'Ève qui veut goûter au fruit de la connaissance du bien et du mal. Bien et mal, deux faces de la chose créée, connaissance à laquelle l'être humain est convié, mais connaissance douloureuse qui le met au supplice : supplice d'Osiris démembré, châtiment d'Adam et Ève, supplice du corps sur les braises, démembrement des petits enfants, irruption de la mort que symbolise l'automne avec la descente de la lumière après le solstice. La sortie de l'ordre divin du monde, sortie du jardin d'Eden, c'est la rencontre avec la souffrance : souffrance de la mère — « tu enfanteras dans la douleur » — mais aussi souffrance de l'enfant qui perd, lui aussi, le jardin d'Eden, le lieu des délices, pour entrer dans un monde où il faudra combattre. Les couleurs de l'automne présagent la montée de l'ombre. Les petits enfants sont assassinés. Est-ce à dire que la vie n'est que cela, que toute histoire est catastrophe ? Non, Osiris ressort vivant et éternel, ressuscité comme nos trois petits enfants. Il est aussi le dieu-grain qui, s'il ne meurt, ne pourra germer. La mort-souffrance devient une mort-transmutation, le sacrifice est fait en vue d'un bien futur. Le supplice est une cuisson complète qui, grâce au feu, subtilise la matière brute et la spiritualise, comme le sel garde les chairs et les transforme. Le désir de renaissance s'appuie sur les images de la germination future ou sur celles de la transformation de la matière que l'alchimiste fait « cuire » dans sa cornue. Il y a démembrement mais aussi espoir de renaissance. Psychologiquement, c'est le même espoir qui guide au cours du démembrement analytique, celui de l'apparition d'une nouvelle personnalité après la destructuration.

Le passage entre les deux mondes, monde de l'au-delà, du non-manifesté où tout est potentialité et ce monde d'ici-bas, lieu de la création, est représenté de différentes façons. L'un des symboles les plus fréquents est celui du fleuve qui sépare les deux mondes et de la barque qui guide les âmes. Pour montrer qu'il ne s'agit pas seulement ici de rapporter des récits mythologiques, élaborés autrefois et qui pourraient n'avoir plus de réalité actuellement, mais d'idées encore bien présentes dans l'esprit contemporain, je vous raconterai l'anecdote suivante, concernant un enfant de cinq ans ; l'histoire m'a été racontée par sa mère :

> *L'enfant était à l'école maternelle quand un de ses camarades est mort. Tous les enfants sont allés à l'enterrement. Il a vu le cercueil qu'on mettait en terre et n'a rien dit pendant la cérémonie. De retour chez lui, il dit à sa mère : « Oui, c'est vrai, il est dans le cercueil, il est sous la terre, mais sous la terre il y a une rivière et il est parti dessus. »*

Cet enfant qui n'avait certainement pas lu le mythe d'Osiris, ni entendu parler de la barque des âmes, recréait spontanément l'image du voyage vers l'au-delà. Cette intelligence créatrice dort au fond de nous comme elle le faisait il y a des millénaires et propose, comme autrefois, des images pour traduire ce qui est indicible, parler d'une réalité autre pour laquelle il n'existe pas de langage. Pour décrire cette réalité, il faut utiliser des symboles ou des paraboles. Ce qui veut être décrit par ce langage ne pourra jamais être totalement défini. Chaque description n'est jamais qu'un des rayons de la sphère, un regard, et il y en a des infinités. L'enfant a ainsi décrit que « quelque chose » de l'ami mort était passé ailleurs. Ce « quelque chose » qui peut être appelé l'âme ne se décrit pas par un concept intellectuel, mais par l'image d'un germe vivant qui peut traverser la mort et reparaître dans un nouveau processus d'organisation. Voilà esquissé le mythe du passeur des âmes sur la barque et, à travers la chanson des trois petits enfants, celui de la renaissance après le démembrement.

Si l'on se rappelle le rêve initial du cadavre sur le gril, on devine qu'un mythe de mort y était inscrit : la mort ancienne d'un être cher dont souffrait la rêveuse, et qui l'avait aussi détruite. Le mythe de mort exprimait mieux que tout l'angoisse intérieure qui l'habitait. Ces données ne sont ni intellectuelles, ni théoriques ; elles saisissent un être humain dans toute la profondeur de son émotion. Plusieurs mois après ce premier rêve, la personne en question m'apporta celui-ci :

> « *Trois petites filles attendent le car pour aller à l'école. Mais la Seine, très boueuse à cet endroit, monte très vite. Il y a beaucoup de courant. Avec mon père, on les regarde mais, le temps de réagir, elles sont déjà englouties. Alors, on plonge pour les rechercher. On en trouve deux mais on est inquiets de ne pas voir la troisième. On renonce à chercher et on s'aperçoit que le troisième enfant est là aussi avec les deux autres : ils sont là, tous les trois, propres, secs...* »

Je ne lui avais pas parlé, jusqu'alors, de mes réflexions sur la chanson des « Trois petits enfants », réflexions qui m'agitaient au moment même où elle vint me raconter ce rêve. Il s'était écoulé presque un an depuis le rêve du gril. Dans ce nouveau rêve, les énergies représentées par les enfants, autrefois en danger d'engloutissement, sont bien vivantes. La rêveuse est allée les rechercher par sa plongée dans l'inconscient et ceci avec l'aide de son père redevenu symboliquement positif. Le boucher s'est transformé en St Nicolas ; celui qui retournait le cadavre sur le gril est maintenant une aide secourable.

Nous remarquerons que le chiffre trois reparaît dans le rêve comme dans la chanson. On peut penser qu'il décrit l'être humain sous ses trois aspects : corps, âme, esprit — c'est-à-dire les dimensions physique, affective et spirituelle. Ces trois aspects sont en train de se restaurer en surgissant des profondeurs de l'inconscient, le fleuve où ils ont été engloutis. Entre ces deux rêves — disons à peu près à mi-chemin — cette personne, qui a vécu dans son adolescence la souffrance de perdre un être cher, a fait le rêve suivant :

> *« Sur une péniche, un jeune homme navigue sur des canaux très différents les uns des autres mais chaque canal, toujours très étroit, qu'il emprunte, conduit chaque fois à un mur ou à une porte de fer, ou alors le canal devient souterrain et ne sert plus à la navigation... A un moment le canal arrive à une grande porte en fer qui s'ouvre et le jeune homme se retrouve dans une immense usine — comme une sphère — où l'on fait des voitures... (ici intervient un épisode à signification personnelle)... puis des milliers de cloches avec des ailes, dans le style des dessins de Folon, volent dans le ciel. »*

Ce rêve, montrant une pérégrination longue et difficile qui trouve enfin son issue, a représenté un moment charnière dans l'évolution de la rêveuse, moment à partir duquel elle a pu véritablement accepter la disparition dont elle souffrait et accepter de continuer d'assumer dans la vie des problèmes qu'elle partageait avec le disparu. Nous y retrouvons les images mythiques évoquées précédemment : l'eau souterraine, la barque, les portes qui défendent l'entrée dans l'au-delà, enfin l'envol de l'esprit. Une histoire personnelle a une résonance mythique et ces images ne se trouvent pas seulement dans les vieux grimoires, ni dans les antiques traditions, ces images sont bien vivantes dans le cœur et la tête des hommes et des femmes d'aujourd'hui. La bibliothèque antique est en nous. Ce ne sont pas des données que l'on va chercher à travers des études savantes, en disant : « en ce temps-là, les hommes avaient des visions... » Notre rêveuse ne pouvait entrevoir que les images de ses rêves avaient une telle résonance ou de telles racines. Elle les avait simplement reçues comme des cauchemars ou des histoires insensées : elle n'avait pas le moyen de les comprendre.

Il est nécessaire que ces images intérieures parlent et permettent une guérison affective mais, pour cela, il faut parvenir à les décrypter. Comment les décrypter si ce n'est en réapprenant l'usage du langage symbolique ? Ces significations intérieures qui s'expriment sous forme de rêves restent le plus souvent incompréhensibles, le comble de l'absurdité et du ridicule souvent, de l'indécence parfois.

Pourtant, les rêves ont toujours intrigué les humains et ont été, jusqu'à une époque relativement récente, reçus comme des messages importants. Interprétés par les prêtres, les prêtresses ou les sages, dans différentes traditions, ils étaient considérés comme porteurs d'une sagesse que nos ancêtres, plus ouverts au langage allégorique et symbolique, avaient moins de peine à saisir que nous. L'expression imagée s'inscrivait dans le langage courant: c'est sur elle que se sont appuyés les premiers modes d'écriture. L'homme antique était ainsi moins désarçonné que nous par ce langage. Rêves, contes, légendes véhiculaient une connaissance traditionnelle, construite sur l'analogie et transmise soigneusement, oralement. Cette tradition a continué d'animer les veillées paysannes jusqu'au siècle dernier. Les contes ainsi transmis de génération en génération, modelés au cours du temps par des ajouts personnels dus aux conteurs, et pourtant étonnamment fidèles dans leurs motifs profonds, s'adressaient autant aux enfants qu'aux adultes et proposaient, à travers la métaphore d'un royaume malade ou d'une richesse à conquérir, un modèle de comportement face à une difficulté particulière. Ce monde imaginaire, que brossait le conteur, ces royaumes à sauver, ces pays à traverser, ces princesses à découvrir, figuraient autant de mondes intérieurs, de cheminements intimes, de découvertes de l'amour.

L'adage alchimique dit « ce qui est en haut est comme ce qui est en bas[10] ». Nous pourrions le paraphraser ainsi: « ce qui est au dehors est comme ce qui est au dedans. » Le monde extérieur sert ainsi de support de projection à des contenus psychiques qui ne pourraient autrement parvenir à la conscience. L'investigation psychologique conduit à cette confrontation avec l'inconscient et son langage particulier; on découvre alors que les contenus inconscients parviennent à devenir conscients grâce à cette projection symbolique. Le rêve en est le meilleur exemple mais il faut apprendre à le comprendre. Sur ce problème se sont penchés des hommes comme Freud et Jung.

JUNG ET FREUD

Cette manière de mettre en rapport le développement psychique et les mythes a été pratiquée avec une étonnante pénétration par le psychiatre suisse Carl Gustav Jung qui consacra toute sa vie à l'étude simultanée des problèmes psychiques de l'homme moderne et des productions de l'esprit humain: traditions religieuses, mythologies, traditions ésotériques, alchimie. C.G. Jung, né en 1875, a été pendant quelques années le collaborateur de Freud. Ceci nous ramène vers la psychologie dont l'évolution actuelle doit beaucoup à Freud.

Né en 1856, mort en 1939, Freud a été surnommé le « Père de la psychanalyse ». Il fut parmi les premiers à se référer à la notion d'inconscient, face à des troubles de comportement psychologique dont les motivations semblaient ignorées du sujet conscient. Ces motivations provenant, selon Freud, d'événements traumatiques de la vie enfantine ou de désirs oubliés ou refoulés, ne peuvent émaner que d'une zone psychique autre que la conscience, d'où elles agissent à son insu[11].

Pour mieux comprendre Freud, il convient de le situer dans le monde où il a évolué, cette bourgeoisie viennoise de la fin du XIXe siècle où la bienséance et le bon ton favorisaient certainement un refoulement des instincts primaires. Que l'on songe, à la même époque, à la société victorienne en Angleterre ou un peu plus tôt, en France, au monde bourgeois représenté par Balzac dans la Comédie Humaine : les passions dorment sous un vernis de bonne éducation. Freud ne se trompait pas en décelant derrière les troubles neurologiques de ses patients des désirs inavoués et souvent inavouables. Il est certain que le Moyen-Âge chrétien, bien que profondément religieux, était beaucoup plus libre par rapport à la vie des instincts que la bonne société viennoise du XIXe siècle. Ainsi, Freud fut amené à faire une analyse des névroses entièrement basée sur l'idée du refoulement des désirs et des instincts. Ce refoulement qui est exercé par une instance autoritaire — le « surmoi » — apparaît comme une introjection de l'image des parents et des éducateurs en général.

Dans l'histoire du développement de l'instinct dans la psyché humaine, Freud a insisté sur le développement du désir sexuel de l'enfant à l'égard du parent de sexe opposé et sur le refoulement de ce désir, en raison du tabou de l'inceste, s'appuyant pour illustrer cette description sur la légende d'Œdipe. Il a ainsi quelque peu ramené toute la psychologie à cette notion : tout n'est que désir plus ou moins refoulé ou bien, dans une perspective d'évolution positive, désir transformé ou sublimé, c'est-à-dire ayant trouvé des objets d'application acceptables. Une telle conception amène à considérer l'inconscient comme le lieu de rebut des souvenirs oubliés ou des désirs refoulés. S'il est vrai que les expériences mal vécues sont remisées dans cette mémoire inconsciente, nous allons voir cependant que Jung a voulu élargir la notion d'inconscient tel que le comprenait Freud.

Après plusieurs années de collaboration, un malaise s'installa progressivement entre les deux hommes, Jung estimant que l'inconscient contenait d'autres thèmes que les expériences bien ou mal vécues du sujet[12]. Selon la conception de Jung, l'inconscient n'est pas seulement une mémoire personnelle de l'individu, il est aussi une mémoire collective et une matrice génératrice, créatrice. Les mythes, les œuvres artistiques, philosophiques, les conceptions religieuses, les découvertes de l'intelligence humaine émergent de cette couche profonde qui représente les racines de l'âme et de l'intelligence.

Au cours d'une analyse freudienne, le sujet, opérant la décantation des événements traumatiques, débouche nécessairement sur la relation parentale, analysée par Freud d'après la légende d'Œdipe. Le complexe d'Œdipe représente pour lui l'attachement au parent de sexe opposé et le rejet du parent de sexe identique. Dans la pratique, les enfants se trouvent effectivement souvent en situation oedipienne ; il faut remarquer cependant que cette situation est, le plus souvent, provoquée par les parents eux-mêmes : attachement du père pour sa fille — qui se retrouve dans le conte de Peau d'Âne — amour excessif des mères pour leur fils.

Nous allons étudier le mythe d'Œdipe d'après les textes grecs et voir qu'il est en fait assez différent de l'interprétation qu'en a donné Freud[13].

> *Œdipe est le fils du Roi de Thèbes, Laios, et de la Reine Jocaste. A sa naissance, un oracle d'Apollon prédit que l'enfant tuera son père et épousera sa mère.*

Cette situation évoque toute venue au monde d'un enfant : la quantité d'amour que la mère donne à l'enfant détrône quelque peu le père. Plus tard, l'enfant grandissant sera un rival pour le père vieillissant.

> *Laios retire donc l'enfant à la reine, dès sa naissance, lui coupe les tendons des pieds et l'expose dans la montagne pour sa perte* — le nom d'Œdipe (Œdipos : pieds enflés) vient de cette blessure.
> *L'enfant est recueilli par des bergers. Suivant les versions, il est élevé par ceux-ci ou adopté par Polybe, roi de Corinthe. Œdipe ne sait donc rien de sa véritable identité. Devenu*

adulte, il reçoit le même oracle : il tuera son père et épousera sa mère. Horrifié, il s'enfuit sur les routes de Grèce pour échapper à ce destin. A un carrefour, il rencontre un vieil homme dans un char, accompagné de ses serviteurs, qui le somme rudement de céder le passage. C'est le Roi Laios qui voyage, sans les insignes de sa royauté, en route vers le sanctuaire d'Apollon pour consulter l'oracle au sujet du Sphinx qui ravage Thèbes. Une dispute de préséance s'élève entre les deux hommes, un affrontement de puissance qui se termine par le meurtre de Laios (et des serviteurs l'accompagnant) par Œdipe qui, ainsi, tue son père sans le savoir. Ce qu'il a tué là, c'est un rival s'opposant à son affirmation de lui-même.

Œdipe continue son chemin vers Thèbes. La ville est ravagée par un fléau : le Sphinx, sorte de monstre mi-animal, mi-humain. Il pose aux voyageurs une énigme et les oblige à se précipiter dans le vide s'ils n'en connaissent pas la réponse. La question est : « Quel est l'animal qui marche à quatre pattes le matin, à deux pattes à midi et à trois pattes le soir ? » La réponse est impossible à trouver si l'on comprend l'énigme textuellement, concrètement. »

Au niveau symbolique ou allégorique, elle est évidente : c'est l'homme qui marche à quatre pattes, enfant, sur deux pattes à l'âge adulte et sur trois pattes — appuyé sur une canne — à la fin de sa vie. Œdipe lui-même est appuyé sur un bâton, malgré son jeune âge, car il est boiteux du fait de sa blessure d'enfance.

Ainsi, le personnage d'Œdipe est très représentatif de l'humanité boiteuse du fait d'une insuffisance parentale. Si on regarde le mythe lui-même, on se trouve devant une inversion : ce n'est pas Œdipe qui cherche directement à éliminer son père et à épouser sa mère ; c'est le père qui craint d'être éliminé par cet enfant naissant et ne lui donne pas les moyens de s'affirmer. De ce fait, l'enfant est boiteux. Il est amené prématurément à une sorte de vieillesse ; il ne marche pas sur « deux pattes », il est déjà sur « trois pattes », appuyé sur un bâton. D'autre part, c'est la mère elle-même qui propose le mariage au nouveau venu, la reine de Thèbes ayant promis sa main et la couronne à celui qui délivrerait la ville. Œdipe devient roi de Thèbes et épouse Jocaste. La prophétie s'est ainsi réalisée : il a tué son père et épousé sa mère.

Œdipe ayant résolu la question du Sphinx, celui-ci se jette de lui-même dans l'abîme. Ce sphinx est un monstre féminin, lionne ailée à tête de femme, différent du Sphinx égyptien qui apparaît comme une puissance souveraine, impitoyable aux rebelles et protectrice des bons[14]. Plus pervers, le Sphinx grec pose une énigme sans solution qui préfigure le destin tragique. C'est une figure assez claire de l'inconscient lui-même, secourable pour ceux qui le comprennent et malédiction pour les autres. La compréhension littérale, concrète d'Œdipe renvoie le Sphinx dans la profondeur de l'abîme, dans l'inconscience elle-même. Ainsi le destin d'Œdipe se réalisera concrètement dans son évolution dramatique, alors qu'une compréhension symbolique aurait ouvert d'autres portes[15]. C'était peut-être une image du destin grec lui-même : la perte du sens symbolique. A sa suite, Freud et l'école freudienne ont interprété le mythe oedipien d'une façon presque exclusivement concrète, sur le plan biologique de l'instinct et en particulier de l'instinct sexuel. Les autres messages de l'inconscient sont réengloutis dans l'abîme et l'homme poursuit son destin biologique sans autre éclairage.

Pour les Grecs, l'histoire d'Œdipe était représentative de l'impuissance des hommes face aux décrets du destin. Cette impuissance devant la fatalité est l'un des ressorts de la Tragédie grecque. Ainsi, ce n'est pas pour épouser sa mère qu'Œdipe tue son père, il désire en fait échapper à ce destin et son drame est très représentatif des problèmes de l'homme.

Il faut saluer ici la perspicacité de Freud. Comme nous l'avons dit, tout enfant venant au monde attire à lui l'amour de sa mère et, d'une certaine manière, l'épouse et détrône — « tue » — le père. Mais on peut aussi dire que, sur un plan d'interprétation psychique, il est nécessaire pour l'enfant de « tuer » le père, c'est-à-dire les excès autoritaires de sa propre nature, et « d'épouser » la mère, c'est-à-dire la fonction d'amour. Compris au niveau spirituel, le destin d'Œdipe n'était pas une tragédie mais plutôt la tâche de tout être humain venant au monde. Comprise textuellement la prophétie ne pouvait qu'être dramatique ; c'est le manque d'intelligence symbolique des parents qui a entraîné le rejet de l'enfant et le déroulement fatal de l'histoire.

La peste ravageant, dix ans plus tard, la ville de Thèbes, l'oracle d'Apollon révèle que le coupable est le meurtrier de

Laios. Les révélations du devin Tirésias font découvrir à Œdipe, avec horreur, que son destin s'est réalisé. Jocaste se pend et Œdipe se crève les yeux pour expier son aveuglement. Aveugle, ayant tourné son regard vers l'intérieur, il sera conduit par sa fille Antigone au sanctuaire des Euménides où il trouvera le pardon.

Le mythe est donc un peu différent de l'interprétation freudienne. Dans celle-ci, c'est l'enfant mâle qui veut éliminer le père pour épouser la mère, en raison d'un attachement instinctuel à celle-ci. Comme nous l'avons dit, il y a là quelque chose de vrai, du fait que tout enfant, à la naissance, accapare une certaine quantité d'amour maternel qui est retirée au père. Il est d'ailleurs très fréquent que le père se sente frustré de la naissance d'un enfant, masculin ou féminin d'ailleurs. La mère épouse en quelque sorte l'enfant et cet amour-là soustrait quelque chose à la relation au mari. Le père devrait alors élargir son affectivité pour pouvoir accueillir l'élément nouveau ; ce n'est pas forcément le cas, le père se montrant alors rival vis-à-vis de l'enfant. Celui-ci est blessé, mis en situation oedipienne parce qu'il se trouve face à un père castrateur. Dans certains cas, c'est la mère elle-même qui a des attitudes de rivalité à l'égard de l'enfant, attitudes castratrices dangereuses pour celui-ci. On peut remarquer que dans la légende d'Œdipe, Jocaste ne s'oppose pas à l'action de Laios et laisse emporter son enfant. Nous nous trouvons face à une tendance destructrice des parents qui s'oppose à l'image des bons parents, illustrée ici par les parents « nourriciers », bergers ou autres parents adoptifs (le roi de Corinthe, Polybe). De nombreux contes répètent cette description de l'ambivalence parentale à l'aide des deux images, parents castrateurs et parents nourriciers.

Cette rivalité et cette ambivalence ne s'expriment pas seulement sur le plan de la rivalité sexuelle; l'enfant est aussi le rival biologique, celui qui pousse le parent vers la tombe — « Cela ne nous rajeunit pas » dit le langage familier, devant un enfant qui grandit — l'enfant est là l'indice, le signe du vieillissement inéluctable, de la mort inévitable.

Nous l'avons dit aussi, la tâche qui consister à « tuer » le père et à « épouser » la mère a, d'un point de vue plus profond, une autre signification, symbolique cette fois-ci. « Tuer » le père signifiera alors tuer un excès d'autorité et de puissance pour « épouser » la mère, rejoindre profondément la nature de l'esprit féminin porteur de vie et d'amour. Si la chose était comprise à ce niveau très large, elle ne constituerait plus une malédiction.

Cette étude du mythe d'Œdipe, point d'appui de l'analyse freudienne, nous fournira le pont pour rejoindre Jung. Jung a très justement compris que l'interprétation uniquement sexualisante du mythe oedipien était incomplète. C'est ce qu'on a appelé le pansexualisme de Freud, rapportant toute attitude psychologique défectueuse à un trouble du développement de la sexualité infantile. L'image de la sphère peut encore être ici révélatrice : le sexualité comme explication causale des troubles peut être considérée comme l'un des rayons de la sphère, mais il en existe d'autres ; leur prise en compte donne une vision plus globale et élargie de la problématique psychique. Ainsi, Jung reprochait à l'interprétation freudienne d'être réductrice et d'aboutir, en fin de compte, à la pauvreté des significations, tout élément provenant de l'inconscient risquant d'être compris uniquement comme une sexualité refoulée et censurée.

Jung définissait la névrose comme « la souffrance d'une âme qui cherche son sens », névrose devenant en quelque sorte relative avec la découverte par l'être du sens de sa vie. Certaines souffrances du passé ne seront peut-être jamais effacées totalement mais, dans le tableau général de la vie du sujet, elles peuvent se situer d'une façon nouvelle et ne plus occuper le devant de la scène. Il est évident que l'on n'atteint pas sans travail personnel ce nouveau regard qui relativise un passé et le situe dans sa juste proportion, donnant ainsi leur fécondité aux souffrances qui, jusque là, l'entravaient.

Né en 1875, Jung avait 19 ans de moins que Freud. Formé à l'école de psychiatrie, il commença sa carrière au Burghözli, l'asile psychiatrique de Zurich, comme assistant de Bleuler senior. Freud était neurologue et c'est par cette voie qu'il a abordé la névrose. Les deux hommes avaient, on le voit, un champ d'observation différent. C'est essentiellement l'étude des névroses hystériques qui orienta Freud vers ses découvertes, alors que Jung aborda l'inconscient dans toute l'étendue de ses manifestations, sans exclure le champ des psychoses.

Dès le départ, le point de vue des deux hommes différait. Dans les années 1900, les publications de Freud étaient reçues avec suspicion par les milieux médicaux, passées sous silence dans les congrès. Freud faisait scandale. Découvrant, à la lecture de la « Science des rêves », l'importance de l'hypothèse de Freud (l'action des motivations inconscientes sur les troubles psychologiques), Jung soutint celle-ci, ce qui ne fut pas sans lui valoir des inimitiés. C'est ainsi qu'après avoir « rompu des lances en sa faveur » dans certains congrès, Jung rencontra Freud à Vienne en 1907[16]. Leur première entrevue dura treize heures et fut suivie d'une collaboration dont témoigne leur correspondance[17]. Jung, dans ses souvenirs, décrit la nature de cette collaboration et ces difficultés, sa gêne face à l'attitude réductrice de Freud et son refus d'interpréter l'histoire des mythes, de l'Art ou des religions à l'aide du seul paramètre biologique[18].

Une étude de Freud sur Léonard de Vinci montre que celui-ci avait sans doute une problématique incestueuse à l'égard de sa mère[19]. Il avait aussi une mère adoptive, ce qui amplifiait la problématique et introduisait le motif des deux mères... Jung objecta que, malgré ses difficultés, Léonard de Vinci était aussi un génie, que ce n'était pas forcément le cas pour tous ceux qui avaient un problème maternel et qu'on ne pouvait réduire le génie à la seule dimension des problèmes instinctifs infantiles : « poussée logiquement et à fond, son hypothèse menait à des raisonnements qui détruisaient toute civilisation[20]. » Freud confirma : « il en est ainsi, c'est une malédiction du destin en face de laquelle nous sommes impuissants. »

Pour reprendre notre comparaison, Freud considère l'inconscient comme l'endroit où sont refoulés les événements traumatiques et les désirs jugés incompatibles avec le jugement moral, incarné par le « surmoi ». Pour parler vulgairement, cet inconscient est une « poubelle » d'où les énergies refoulées agissent en « polluant la conscience ». Il faut donc nettoyer et mettre à jour les pulsions. Ce n'est pourtant que l'une des données du problème.

Jung présente une autre conception de l'inconscient. Il appelle inconscient personnel le plan décrit plus haut, dépositaire des expériences vécues et des affects refoulés, puis décrit, à un niveau plus profond, un inconscient créateur d'où surgissent la création artistique, les élans religieux, les traditions mystiques... Nés de cette matrice, ils apparaissent comme une inspiration de l'esprit. Jung a nommé cette dimension « inconsciente » profonde « l'inconscient collectif ». C'est sur cette matrice qu'un travail psychologique jungien va « brancher » le sujet. Après la décantation des différents problèmes personnels par le labour, le découpage, l'analyse, le processus ne s'arrête pas là ; s'ouvre alors une autre porte, comme celle que découvrait le jeune homme du rêve, et on pénètre dans la « grande usine », le monde de l'inconscient collectif. Ce monde qui est en nous est aussi en dehors de nous, dans les traditions, dans les trésors des cultures, monde générateur qui propose un nouveau mythe, un nouveau modèle de vie, un nouveau sens à la personne. Il faut remarquer que Freud a abordé cette notion de l'aspect créateur de l'inconscient dans ce qu'il a appelé le « ça », impulsion profonde de la personnalité qu'on ne peut détourner ; mais il ne lui a donné qu'une expression biologique tandis que Jung accorde à cette dimension un caractère psychique dans lequel s'intègre la pulsion biologique.

Jung appellera « Soi » la fonction associant les différentes pulsions de l'individu, biologiques et spirituelles. Ainsi, la psychologie jungienne refuse d'éliminer un paramètre au profit de l'autre ; c'est ce qui en constitue d'ailleurs toute la difficulté. Une description unilatérale qui ferait prévaloir l'un ou l'autre des deux axes — biologique et spirituel — aurait le bénéfice de la simplicité mais ne rendrait pas compte, selon lui, de la complexité des faits psychiques. Il faut remarquer que, de ce fait, Jung semble considérer l'inconscient comme doué d'une connaissance et d'une intelligence, comparable à cette connaissance inconsciente de nos organes qui, sans que nous le sachions ni le comprenions, exécutent des merveilles. Cette connaissance inconsciente fonctionne à notre insu, mais fait régulièrement émergence dans la conscience, non seulement par l'intermédiaire du rêve, mais dans les inspirations subites, les actes créateurs — et pas seulement les actes manqués — et présente une qualité intrinsèque.

La différence de leurs points de vue amènera les deux hommes à une rupture douloureuse, consommée durant les années 1912-1913 et dont témoigne leur correspondance. Freud avait d'ailleurs connu bien d'autres ruptures avec certains de ses élèves[21]. L'exploration de l'inconscient qu'il avait entreprise l'avait souvent mis face à une imagerie mythologique qui l'avait parfois désarmé — et l'école freudienne à sa suite. Il eut alors recours à un système de défense rationnel et réductionniste, invoquant la causalité strictement biologique et éliminant la cause finale. Réintroduire la cause finale, c'est aussi réintroduire le sens de la vie, ce qui implique d'intégrer dans le système de pensée le problème spirituel.

Freud, de dix-neuf ans plus âgé que Jung, était fils de la pensée scientifique et positiviste du XIXe siècle, mouvement qui avait eu le mérite de faire la part du réel dans la description de la nature et de rejeter l'imaginaire et le fantastique. Mais, poussée à l'extrême, cette conception évacuait des inconnues qui appartiennent au domaine psychique et ne trouvent pas toute leur solution dans une explication matérialiste. Le mouvement actuel de la pensée scientifique en micro-physique a été contraint de réintroduire ces inconnues. A l'époque de Freud et en 1913, on était encore loin de se douter de la remise en cause de l'univers matériel qui allait être inaugurée par Einstein.

Jung qui ne voulait pas évacuer la donnée spiritualiste, cette inconnue que représente l'âme, en la ramenant à n'être qu'un épiphénomène de la matière, affronta pour comprendre le domaine psychique le matériel mythologique et religieux des diverses traditions. La confrontation de ces événements avec les éléments psychiques qu'il observait dans l'inconscient de ses patients l'amena à construire une psychologie complexe qui déroute encore bien des lecteurs de cette seconde partie du XXe siècle ; c'est le cas plus particulièrement de ses travaux sur l'alchimie.

JUNG ET L'ALCHIMIE

Face à notre tradition chrétienne s'est élaborée en parallèle une tradition ésotérique — la tradition alchimique — qui reprenait l'idée du développement ou de l'évolution spirituelle incarnée par le Christ, en la situant dans le cadre de l'étude de la matière. La matière devenait alors une substance à sauver ou à transformer et, par analogie, l'être humain, assemblage complexe de matière et d'esprit, pouvait vivre une métamorphose identique. L'alchimiste traitait une « matière première » souvent mystérieuse, inconnue, « imperfecta » dont il espérait obtenir la transformation par différentes manipulations. Son intuition et ses connaissances chimiques lui faisaient approcher les secrets de la matière et la réelle possibilité des transmutations. L'idée de l'unité de la matière atomique, malgré la diversité de ses aspects, ne lui était pas étrangère. La notion d'évolution de la « materia prima » était exprimée par les symboles de la transformation du plomb en or, l'obtention de la « Pierre Philosophale » et bien d'autres images... L'élément putrescible utilisé au départ devenait, après la transformation, immuable, imputrescible. Cette rédemption de la matière était comparée à la rédemption opérée par le Christ et la Pierre Philosophale devenait une représentation du Christ lui-même.

Au cours de son travail pratique de manipulations chimiques, l'alchimiste découvrait, par la loi d'analogie, sa ressemblance avec la matière traitée dans la cornue et la possibilité de sa propre transformation. Cette « œuvre » était une œuvre de régénération de lui-même tout autant que de la substance traitée, et ce qui se passait dans la cornue avait des affinités avec ce qui se passait dans son âme. L'alchimie posait la question de l'identité entre la matière et l'esprit. La symbolique utilisée par les adeptes, pour exprimer ce qui leur semblait se passer dans la matière qu'ils observaient, était une sorte de fantasme intérieur décrivant aussi ce qui se passait en eux. Les alchimistes ont approché de nombreux phénomènes chimiques — unité de la matière, diversité des combinaisons, possibilité des transmutations dont témoigne la table de Mendeleïev à notre époque — ceci à travers une recherche dans laquelle se sont mélangées intimement l'étude des phénomènes « extérieurs » (objets de notre science actuelle) et celle des phénomènes « intérieurs » projetés sur les processus décrits. Les manuscrits sont par là même difficiles à décoder, dans l'ignorance où nous sommes de la part de subjectivité et d'objectivité qui entre dans chacun. De ce fait, la littérature alchimique est souvent abordée par les auteurs modernes avec un préjugé, scientifique ou spirituel, suivant leur orientation personnelle.

En méditant sur les processus se produisant dans leur laboratoire, les alchimistes découvraient cet adage « tout ce qui est en haut est comme ce qui est en bas », que l'on pourrait traduire ainsi : « tout ce qui se passe dans l'esprit se passe aussi dans la matière. » On retrouve encore une fois la loi d'analogie chère aux anciens auteurs. La réflexion et la méditation leur étaient recommandées, comme l'indique le « Mutus Liber »[22], traité alchimique composé de planches pratiquement dépourvues de commentaires, dont la dernière sentence est : « prie, lis, lis, relis, travailles et tu trouveras. » Ainsi, la « recherche » chimique devenait recherche intérieure, spirituelle. On pourrait considérer comme de modernes alchimistes les microphysiciens qui, se penchant sur l'étude de l'atome et des particules, découvrent que l'esprit humain interfère avec les phénomènes étudiés et que la physique débouche sur la métaphysique[23]. En effet, nous ne pouvons étudier un phénomène matériel, quel qu'il soit, sans le modifier par le découpage de nos instruments de perception ; de plus, les limites de nos moyens de connaissance nous interdisent de le connaître totalement. Ainsi l'étude de la matière et de l'esprit, et de leur étroite imbrication, conduit inévitablement à des interrogations philosophiques.

Jung a montré que l'alchimie peut être représentative du développement psychologique et que les phases décrites par les alchimistes se retrouvent dans le déroulement d'un processus de guérison psychologique. Ainsi, l'automne et ses travaux de labourage, la montée de l'ombre, nous rappellent la « Nigredo » des alchimistes, premier stade du travail, à partir de la matière putrescible. Certains traités l'expriment par des images de démembrement : l'adepte sombre dans les ténèbres. Un alchimiste prie Dieu : « purge les horribles ténèbres de notre esprit »[24] ; il regarde la matière dans le creuset et ne voit plus qu'un résidu noirâtre où tout paraît mort. Il découvre à la suite des manipulations que, sous la mort apparente, quelque chose est présent qui va réapparaître, liqueur rouge ou blanche, mélange irisé d'où sortira enfin « la pierre » : la matière transmutée.

Ainsi, nous avons parcouru différentes images correspondant à l'automne. La descente de la lumière, après l'équinoxe de septembre, inaugure la montée des ombres et les symboliques de mort qui s'y rattachent : fête des morts chrétienne, fête celte de l'interpénétation des deux mondes, mort d'Osiris, disparition de Perséphone... Les travaux de labour qui remanient la terre, la chute et la mort de la végétation qui entre dans la décomposition, préparent les semailles d'un germe enterré comme un mort pour une future renaissance. Les traditions religieuses issues des civilisations agraires ont constamment assimilé le dieu au grain qui, remis en terre, meurt dans les bras de sa mère pour renaître.

Ces images fortes, toujours sensibles, ressemblent à celles qu'on retrouve au début d'une analyse. Il a fallu, pour entreprendre une telle démarche, le « rien ne va plus » des attitudes vieillies, la remontée des angoisses ou des deuils, le désir de changement qui fait franchir le Rubicon. Le patient et le thérapeute espèrent beaucoup d'un début de traitement, mais ils sont plongés bien souvent dans un examen du passé désespérant qui, vague après vague, fait remonter les débris des expériences vécues, les cadavres mal intégrés. C'est bien d'une Nigredo qu'il s'agit et il peut être précieux, pour le thérapeute comme pour le patient de savoir que cette première phase est inévitable, qu'elle ne représente pas une descente indéfinie dans l'enfer mais qu'un jour la quête atteindra son but.

Nous avons vu qu'il était possible de considérer les données mythologiques ainsi que les images alchimiques comme représentatives d'une évolution psychologique. Nous avons retrouvé ces mêmes images dans une chanson populaire ; nous allons voir qu'on les retrouve aussi dans les contes et découvrir dans l'un d'entre eux certains des thèmes étudiés plus haut. Il s'agit d'un conte rapporté par Grimm sous le titre « Le diable aux trois cheveux d'or ». J'ai choisi ici une version un peu différente, originaire de Bohême — l'actuelle Tchécoslovaquie —[25].

Le choix du conte peut paraître, au premier abord, s'écarter du sujet de ce chapitre. Il se déroule en effet dans le temps mythique de ces récits qui n'a que peu de rapports avec notre temps quotidien. Cependant, les symboliques qu'il contient traitent des problèmes abordés avec l'automne, et en particulier de l'aspect castrateur de l'image paternelle. Les aventures du héros retracent les embûches que l'image-père négative dresse devant son rival. Elles montrent aussi comment s'installent, de ce fait, mort et stagnation dans un royaume et comment le héros traverse les épreuves comme un jeune soleil englouti par la mauvaise saison, pour surgir, au retour de son voyage, affirmé dans son épanouissement.

Pour l'agrément du lecteur, nous proposons le conte sans commentaires et traiterons ensuite des interprétations psychologiques qu'il suggère.

LES TROIS CHEVEUX D'OR DU PETIT PÈRE SOLEIL

Il était une fois un roi qui était autoritaire et brutal et passait son temps à la chasse. Un jour qu'il avait chassé plus loin que de coutume, il se retrouva seul, à la nuit tombante, perdu dans une profonde forêt. Voyant au loin une lumière, il s'en approcha: c'était une cabane misérable, la chaumière d'un charbonnier. Le roi lui demanda son chemin pour regagner le château. Le charbonnier lui répondit qu'avec la nuit, il lui serait impossible de retrouver son chemin dans la forêt, et il lui offrit l'hospitalité dans le grenier de sa maison.

— Je suis pauvre et ne puis rien vous offrir d'autre ; et ma femme est en train d'accoucher !
Le roi accepta l'offre du charbonnier et, aussitôt couché sur la paille, il s'endormit. Mais au milieu de la nuit, il fut réveillé par une mystérieuse lumière. Regardant à travers les trous du plancher, il vit la chambre en dessous toute baignée dans la clarté. Le charbonnier dormait. Sa femme, qui avait mis au monde un enfant, s'était endormie de son dernier sommeil. Dans la clarté étrange qui régnait dans la chambre, le roi vit trois femmes qui se tenaient autour du berceau de l'enfant. La première dit :
— Je fais don à cet enfant d'une vie pleine d'embûches et de dangers.
La seconde dit :
— Je fais don à cet enfant de la chance qui le sauvera des dangers.
La troisième dit :
— Je serai la marraine de ce garçon et je lui destine la fille du roi qui est là-haut dans le grenier.
Le roi était fou de rage ; il avait reconnu les Parques, déesses du Destin, et la reine qui attendait un enfant, avait sans doute accouché d'une fille pendant qu'il errait dans la forêt. Mais donner sa fille au fils d'un charbonnier, il ne pouvait y songer ! Il lui fallait déjouer la prédiction.
Au matin, le roi trouva le charbonnier en larmes auprès du corps de sa femme. Il proposa d'adopter l'enfant et de l'emmener, puisque celui-ci n'avait plus de mère.
— J'enverrai un serviteur le chercher et te donnerai en échange l'argent dont tu as besoin pour vivre.
Là-dessus, guidé par le charbonnier, il retourna au château où il trouva sa femme qui, pendant son absence, avait accouché d'une fillette. Ayant appelé un serviteur, il lui dit :
— Va dans la forêt, tu y trouveras une chaumière, et là un charbonnier. Tu lui donneras cette bourse et, en échange, il te donnera un enfant nouveau-né. Prends-le et va le noyer dans le fleuve le plus proche.
Le serviteur alla chercher l'enfant et l'emporta dans son panier rond. Passant au-dessus d'un pont, il jeta le panier dans l'eau et alla rendre compte de sa mission au roi. Celui-ci pensa s'être débarrassé pour toujours de ce gendre mal venu. Mais l'enfant ne fut pas noyé. Voilà le berceau qui descend au fil de l'eau et est arrêté par la vanne d'un moulin. Le meunier,

venu voir pourquoi le moulin s'était arrêté de tourner, trouva le berceau et l'enfant qui pleurait faiblement.
— Regarde, femme, ce que le fleuve nous apporte! Toi qui désirais un enfant, le voici!
Et ils l'élevèrent comme s'il était leur fils.
Vingt ans plus tard, le roi chassait de nouveau dans la forêt quand, ayant soif, il s'arrêta au moulin pour demander à boire. Un jeune homme, beau et bien fait, le servit.
— Meunier, tu as là un bien beau garçon, lui dit le roi.
— C'est mon fils et ce n'est pas mon fils, lui répondit le meunier. Il nous est arrivé, il y a vingt ans, au fil de l'eau et nous l'avons adopté, ma femme et moi.
Le roi comprit aussitôt à qui il avait affaire.
— Je suis en chasse pour plusieurs jours, dit-il, et j'ai besoin d'un messager qui porte une lettre au palais. Ton fils pourrait-il remplir cet office?
— Ce sera avec honneur, dit le meunier.
Le roi prépara une lettre qu'il remit au jeune homme. Dans cette lettre pour la reine, il avait écrit: « Faites exécuter le porteur de ce message avant même mon retour, telle est ma volonté. »
Le jeune homme partit donc en direction du château, avec la lettre du roi. Mais bientôt la nuit tomba et il se perdit dans une épaisse forêt et vit venir vers lui une femme aux yeux étincelants.
— Il ne fait pas bon se promener quand la nuit est tombée, lui dit-elle. Viens te reposer chez moi et ne crains rien, je suis ta marraine.
Le jeune homme, étonné, vit soudain une chaumière qui se trouvait là comme par magie, où il suivit la vieille femme. Pendant qu'il dormait la vieille femme prit délicatement la lettre et la remplaça par une autre toute semblable mais qui disait: « Que ma fille épouse aussitôt le jeune homme porteur de ce message et sans attendre mon retour, telle est ma volonté. »
La reine fut bien un peu étonnée d'un tel message qui ne ressemblait guère au roi, mais le jeune homme avait si belle allure et les deux jeunes gens se plaisaient tant qu'elle s'empressa d'exécuter les ordres du roi.
Quelle ne fut pas la colère de celui-ci, à son retour; et quand la reine lui montra le message signé de sa main et portant son sceau, il dut reconnaître qu'une fois encore, la Parque avait été la plus forte.

— C'est bien, dit-il. C'est bien, tu es mon gendre, mais je ne veux pas d'un gendre sans dot. Apporte-moi trois cheveux d'or du petit père soleil, celui qui sait tout, et je serai content. Il espérait bien que ce gendre mal venu ne reviendrait jamais d'un tel voyage.

Le jeune homme accepta ce nouveau voyage et partit à l'aventure, après avoir fait ses adieux à sa femme. Il partit en direction du soleil couchant et parvint au bord de la mer noire. Il y avait là un passeur qui lui demanda où il allait.

— Je vais chercher trois cheveux d'or du petit père soleil.

— Ah! dit le passeur. J'avais bien besoin d'un voyageur comme toi. Si tu trouves le petit père soleil, j'aimerais bien savoir pourquoi, depuis si longtemps, je dois faire passer l'eau ainsi et pourquoi je ne puis me libérer.

— C'est promis! dit le jeune homme. Je poserai la question. Il poursuivit son chemin et arriva aux abords d'une ville aux murailles délabrées et rencontra un vieillard à qui il demanda son chemin.

— Ah! lui dit le vieillard. Nous avions bien besoin d'un voyageur comme toi.

Et il lui raconta que la ville possédait un pommier qui donnait des pommes merveilleuses: quiconque en mangeait, fut-il au bord de la tombe, redevenait gaillard comme un jeune cabri. Or, depuis vingt ans, le pommier ne donnait plus de fruits, sans qu'on en sache la raison. Le jeune homme promit de chercher la réponse et continua son chemin. Il arriva bientôt devant une autre ville. Un fils enterrait son père en pleurant. Le jeune homme le salua en lui demandant son chemin.

— Ah! dit le garçon. Nous avions bien besoin d'un voyageur comme toi. Notre ville avait une source merveilleuse et quiconque buvait de son eau était guéri de quelque maladie qu'il ait eu. Or, depuis vingt ans, la source est tarie et les habitants de cette ville meurent comme des mouches. Puisque tu vas voir le petit père soleil, demande-lui le remède de ce mal.

Le jeune homme promit et continua son chemin. Bientôt, il arriva auprès d'une maison toute dorée dans une verte prairie. C'était la maison du petit père soleil. Sur le seuil était assise une vieille femme au regard étincelant, qui filait. Elle lui dit:

— Tu ne me reconnais pas? Je suis ta marraine, celle qui t'a veillé auprès de ton berceau et qui t'a accueilli dans la forêt. Je

sais ce que tu cherches. Le petit père soleil est mon fils. Je vais t'aider en te transformant en fourmi et en te cachant dans les plis de ma robe. Mais, cette nuit, ne dors pas, sois bien attentif.

A ce moment là, on entendit un rugissement effroyable et apparut un grand vieillard aux cheveux dorés. C'était le soleil, celui qui voit tout, qui entend tout, qui parcourt la terre. Il dit :
— Hum! Cela sent la chair humaine ici! Un humain est venu!
— Oh! lui dit sa mère ; non, mon fils, tu traverses tant de pays! c'est toi qui es revenu imprégné de cette odeur. Viens donc te reposer et dormir sur mes genoux.
Et le vieillard posa sa tête sur les genoux de sa mère et s'endormit. Alors, dans son sommeil, s'effectua une étrange transformation. Peu à peu, les rides de son visage s'effaçaient. Bientôt ce fut un homme d'âge mûr qui dormait là. C'est alors que la vieille mère arracha un de ses cheveux d'or. Le soleil se réveilla brutalement et dit :
— Eh, quoi donc! Tu ne dors pas, ma mère?
— Oh! dit-elle, j'ai fait un rêve curieux. C'était une ville qui avait un arbre qui, autrefois donnait des pommes de jouvence. Or, depuis vingt ans, cet arbre ne donne plus de fruits et les habitants ne savent pas pourquoi. Ils sont tous vieux et décrépis et s'en vont vers la tombe en se lamentant.
— Ah! dit-il. Ils sont bêtes! Ils ne savent pas que dans les racines de cet arbre dort un serpent qui les dévore. Il faut le tuer et le pommier donnera des pommes comme auparavant.
Il se rendormit et la mystérieuse transformation continua de s'effectuer. Bientôt, c'est un homme dans la force du jeune âge qui dort là, et la vieille lui tire un nouveau cheveu.
— Ah! ma mère, me laisseras-tu dormir tranquillement?
— Mon fils, j'ai fait un rêve étrange. J'ai vu une ville dont tous les habitants sont malades. Autrefois, une source donnait une eau miraculeuse qui guérissait tous les maux mais, depuis vingt ans, elle est tarie.
— Je la connais bien, dit-il. Les malheureux ne savent pas qu'au fond du puits est une grenouille qu'il faut tuer.
Il se rendormit à nouveau et, bientôt, c'est un jeune enfant qui repose dans les bras de sa mère. Celle-ci tire un nouveau cheveu.
— Ah! Ma mère, c'en est assez! Dormirai-je tranquille cette fois?

— Mon fils, excuse-moi, mais c'est un rêve encore qui m'a troublée. J'ai vu la mer et un passeur qui fait traverser les voyageurs et il se demande s'il devra continuer ainsi jusqu'à l'éternité.
— Qu'il est bête! dit le soleil avant de se rendormir. La prochaine personne qui se présente à lui, il n'a qu'à lui laisser la rame entre les mains et partir sur son chemin.
Au petit matin, c'est un enfant qui se réveille dans les bras de sa mère et qui reprend sa course de par le monde. Alors, la vieille femme se leva, secoua les plis de sa robe et demanda à la fourmi redevenue jeune homme:
— As-tu veillé? As-tu bien tout entendu!
— Oui, dit-il, j'ai tout entendu?
— Alors, maintenant ma tâche auprès de toi est finie. Tu peux repartir, je n'aurais plus à t'aider. Tu sais ce que tu dois savoir.
Elle lui donna les trois cheveux d'or et il repartit.
Il atteignit bientôt la ville de la source. Le gardien de la ville l'attendait pour le conduire après du roi. Il leur dit:
— Au fond de la source est une grenouille; il faut la tuer et la source jaillira de nouveau.
Le roi le remercia et lui donna en récompense douze chevaux blancs chargés d'or et d'argent. Il continua son chemin et arriva près de la ville de l'arbre. Le gardien de la ville l'attendait pour le conduire auprès du roi. Il leur dit:
— Dans les racines de l'arbre est un serpent. Si vous le tuez, l'arbre fournira des pommes comme auparavant.
Le roi le remercia et lui donna douze cavales noires chargées de pierreries. Il continua sa route et arriva au bac où l'attendait le passeur.
— Alors, lui dit le passeur, as-tu ma réponse?
— Fais-moi passer d'abord, moi et mes montures, lui dit-il.
Il passa la mer noire et sauta sur le bord avec ses chevaux. Alors, il dit au passeur:
— Le prochain être humain qui s'adressera à toi pour que tu le fasses passer, laisse-le monter et puis mets-lui la rame entre les mains, et tu pourras prendre ton chemin.
Puis il s'en alla et parvint au château où plus personne ne l'attendait. Le voilà avec les trois cheveux d'or, avec les douze montures blanches chargées d'or, les douze montures noires chargées de pierreries, et tout le monde écoute son récit merveilleux. Le vieux roi, en l'écoutant, réfléchissait: eau de

jouvence ! Éternelle jeunesse ! Pierreries ! Or !... Et sans attendre plus longtemps, il prit son cheval et partit au galop vers le couchant.
On ne l'a jamais revu et, sans doute, fait-il toujours passer la mer noire...

La situation décrite au début de ce conte est celle d'un royaume où le roi, sauvage et cruel, passe sa vie à la chasse, seul dans la forêt. C'est un royaume — ou symboliquement un psychisme — dominé par un principe masculin dans sa forme excessive : autorité absolue, activités exclusivement viriles représentées par la chasse. Le roi est isolé dans un monde sans rapports humains, perdu dans la forêt, comme dans la pièce de Victor Hugo — Hernani — où la reine attend le message du roi parti, lui aussi, à la chasse. Alors qu'elle attend un message d'amour, la lettre arrive : « Madame, il fait grand vent, j'ai tué six loups » ; voilà la lettre d'amour ! De cette dimension d'action virile, la sensibilité est exclue. Le monde masculin du roi a perdu ses valeurs féminines de sensibilité, d'échanges humains. Ce royaume, cette psyché, a besoin de se réunifier, c'est-à-dire de retrouver les qualités humaines compensatoires qui viendront contrebalancer l'attitude unilatérale du roi et recréer une union harmonieuse du féminin et du masculin, symbolisée par le mariage du jeune homme et de la fille du roi.

Cette attitude unilatérale du roi peut évoquer notre monde occidental uniquement épris de réussites techniques, civilisation de conquêtes matérielles dans laquelle manquent la sensibilité et l'amour qu'évoque le monde de la mère et de l'enfant. Cet excès amène une désorientation : le roi est perdu dans la forêt, symbole de l'inconscient. La nuit tombe, l'ombre descend et le roi ne trouve plus son chemin.

Le lieu qu'il trouve pour s'abriter est le plus humble de tous : la chaumière du charbonnier. Par son travail, le charbonnier transforme le bois issu de la nature sauvage en combustible pour les foyers humains. Ce travail, sale et noir, apportera du feu dans les habitations. On peut dire que dans l'inconscient du roi — la forêt — se trouve un lieu de transformation des énergies sauvages — la chaumière du charbonnier. C'est effectivement de cette chaumière que vont surgir les germes du renouvellement du royaume, « l'enfant » qui apparaît comme un rival du roi mais peut être compris aussi comme un aspect renouvelé de sa personnalité.

Ce sont des femmes qui président à ce destin. La mère de l'enfant meurt en couches mais les déesses de la destinée, les Parques, sont présentes autour du berceau. Chez les Grecs, le destin était figuré par trois déesses sœurs : Clotho, Lachesis et Atropos ; l'une filait, l'autre tissait et la troisième coupait le fil de la vie. Dans le conte, elles apparaissent sous la forme de trois fées marraines qui dotent l'enfant. Dans d'autres contes, elles se présentent sous la forme d'oiseaux, corbeaux ou corneilles accompagnant un vieillard qui figure le temps. L'intervention des Parques réintroduit dans cette histoire la dimension féminine qui en était absente.

On peut remarquer que l'enfant ne va pratiquement « rien faire » du tout et va simplement suivre une sorte de chemin préformé : le futur jeune roi est mis en place par une entité féminine qui décide qu'il aura une vie pleine de dangers, qu'il recevra les forces pour affronter ces mêmes dangers et qu'enfin, il épousera la fille du roi.

Le thème de l'opposition du roi à l'apparition d'une force nouvelle qui doit rénover le royaume se retrouve fréquemment. Dans l'enfance du Christ, par exemple, le roi Hérode, apprenant que les mages — qui connaissent le destin — sont venus honorer le futur roi des Juifs (l'humilité de sa naissance est exemplaire), fait tuer tous les enfants de moins d'un an pour éliminer un rival possible : c'est le massacre des innocents. Le même motif se retrouve dans l'histoire d'Œdipe ; dans celle de Moïse aussi, où le Pharaon fait massacrer tous les enfants mâles premiers-nés. Moïse échappe au massacre en étant confié au fleuve, dans un berceau, par sa mère et c'est la propre fille du Pharaon qui l'adopte. Ici encore, c'est une femme qui nourrit et protège le futur « sauveur » du peuple.

Le jeune homme, l'enfant nouveau-né, représente un aspect rénové de l'âme, un « homme nouveau » qui se développe avec l'aide d'une déesse-mère. Quelles sont ces attitudes dites féminines qui ont besoin d'être restaurées ? Il s'agit ici de la simplicité, de la soumission obéissante au destin, d'une attitude générale de présence et d'éveil, sans l'excès de combativité qui est l'apanage du roi autoritaire. Le conte parle ainsi de la rénovation d'un psychisme : le royaume va voir le développement d'un nouveau roi, c'est-à-dire d'un esprit régnant imprégné d'une dimension intérieure : l'âme. C'est une déesse mère qui « mène la danse » contre le roi, lequel essaiera en vain de s'interposer.

Une première fois, le roi met l'enfant à l'eau. C'est un meunier qui le recueille, figure masculine différente à plusieurs égards du roi et que son métier met en contact avec l'eau, cet élément féminin dont l'écoulement figure aussi le déroulement de notre vie. L'enfant a été confié au fleuve, au déroulement aveugle du destin dans ce qu'il a d'inexorable. Le moulin et la vanne représentent un barrage qui utilise la force de la vie pour un résultat positif, ce qui représente déjà une évolution par rapport à l'expression brutale et sans frein des instincts du roi. Dans ses meules, le meunier broie le grain pour en faire une farine qui le rende consommable pour les humains. Nous retrouvons ici l'aspect civilisateur du dieu Osiris et le rôle du « boucher » ; l'écrasement transforme une matière première en nourriture utilisable. Le meunier figure donc un symbole civilisateur de transformation des énergies.

Vingt ans se passent. Le roi, de nouveau, essaie de détruire ce jeune rival qui se trouve devant lui et, de nouveau, la déesse-mère se met sur son chemin. La reine et la princesse n'ont pas de rôle actif dans cette histoire, mais obéissent cependant sans hésiter à un ordre positif qu'elles écoutent pleinement. Troisième volonté destructrice du roi : il envoie le jeune homme chercher les trois cheveux d'or du petit père soleil. C'est, espère-t-il, l'envoyer à une mort certaine.

On peut remarquer la fréquence du chiffre trois dans cette histoire : trois Parques, trois épreuves, trois questions, trois cheveux. Sans doute est-ce le nombre de péripéties nécessaires pour faire aboutir un processus. Un tel phénomène se rencontre souvent dans le processus de guérison du travail analytique : dans un premier cycle, la personne semble surmonter ses difficultés ; on se dit : « ça y est, ça va bien ! », puis elle retombe à nouveau dans la désorientation psychique, comme s'il n'y avait eu aucun progrès ; tout est à refaire. Un examen attentif montrerait que l'évolution se déroule moins comme un cercle vicieux désespérant que comme une spirale où le sujet retraverse ses problèmes mais à un niveau différent. Ces alternances d'améliorations et de rechutes, parfois désespérantes, avec résurgences périodiques des problèmes, conduisent à travers plusieurs cycles jusqu'à un point critique où, semble-t-il, le sujet est passé « de l'autre côté ». Les problèmes pourront se reposer à nouveau, la personne est différente et les assume différemment. C'est ce qui arrive dans le conte, avec la quête des trois cheveux d'or ; le jeune homme entre dans une quête spirituelle qui l'entraîne beaucoup plus loin, de l'autre côté du monde, dans l'inconscient où il va découvrir les racines du mal et y apporter réparation.

La première des épreuves concerne la structure du héros : son enfance, les risques de vie ou de mort. La seconde représente la mise en marche d'une action, la décision de participer à son destin. La troisième épreuve se présente comme une quête spirituelle : c'est l'affrontement au monde des dieux et à l'inconscient. Le chiffre trois peut aussi être mis en rapport avec les « trois corps », la trinité qui habite en chacun de nous, représentée par le corps physique, le « corps » affectif — l'âme — et le « corps » spirituel — l'esprit. Dans ce dernier voyage, le jeune homme est seul dans sa quête, il y consent. Il ne sait ni où il va, ni comment il trouvera ce qu'il cherche ; se laissant guider par un mouvement inconnu qui le porte, il explore un monde tout aussi inconnu et rencontre la frontière entre les deux mondes — la « mer noire » et le passeur.

Que représente le passeur ? Il en faut toujours un. Celui du conte est dans une situation qui n'évolue pas ; il va continuellement d'un côté à l'autre sans autre accomplissement à son action. Il ne participe ni à l'autre-monde, au-delà de la mer noire, ni à celui-ci[26]. Il est ainsi des périodes d'évolution physique où le sujet est dans l'état du passeur, allant continuellement de la berge consciente du monde vers l'autre berge, celle de l'inconscient, mais sans cependant aller y chercher les germes qui s'y trouvent : la situation stagne.

Depuis vingt ans, les villes de l'autre monde sont elles aussi malades : l'inconscient n'entretient plus avec le conscient un rapport dialectique qui ferait que la richesse de l'un et la compréhension de l'autre alimenteraient la vie. Cet inconscient perturbé, représenté par les villes malades, correspond au roi, dévoré depuis la naissance de son successeur par la haine et la jalousie. Le passeur lui-même représente l'ambivalence du roi qui, tout en niant la nécessité d'une rénovation, accomplit des actes qui la provoquent.

Beaucoup de gens se trouvent dans cette situation d'ambivalence et oscillent un certain temps entre les deux mondes, jusqu'à ce qu'une quantité suffisante d'énergie les entraîne dans une exploration inconsciente qui permettra ensuite un véritable retour de la vie psychique. Peut-être faut-il à certains rester ainsi dans cet entre deux, à « ramer » — comme on dit — sans résultat tangible... Pourtant lorsque la compréhension est rétablie, grâce au voyage du héros, il n'est plus nécessaire au passeur de ramer et la tâche du passeur devient la punition du roi. Celui qui représentait un excès d'activité, un excès de puissance et de volonté, va se trouver plongé maintenant dans l'état d'incertitude. On peut dire ainsi que devenir passeur représente pour lui une évolution : mais c'est aussi parce que son désir d'exploration de l'autre monde est intéressé qu'il se trouve dans l'impossibilité de pénétrer de l'autre côté, sans pouvoir cependant retourner à son état précédent.

On sait que dans la plupart des grandes traditions, il faut, pour évoluer, mettre quelqu'un à la place où l'on était. Il faut aussi que, de toutes façons, la rame du passeur soit tenue. Le passeur représente en nous une certaine fonction de réflexion qui oscille entre deux positions pour les évaluer toutes deux ; il constitue ainsi un élément utile de notre fonctionnement psychique : aucune décision valable, aucun acte ne s'effectue sans une certaine quantité de délibération intérieure, où l'on balance entre deux attitudes avant de s'engager dans un mouvement particulier.

Dans ce récit, on peut remarquer encore que le passage entre les deux mondes est assuré par une barque, et non par un pont qui rendrait possible le passage dans les deux sens. C'est qu'ici, tout le sens de l'histoire repose sur l'idée que, sans l'action du jeune homme, le travail du passeur serait inutile. Beaucoup de contes relatent la construction de ponts assurant un passage entre deux mondes, mais qui sont souvent l'œuvre du diable. C'est qu'il s'agit de relier le monde des enfers à celui des vivants et que l'entreprise périlleuse consistant à relier l'au-delà de l'inconscient à l'ici-bas du conscient n'est pas une construction sans dangers éthiques. Dans les récits où le diable construit le pont — ou vient aider le constructeur à le terminer — il demande aussi un paiement, par exemple le premier être qui passera dessus avant le chant du coq. Comme par hasard, c'est la fille du maître d'œuvre qui passe par là et devient le salaire du diable. Ce thème du sacrifice d'un être pur comme prix d'une construction est un motif largement rencontré dans les récits traditionnels. Il indique qu'une construction technique ou intellectuelle n'est pas bonne en soi, mais qu'il faut aussi un supplément d'âme pour assurer le bon usage de la connaissance. Notre époque est particulièrement représentative des dangers quasiment infernaux de la connaissance technique.

Pour revenir à notre conte, disons que le jeune homme rencontre les racines de la souffrance du royaume, représenté par ces deux villes à demi détruites. Une source est tarie et son eau ne guérit plus parce qu'au fond du puits, se trouve une grenouille. La grenouille représente une humanité non terminée. Animal à métamorphoses, elle passe de l'état de têtard à l'état de grenouille, forme ressentie comme un stade incomplet qu'une nouvelle métamorphose amènerait à l'état humain. Dans certains contes, les princes ou princesses grenouilles attendent sous terre leur évolution ou la restitution de leur état humain. Ici, il faut tuer la grenouille, qui représente un stade incomplet, pour que la source coule à nouveau.

Les symboles animaux sont presque toujours ambivalents ; porteurs de positif en ce qu'ils représentent quelque chose qui nous ressemble, dont nous sommes faits, notre nature animale instinctive, ils expriment aussi la nécessité pour l'homme de faire évoluer cette nature animale. Il est en général demandé, dans les contes, d'avoir à l'égard des animaux une attitude qui permette l'évolution. Que le héros rencontre un animal blessé, par exemple, qu'il l'aide et celui-ci lui donnera alors une plume ou un poil qui permettra de l'appeler en cas de besoin ; il aura ainsi le soutien et l'amitié du monde animal, donc de ses énergies instinctives, pour gagner ses épreuves. Dans certains cas même, l'animal protecteur demande au héros d'extraire son cœur ou toute autre partie précieuse de son corps comme talisman.

Le problème de ce récit, c'est que les énergies instinctives sont devenues néfastes : la grenouille dans le puits empêche la sortie de l'eau, le serpent ronge les racines. Ces éléments animaux sont les instincts de la personnalité du roi qui se sont pervertis et tuent la vitalité du royaume. L'instinct en lui-même est une bonne chose mais il faut tuer l'instinct perverti. Cette action n'amène d'ailleurs pas une disparition pure et simple de l'instinct mais sa transformation, figurée par le talisman, les trois cheveux d'or du petit père soleil, la restauration de l'arbre magique et de la fontaine de jouvence, le don des chevaux et des cavales chargés d'or et de pierreries. Il ne faudrait pas penser que, dans toutes les situations, il soit nécessaire de tuer la grenouille ou le serpent ; ce qui est à tuer ou à transformer, c'est la perversion de l'instinct.

Le serpent est lui aussi un symbole ambivalent exprimant selon les cas la vitalité ou les dangers de l'animalité. Dans la tradition chrétienne, le serpent apparaît sous un jour négatif, comme tentateur. En psychanalyse, il est souvent compris comme un symbole phallique et, la partie représentant le tout, comme un emblème de la sexualité. Cependant on trouve aussi dans la Bible un serpent positif — le serpent d'airain — dont la contemplation dans le désert guérit les Juifs d'une maladie mystérieuse. Le serpent, symbole de ruse, peut l'être aussi de la sagesse. Il est une force dont les effets peuvent être doubles, bons ou mauvais. Dans la tradition hindoue, le serpent de la kundalini endormi au bas de la colonne vertébrale représente une force qu'on ne réveille pas n'importe comment, ni sans danger, car elle est bivalente, porteuse de deux potentiels, négatif et positif. Suivant la façon dont elle est réveillée et développée, elle apportera du bien ou du mal. Tel est l'inconscient porteur de nos énergies ; sa force réveillée devra être canalisée, décantée, transformée jusqu'à son évolution dernière.

Dans la situation décrite par notre conte, cette force s'exerce de façon destructrice, ce qui justifie l'intervention de la déesse-mère et l'attitude particulière demandée au jeune homme : confiance dans le destin et état d'éveil. En effet, au cours de cette nuit d'initiation, il ne faut pas qu'il s'endorme, ce qui se produit dans d'autres récits où, le héros s'assoupissant, la tâche échoue. Dans la version des frères Grimm — « Le diable aux trois cheveux d'or » — le petit père soleil est remplacé par le diable lui-même. Ici, il n'est pas tout à fait le diable chrétien tentateur mais le grand dieu chtonien, Pan, le créateur cosmique qui représente la force et la puissance du dieu créateur. Parcourant le ciel comme le fait le soleil dans sa course, il voit tout et entend tout, enfant le matin, vieillard le soir comme Apollon dans son char. C'est aussi Lucifer, le porteur de lumière, que sa force et sa luminosité rendent redoutable, ogre dévorant les pauvres créatures que sont les hommes qui ont besoin de la protection maternelle. Dans la terminologie chinoise, c'est le Yang. Ici, le Yang est en excès, il faut en enlever un peu, lui prélever trois cheveux d'or.

A son retour, le héros restaure l'état des deux villes en rendant à l'une son arbre magique, à l'autre sa source miraculeuse. Ce nettoyage des racines ou des profondeurs de la source n'est pas sans évoquer le travail analytique. Quels complexes autonomes, agissant pour leur propre compte, rongent l'inconscient d'un sujet ? sentiments d'infériorité, haine, envie, frustrations diverses empêchant l'écoulement de l'eau, la formation des fruits. La restauration après la destruction des « complexes » — serpent ou grenouille — renouvelle l'énergie vitale ; ceci est encore exprimé par les dons que reçoit le jeune homme : douze chevaux blancs, douze cavales noires, chargés d'or et de pierreries. Le cheval représente l'énergie animale et sa vitalité, avec la particularité qu'il peut être dompté. Du cheval sauvage et emporté au cheval dressé qui sert de monture, se dessine toute une évolution de l'instinct. Le dynamisme est devenu une monture qu'on peut diriger. Les qualités multiples de l'individu sont évoquées par l'or et les pierreries, symboles alchimiques ; l'opposition créatrice entre les tendances viriles et féminines apparaît dans la juxtaposition des chevaux blancs et des cavales noires. L'instinct est ici le soutien des qualités humaines et non leur antagoniste. L'or des cheveux, comme l'or et les pierreries, évoque une image de perfection qui préfigure le Soi, symbole de la personnalité réunifiée.

Bien évidemment, le conte choisi pour illustrer l'automne anticipe un peu, par sa conclusion, sur le déroulement des phases du processus thérapeutique. Mais les grandes images de l'opposition du roi et de la stagnation des villes correspondent bien à la saison noire dont nous avons parlé dans ce chapitre. Nous devons donc retourner à cette saison et reprendre le fil du temps. La descente de la lumière, en s'accentuant, amène la mort de la végétation et le froid qui immobisent la nature dans la saison suivante : l'hiver.

L'HIVER

Je m'incrustai dans le peuplier centenaire,
anxieux et triste,
...
Mon esprit se fondit dans le feuillage
Et mon sang se fit sève.
En résine onctueuse se changea
La source de mes larmes.
Mon cœur descendit aux racines,
Et ma passion humaine,
Blessant la rude écorce,
M'abandonna légère.

Face au vaste crépuscule d'hiver,
Moi, je tordais mes branches,
jouissant de ces rythmes inconnus
Dans la bise gelée.

Federico Garcia Lorca
Source

LA SAISON

Partant de l'automne et des événements ou des activités propres à cette saison, nous sommes arrivés, avec le solstice de décembre, en hiver, phase où se prépare dans le secret de la germination souterraine, l'éclatement créateur du printemps, promesse des moissons de l'été.

A chaque saison appartient un type de symboles, d'histoires mythiques, de contes ou de traditions populaires qui peuvent être mis en rapport avec des états psychologiques particuliers. Avec l'automne, évoquant une sorte de mort généralisée, de destruction nécessaire préludant à un nouveau cycle, nous avons vu que le travail le plus caractéristique de la saison — le labour — pouvait être considéré psychologiquement comme une image de certaines souffrances affectives.

L'être humain, au cours de sa vie, se trouve régulièrement confronté à la souffrance et à la mort, à la remise en cause de ses valeurs, à la nécessité aussi de remanier des attitudes vieillies ou inadaptées et d'entrer ainsi dans une période de destructuration et d'inadaptation douloureuse, images de déséquilibre, de régression, d'échec. Cette phase peut, avec l'optimisme fondamental qui caractérise la vie, être aussi perçue comme un processus évolutif. La souffrance et le déséquilibre peuvent devenir productifs s'ils sont effectivement compris comme un labour en vue de semailles. La destructuration n'est pas alors destruction mais remaniement pour l'éclosion d'une nouvelle attitude vitale.

Après le premier choc de la rencontre avec sa problématique, le sujet traverse souvent une longue période de stagnation qui se présente comme une apparente régression. Non seulement les anciens modes d'adaptation à la vie sont détruits, mais de nouvelles formes de compréhension ou de nouvelles manières de vivre et d'aimer n'apparaissent que lentement. Ce premier choc a provoqué la pénétration dans un monde intérieur de décomposition qui semble interminable. C'est la descente dans la profondeur, profondeur du passé, des souvenirs, des traumatismes, obscurcissement de la lumière, sensation de patauger indéfiniment dans les mêmes problèmes.

Cette phase qu'on pourrait appeler phase d'immobilisation ou de stagnation, obscurcissement de la lumière, Nigredo des alchimistes, s'apparente à la saison hivernale. Que l'hiver soit une saison où, à cause du froid, du gel, du mauvais temps ou de la neige, la vie et les activités humaines sont entravées, j'ai pu l'expérimenter moi-même en cette année 1985 où, la France entière étant immobilisée sous la neige, il me fallut reporter une conférence prévue sur... l'hiver ! Voilà qui est tout à fait représentatif de la saison hivernale : les actions sont suspendues. Le gel, le froid viennent arrêter le développement extérieur de la végétation. La même symbolique est présente dans les rêves : quand un dynamisme se prépare, tout en n'étant pas encore d'actualité, il n'est pas rare qu'apparaissent des rêves de neige. Nous savons tous que sous le tapis neigeux, à l'abri et au chaud — la neige est un très bon isolant —, la terre prépare en secret la renaissance du printemps. Ainsi certaines personnes rêvent qu'il a neigé et qu'il faut attendre pour se déplacer ou entreprendre quelque chose ; d'autres rêves suggèrent qu'il faut s'adapter à cette période en trouvant des dynamismes appropriés — ski ou luge, par exemple — qui permettront de « glisser » sans approfondir encore certains phénomènes qui mûrissent dans la profondeur de l'inconscient. On sent effectivement que cette stagnation n'est qu'apparente : sous la neige, malgré le froid, quelque chose travaille dans la terre, au niveau des racines. Pour les arbres, l'hiver est le moment où la sève redescendue dans les racines permet leur accroissement. C'est alors le temps du bûcheronnage, les bois étant plus faciles à couper et les feux de débroussaillage sans danger. Ce bois, contenant moins de sève, plus dur, ne s'abîmera pas à la coupe. C'est aussi le moment de la taille de la vigne qui souffre moins de la blessure ainsi infligée. Après les labours d'automne et la fumure de la terre, c'est pour bien des champs qui ont déjà reçu les semailles, le temps d'une germination secrète, non apparente, tout se passant dans les racines.

Ainsi l'hiver se présente comme la continuation logique de l'automne. La diminution des jours s'accentue, le froid et la baisse des activités de même. De l'équinoxe au solstice, nous plongeons dans ce qu'on appelle la mauvaise saison, porteuse d'ombres et d'angoisses, de maladies saisonnières, de calamités climatiques. Continuité logique et exacerbation des difficultés automnales, cette immobilisation évoque la mort. Après le solstice, cependant, et malgré le froid persistant, les jours rallongent, la lumière remonte, l'espoir renaît. Cette ambivalence entre la descente et la remontée de la lumière est aussi propre à la symbolique de l'hiver et va se retrouver dans les fêtes hivernales qui, de Noël à la Chandeleur, célèbrent toutes la lumière au cœur même de l'obscurité.

Nous avions vu psychologiquement l'analogie entre les labours de l'automne et les phases traumatiques de la vie affective ; pour l'hiver, l'analogie à évoquer serait celle de la régression et de la pétrification.

Une analyse, par exemple, a commencé l'investigation d'un psychisme à travers les situations traumatiques de l'enfance et les difficultés humaines actuelles ; après ce premier examen, la situation extérieure ne s'améliore pas toujours, « cela ne va pas mieux » pour autant. Il est bien difficile alors de percevoir que, derrière cette stagnation apparente, de profondes racines travaillent. Si le conscient ne le perçoit pas, l'inconscient, lui, perçoit ce mouvement invisible et fournit, au cours de ces périodes, des rêves qui illustrent le travail dans la profondeur, le travail des racines. Mais cette phase de stagnation peut aussi se présenter sous un jour moins joyeux: ce sont alors des images de décomposition qui apparaissent, état extrême de l'émiettement destructurant inauguré par le labour qui, dans la nature, débouche sur la formation de l'humus ou du fumier qui viendra plus tard enrichir la terre. Les alchimistes l'ont bien dit : on trouve la pierre dans le fumier ; mais qui va donc se réjouir de se sentir lui-même transformé en matière en voie de décomposition ? Il est en définitive impossible qu'une vie renaisse sans que ne meure ce qui était là précédemment. Ainsi l'automne était inauguré par des fêtes des morts, célébrant aussi ces « vivants » d'un genre particulier que sont les habitants de l'autre monde, tandis que les fêtes de l'hiver célèbrent la lumière, promesse de renouvellement de la vie.

Bien que la technologie de notre époque rende un peu moins sensibles les entraves que la nature met à la vie pendant l'hiver, personne parmi nous n'est tout à fait insensible aux jours qui baissent ou qui rallongent, à l'immobilisation matérielle résultant du froid ou du gel. Cette réalité est pleinement vécue dans la vie paysanne ; les travaux se réduisent. L'attente est l'une des vertus de l'hiver. Autrefois, dans les campagnes, on profitait de ce temps pour se réunir aux veillées, auprès du feu. C'est là qu'on réparait les outils, tressait les paniers, filait ou tissait en écoutant les conteurs. L'inaction menait à un réinvestissement de l'énergie dans des activités plus intérieures, méditatives, qui préparaient les hommes aux travaux futurs.

Cette montée de l'ombre reste toujours porteuse d'angoisse. Nous avons beau savoir que le déroulement des saisons est immuable, il est des jours où il semble que l'hiver « n'en finit plus ». Les beaux jours qui émaillent cette période sont salués comme un petit air de printemps. Il ne fait pas bon subir trop longtemps la stagnation et l'immobilité.

FÊTES – TRADITIONS – MYTHES

Les Grecs ont exprimé l'exil de la vie dans la profondeur de la terre par le mythe de Déméter et Perséphone que nous allons étudier[27]. Déméter est la grande déesse-mère, reine de la nature, divinité de la fertilité et des Mystères d'Eleusis. C'est elle qui préside aux cultures, aux moissons, à la poussée du végétal, à l'apparition des fruits ; elle donne aux hommes les fruits de la terre.

Fille de Cronos et de Rhéa, Déméter aime vivre sur terre parmi les hommes, avec sa fille Perséphone, née de son union avec Zeus, son frère – en particulier à Eleusis où elle aurait fondé les Mystères d'Eleusis célébrant le retour sur terre de Perséphone.

Déméter a pour sa fille un attachement profond et désire la garder auprès d'elle. À son insu, Zeus a accordé la main de la jeune fille à Hadès, son oncle, roi des ombres. Alors que Perséphone joue avec ses compagnes sur l'île de Sicile, Hadès fait surgir du sol une fleur, un narcisse qui la fascine. Elle s'éloigne de ses compagnes et se penche pour le cueillir. La terre s'ouvre alors et Hadès paraît sur un char attelé de chevaux bleu-sombre ; il s'empare de la jeune fille qu'il entraîne au royaume des enfers. Celle-ci appelle mais personne ne l'entend. Parvenue au royaume d'Hadès, elle continue de pleurer et refuse toute nourriture.

Personne n'ayant été témoin de la scène, Déméter ne sait où sa fille a disparu et la cherche dans une quête désespérée autour de la terre – cette quête n'est pas sans rappeler celle d'Isis cherchant Osiris ; ce sont en effet deux figures de la grande déesse-mère. Une valeur de vie et de rajeunissement, en la personne d'Osiris ou de Perséphone, a disparu, ravie ou détruite par les forces de l'ombre, Hadès ou Typhon. Déméter parcourt la terre, reçue dans son errance par les humains qu'elle bénit ou maudit suivant leur attitude envers elle. C'est Hélios, le soleil, « celui qui voit tout », qui lui révèle où se trouve Perséphone, tout en lui disant qu'Hadès est un beau parti. Inconsolable de la perte de Perséphone, elle se cache dans une grotte après avoir frappé la terre de stérilité. Un an se passe ainsi et la terre est devenue peu à peu stérile. Zeus s'inquiète de cette situation et intercède auprès de Déméter qui déclare n'accepter aucun compromis tant que sa fille ne lui est pas rendue. Zeus accepte à la condition que Perséphone n'ait rien mangé pendant son séjour aux enfers, car celui qui mange ou boit en ce lieu en demeure l'hôte à jamais. En la quittant, Hadès donne à Perséphone des grains de grenade qu'elle mange, ce que révèle un témoin. Zeus décide alors que Perséphone passera un tiers (ou une moitié) de l'année auprès d'Hadès et le reste du temps auprès de Déméter.

Selon les versions, cette période du séjour souterrain de Perséphone se produit en automne, après les moissons de l'été, ou en hiver avant la germination du printemps. Ce séjour correspond à la phase de mort apparente de la végétation. Le mythe représente la vitalité végétale ravie dans la profondeur pendant la mauvaise saison. Il traduit aussi l'aspect cyclique de la vie : les éléments représentatifs de la fécondité passent régulièrement dans un état de mort apparente, sous terre, pour réapparaître ensuite dans le renouvellement du printemps. Ce cycle se déroule chaque année.

Le couple Déméter-Perséphone[28] représente aussi le Féminin sous ses deux aspects : la jeune fille avant l'amour, dans la virginité de sa jeunesse, et la déesse-mère porteuse des fruits de la fécondation ; aussi ce couple est-il inséparable d'une façon définitive. La fille passe un temps en exil puis retourne à la mère. Psychologiquement, les deux attitudes alternent de façon cyclique chez la femme, prise dans cette dualité mère-fille. La femme oscille entre deux types de comportement (ce qui correspond d'ailleurs à un support biologique)[29] : fille-épouse, elle est orientée vers la relation à l'homme et « ravie » par celle-ci ; mère, elle se retourne vers l'enfant avec lequel elle noue une relation passionnelle qui la dérobe à son époux. Cette dualité a sur l'homme-époux une répercussion, bien exprimée dans le mythe d'Œdipe : le mari-père est détrôné par l'enfant qui « épouse » la mère.

La fille est indispensable à la mère ; elle représente son propre rajeunissement potentiel. Elle ne peut néanmoins porter de fruit sans fécondation et son mariage est nécessaire. Sa disparition dans les profondeurs n'est pas définitive ; sa réapparition est promise, alors même que l'ombre envahit la terre, et c'est cette future remontée de la lumière et de la vie que célèbrent les fêtes de l'hiver. Avant d'aborder ces fêtes, je voudrais vous rappeler une chanson de votre enfance qui décrit certains événements hivernaux. Il s'agit de « Sur le pont du Nord » :

Sur le pont du Nord, le bal y est donné
Adèle demande à sa mère d'y aller
« Non, non ma fille, tu n'iras pas danser »
Monte à sa chambre et se met à pleurer
Son frère arrive dans un bateau doré
« Ma sœur qu'avez-vous à pleurer ? »
« Ma mère ne veut pas que j'aille au bal danser »
« Mets ta robe blanche et ta ceinture dorée »
Et les voilà partis au bal danser
Ils firent trois pas, le pont s'est écroulé
Ils firent trois pas et les voilà noyés
Les cloches du Nord se mirent à sonner
La mère demande pourquoi les cloches sonnaient
« C'est votre fille et votre fils noyés »
Voilà le sort des enfants obstinés.

D'après Guy Breton[30], cette chanson correspond à une cérémonie qui se déroulait au moment du nouvel an, dans certaines régions d'Europe. On construisait sur une rivière un pont de branchages. Une jeune fille, qui représentait la lune, était vêtue de blanc et portait une ceinture dorée. Un jeune homme, son « frère », représentait le soleil. La cérémonie consistait à jouer la danse du soleil et de la lune pour s'assurer que, l'année suivante, les planètes continueraient d'évoluer normalement et que le soleil continuerait sa danse autour de la terre et la lune, sa danse autour du soleil. Ainsi, la danse sur le pont du Nord, le pont de l'hiver, au moment où soufflent les vents froids du nord, était la danse qui, représentant le cours des astres, assurerait leur bon fonctionnement futur. La déesse-mère est présente ici sous les traits d'une vieille femme jouant les forces néfastes qui viennent entraver le cours de la vie — l'année future —, forces qui doivent être vaincues. C'était aussi, en somme, une représentation de la vieille année, jalouse de la nouvelle venant la remplacer. La vieille femme enfermait la jeune fille dans une cahute de branchages. La jeune fille « lune » portait autour de la taille la ceinture dorée, image de son lien avec le soleil et de son cycle autour de lui. Le jeune homme venait la chercher dans la barque dorée du soleil, la délivrait de son emprisonnement et ils devaient danser sur le pont de branchages. Les gens du village représentaient alors, eux aussi, les forces hostiles qui pourraient s'interposer et, secouant le pont, les faisaient tomber à l'eau. Les deux jeunes gens devaient nager, atteindre l'autre rive, celle de la nouvelle année. Cet acte magique assurait le bon déroulement de l'année future.

Les hommes de cette époque pouvaient en effet se demander : est-ce qu'au printemps le soleil reviendra ? Est-ce que le cycle annuel se déroulera comme par le passé ? La cérémonie magique, propitiatoire, cherchait à s'assurer de la permanence des événements cosmiques.

On retrouve dans cette tradition l'image de la vieille mère qui retient sa fille et ne lui permet pas « d'entrer dans la danse ». Dans son moment de plénitude de la moisson, apogée de la déesse-mère, celle-ci ne désire pas que la moisson se termine pour qu'une nouvelle se mette en marche ; c'est pourquoi elle retient auprès d'elle l'élément rénovateur, la « fille ». Commencer une future moisson, c'est laisser une partie d'elle-même la quitter et partir vers le renouveau. La vieille mère empêche la danse ; elle veut retenir la jeune fille auprès d'elle comme Déméter voudrait garder Perséphone. Mais le cycle cosmique est bien plus important que le point de vue de la mère ; la séparation se fait et le cycle recommence.

Psychologiquement, l'analogie est simple. Un parent qui met au monde un enfant est profondément attaché à ce fruit de lui-même et il lui est difficile de le laisser partir : la vieille mère retient l'enfant. Ici est représentée la nécessité de laisser partir cette forme rajeunie de soi-même pour le renouvellement du cycle. C'est une des raisons de la figuration de la déesse-mère sous une forme ambivalente ; déesse de la fécondité et de la fertilité, elle peut aussi se transformer en divinité redoutable, destructrice, comme la déesse Kali des Hindous, comme Isis ou Déméter dans leur colère. C'est que l'élément divin, qui a la puissance du don bienfaiteur, a aussi la puissance de destruction entre ses mains. Il en est de même de la puissance parentale qui se traduit dans l'inconscient de l'enfant par une image ambivalente ou apparaît dans certains contes d'une façon dédoublée, la bonne mère et la marâtre, la méchante fée et la fée marraine protectrice. L'image ambivalente des dieux demande de la part des hommes une attitude de déférence et de prudence propitiatoire[31].

La période de stagnation ou de pétrification hivernale met ainsi en évidence une action particulière des forces parentales ou — pour l'homme archaïque — divines. Si la rupture de l'automne appelle des images destructrices en résonance avec l'aspect castrateur paternel, l'immobilisation hivernale évoque des impressions d'engloutissement propres à l'image négative de la mère. Psychologiquement, pendant la phase de stagnation, c'est la réparation de cette figure castratrice, dévorante, qui est en œuvre. C'est ainsi que bien des héros de contes doivent passer un certain temps chez l'ogre ou chez la sorcière et apprendre comment se comporter face à cette force redoutable, avant de pouvoir retourner — souvent munis de présents ou d'objets magiques — dans la vie quotidienne.

Nous avons dit précédemment que le paradoxe des fêtes de l'hiver, c'est qu'au cœur de la lumière, elles soient centrées sur le mystère de la lumière. Pour nous, les fêtes de l'hiver sont centrées autour de Noël. Noël, l'Épiphanie, le Nouvel An, les fêtes de la Chandeleur, gravitent autour de l'événement chrétien : la naissance du sauveur. Bien que la signification de la fête de Noël soit connue, nous pouvons, dans le cadre de notre sujet, insister sur l'importance des symboles lumineux de cette fête. Placée au moment le plus fort de la nuit cosmique, le 25 décembre — ce qui ne correspond à aucune réalité historique —, proche du solstice, cette fête coïncide avec les antiques fêtes du solstice qui sont toutes des célébrations cosmiques. Au moment le plus bas de la course du soleil, est célébrée la naissance encore mystérieuse d'un germe inconnu. Dans l'imagerie chrétienne, le germe nouveau naît de façon secrète parce qu'il est en butte aux poursuites du roi Hérode. Cette symbolique de naissance dans la pauvreté allie les contraires : le roi attendu par le peuple juif ne va pas naître dans une famille en vue mais d'une façon secrète, d'un simple charpentier — quelqu'un qui travaille la matière — et d'une vierge. On retrouve ici le thème de nombreuses naissances de héros divins, conçus par une vierge, c'est-à-dire nés d'un élément féminin considéré comme intact, totalement pur. L'imagerie de Noël[32] — la grotte, l'étable, les animaux : bœuf et âne — exprime la naissance de l'indicible dans la matière. Ce qui va sauver l'humanité naît dans le secret le plus complet. Mystère difficilement exprimable que celui du germe invisible ! Ainsi le renouveau, lorsqu'il se prépare, est encore inconnu ; seule une sorte d'intuition, de pénétration inconsciente, permet de percevoir que si, extérieurement, rien n'a changé, quelque chose à l'intérieur est pourtant différent et se dirige progressivement vers un nouveau développement. La fête de Noël célèbre en même temps la notion de germe secret et celle de retour à la lumière. L'arbre de Noël en est un exemple : le sapin, arbre toujours vert, témoin d'une végétation qui jamais ne disparaît, est un symbole d'immortalité ; on y accroche guirlandes et boules lumineuses figurant les planètes et la danse des astres — la danse du soleil et de la lune de notre chanson du « pont du Nord ».

L'Épiphanie, avec la venue des mages, a elle aussi une signification cosmique. Les mages sont ceux qui, connaissant le cours des astres, connaissent ainsi l'avenir ; ils représentent au fond l'intuition qui pénètre le sens d'un événement. Seuls les mages et les hommes simples que sont les bergers, proches des animaux, ont perçu que quelque chose a changé. Ainsi, lorsque psychologiquement quelque chose change, seules en nous l'intuition et une nature simple peuvent le percevoir, alors qu'une autre partie de nous-mêmes peut très bien ne pas le voir et ne ressentir que la stagnation. L'intuition, elle, peut percevoir la possibilité de changement et y croire. C'est cette partie de nous-mêmes, plus instinctive, proche de notre animalité, qui peut nourrir le nouveau dynamisme.

Le gâteau de la fête des Rois figure une couronne ou une galette solaire. Dans ce gâteau est traditionnellement dissimulée la fève, germe caché, distribué au hasard, qui fera de celui qui le trouve le roi de la fête. Un germe, une substance précieuse cachée au cœur de la matière, attend d'être découvert pour conférer à celui qui le trouve la « royauté », la maîtrise. Un rêve — fait par un auditeur du cycle de conférences à l'origine de ce travail — résume cette idée de façon humoristique ; il y est question de l'auteur et de sa conférence sur l'hiver :

« Elle est un peu en colère parce que des gens lui ont fait

changer le titre de la prochaine conférence. Elle dit alors "j'ai été amenée à parler d'autre chose mais finalement j'ai réussi à dire ce que je voulais dire et le nouveau titre sera: DE L'ÉMERAUDE DANS LA POMME DE TERRE". »

On pourrait dire: du germe, de la pierre, du secret caché dans quelque chose de simple. Il est important de comprendre que c'est dans quelque chose de simple, dans le quotidien, qu'on peut trouver le germe, la Pierre qui va peu à peu se dégager.

Après le solstice, apparaissent les cérémonies du Nouvel An exprimant le même désir de s'assurer du bon déroulement de la nouvelle année, cérémonies propitiatoires du même genre que celle de la chanson du pont du Nord. Actuellement, en Suisse[33], dans les montagnes de l'Appenzell, le Nouvel An est l'occasion d'une célébration particulière, issue d'une ancienne tradition, placée le 13 janvier selon le calendrier julien. Les paysans des villages de montagne mettent des masques faits d'éléments végétaux et animaux: plumes, pommes de pin, lichens, poils. Certains représentent les hommes sauvages, d'autres, plus ordonnés et plus récents, les hommes civilisés. Ces masques figurent les forces de la nature qui vont se réveiller avec la remontée de la lumière et de la chaleur. Porteur de richesses, ce réveil est aussi porteur de dangers que la cérémonie elle-même a pour but d'exorciser: il s'agit de s'assurer que le réveil des énergies printanières se fera sans mal. Les masques défilent dans les rues des villages avec grelots et sonnailles, pour chasser les mauvais esprits, ces esprits de la nature qui pourraient faire des irruptions désastreuses. Un tel rituel traduit autant la connaissance des passions qui dorment au cœur de l'homme que celle des forces qui dorment dans la nature: la fonte des neiges peut provoquer des catastrophes naturelles, la montée de la sève met les végétaux en danger si le froid revient brutalement; la montée de l'instinct, chez l'animal comme chez l'homme, provoque des passions soudaines, des combats sans merci. L'attitude magique qu'adoptent les célébrants cherche à assurer le déroulement positif du réveil du printemps: c'est un rite de passage.

L'image d'une force primitive dormant au cœur de l'inconscient — force qu'il faut apprivoiser — explique bien des cérémonies rituelles antiques. L'inconscient d'une femme du XXe siècle peut aussi exprimer cette nécessité de parvenir à articuler les deux tendances, animale — pulsionnelle — et psychique, dans un schéma harmonieux. Voici un rêve qui l'exprime fort bien :

> « *La rêveuse voit une rivière assez encaissée, comme dans des gorges ou un ravin, et un pont, comme les ponts tibétains suspendus entre les deux berges, dits "ponts de singes". Elle voit au fond du ravin, avant de s'engager sur le pont, un homme qui travaille : il taille des pierres. Elle le voit d'assez loin et cet homme a une allure d'homme préhistorique. En s'avançant sur le pont, elle voit le pont se modifier ; il apparaît, d'une façon mal définie, qu'au milieu du pont se trouve un monastère où sont des moines qui travaillent : ils font des bonbons au chocolat contenant de la liqueur. La rêveuse se dit qu'elle pourra en donner à ses parents. Ces bonbons sont contenus dans des boîtes en argent ciselé.* »

C'est une très belle image. Les deux berges — droite et gauche — représentent deux aspects de la personnalité qu'il faut réunir ; on pourrait dire, par exemple, que cela peut être la partie instinctive et la partie spirituelle de la personne. Un travail de réunification est en cours : il y a donc un pont. Ce pont suspendu évoque le Tibet et, ainsi, une idée spirituelle d'évolution, représentée également par le monastère. Ces ponts suspendus sont d'ailleurs relativement dangereux à emprunter ou, tout au moins, les traverser n'est pas simple. L'idée de suspension nous rappelle l'idée d'arrêt dans une progression et n'est pas sans évoquer la carte du tarot : le pendu. Quelque chose est en suspens et en préparation à la fois. En effet, au fond, travaille l'homme préhistorique. Des forces très importantes appartenant à l'humanité, à l'énergie vitale profonde, à l'instinct, sont en travail. Elles sont encore au fond, le contact n'est pas direct entre l'homme et la rêveuse ; de loin, elle le voit travailler — tailler des pierres —, occupation qui est une activité civilisatrice. Dans le bloc d'un élément matériel brut, l'artisan, par une action qui rappelle quelque peu le labour, va ébaucher une forme et transformer la pierre massive et informe en élément de construction. L'énergie primitive — chtonienne — qui git dans l'inconscient est en activité évolutive. Elle n'est pas perçue directement mais ressentie dans sa forme première. Le travail dans le lit du torrent établit un pont entre les deux parties de la personnalité.

Au centre du pont se trouve une image de ce que Jung a appelé le « Soi », ici représenté par le monastère. Abstraction faite du rapport personnel que peut avoir la rêveuse avec le monastère, d'après les données religieuses reçues dans l'enfance, le monastère peut être considéré ici comme la représentation du lieu intérieur où se travaille et évolue une personnalité. Qui plus est, le terme monastère vient de la racine grecque « monos » — seul, unique. Il s'agit donc d'une sorte d'école d'autonomie, d'un lieu où l'on apprend à évoluer, seul avec soi-même. Les moines travaillent eux aussi ; ils font des bonbons à la liqueur, fabriquent une nourriture de douceur contenant une essence, un esprit. Cette image, comparée à celle plus rude de l'homme préhistorique, donne à penser que dans une partie de la personnalité — la partie spirituelle —, quelque chose élabore un aliment consommable fait de douceur et d'esprit, tandis qu'en bas, une autre partie travaille pour faire évoluer les instincts les plus profonds. Deux plans sont en évolution et cherchent à se réunir.

Les bonbons pourront être donnés aux parents; c'est une indication particulière. Le chocolat des rêves représente souvent du « noir » devenu comestible — des crottes en chocolat ! Les rêveurs semblent dire alors que des événements ressentis comme négatifs peuvent être transformés, rendus consommables, le sucre évoquant l'idée d'affectivité, d'enfance, d'amour. « Pouvoir donner ces bonbons aux parents », c'est dire que certains aspects néfastes des parents ont été réparés dans l'esprit de la rêveuse et qu'ils ne feront plus obstacle à une guérison. On se trouve là à un niveau profond de réparation où sont simultanément à l'œuvre les forces instinctives et spirituelles. Le plan psychologique du travail affectif sur les images parentales a été un peu dépassé. La blessure que les parents avaient pu provoquer a été en partie cicatrisée, on pourra donc leur donner en réponse non plus du « noir », de la rancune, de mauvaises relations, mais une relation de douceur. Les bonbons sont dans des boîtes d'argent ciselé. L'argent est le métal de la lune, métal féminin ; la ciselure évoque encore un travail d'affinement de la nature personnelle.

Dans ce rêve que l'on peut qualifier d'alchimique, différents éléments sont en transformation, du niveau le plus primitif au niveau le plus évolué. Les images ont une résonance qui dépasse l'aspect individuel de la problématique pour symboliser un aspect plus général de l'évolution humaine, montrant comment une difficulté personnelle peut s'exprimer par des images universelles.

L'INCONSCIENT COLLECTIF

Ce rêve va nous renvoyer à Jung. Dans un chapitre de ses mémoires traitant de ses relations avec Freud[34], Jung cite un rêve très particulier fait au cours d'un voyage en Amérique, effectué avec Freud et d'autres psychanalystes. Ce rêve représente assez bien les différences de conceptions opposant les deux hommes et la façon très particulière dont Jung abordait l'inconscient :

> *« Jung voit une maison — c'est "sa maison". Au premier étage, il y a un appartement, salle à manger meublée de style un peu vieillot, le genre d'ameublement correspondant à son époque, dans lequel des contemporains ou lui-même pouvaient vivre. Il a l'impression qu'il doit explorer la maison. Il descend donc au rez-de-chaussée. Là, tout est déjà très différent. Les ouvertures sont petites, l'ambiance est moyenâgeuse, les meubles sont anciens, sombres : on est au Moyen Âge. Alors, il voit une porte, il l'ouvre et aperçoit un escalier qui descend vers une cave. Il descend donc et arrive dans une cave voûtée, ancienne. Il en examine les murs et voit que le mortier est fait avec des briques et que, sans aucun doute, cette cave est d'origine romaine. À ce moment-là, il voit sur le sol une dalle de pierre avec un anneau. Il tire cette dalle et trouve un escalier qui redescend encore plus profond. Le voilà dans une sorte de grotte dans le roc qui ressemble à une grotte préhistorique. Il voit sur le sol des ossements, deux crânes. »*

Voilà donc le rêve que Jung confia à Freud. Celui-ci, dans le plan d'interprétation qui était le sien, s'intéressa surtout aux deux crânes. Freud, en effet, et tout particulièrement dans sa relation avec Jung, était très préoccupé par le fantasme du meurtre du père. Nous avons vu, avec le mythe d'Œdipe, que la rivalité au père constitue l'un des grands axes de la psychologie freudienne. Dans plusieurs circonstances de leur travail commun, Freud, qui voulait faire de Jung son héritier, fut aussi obsédé par le problème de la rivalité du dauphin.

Freud demanda donc à Jung, au sujet de ce rêve, ses associations concernant les deux crânes. Qui pouvaient-ils bien représenter ? Le reste de l'imagerie du rêve lui était au fond indifférent. Dans ces deux crânes, il suspectait un désir de mort et voulait comprendre de quel désir de mort plus ou moins refoulé il pouvait s'agir. Jung, voyant en quelque sorte ce que cherchait Freud, ne pouvait, quant à lui, rattacher ces deux crânes à aucun désir de mort particulier mais il sentait bien que Freud ne pourrait pas admettre que ces deux crânes ne cachent pas un tel désir. Il faut préciser que le dialogue des deux hommes était arrivé à un point de non-communication assez aigu. Finalement, pour clore le débat, Jung répondit que cela pouvait bien représenter sa femme et sa sœur, donnant ainsi une association qui, bien que fausse, alimentait l'interprétation de Freud.

Comme il l'explique dans ses mémoires, Jung voyait le rêve de façon bien différente. La maison, selon lui, représentait la psyché, l'ensemble du psychisme humain. Le premier étage figure le monde contemporain, la partie de la conscience adaptée à la vie présente, les facultés psychologiques d'adaptation courantes. Au rez-de-chaussée, on se trouve déjà dans un certain passé, celui de nos racines chrétiennes moyenâgeuses, de notre culture, représentant tout l'intérêt de Jung pour le monde chrétien du Moyen Âge et pour l'alchimie. Mais le psychisme a des racines plus profondes : notre mémoire, plus ou moins consciente, plonge beaucoup plus loin dans le passé ; nous sommes aussi les frères des Égyptiens, des Romains, des Grecs, des Celtes... qui nous ont précédés, ce qui explique que leurs mythes aient en nous une telle résonance. En descendant, on se retrouve donc dans ce monde gréco-romain. Plus profondément encore, dort aussi l'homme préhistorique, représenté par les deux crânes dans la grotte soutteraine.

La religiosité de l'homme préhistorique est attestée dans un passé lointain. Elle ne fait aucun doute en ce qui concerne l'homme qui a décoré des grottes comme celle de Lascaux (- 15 000 ans)[35] et semble même coexister avec la notion même d'hominisation. Mais le sens du sacré ainsi supposé est, pour les époques plus anciennes (- 60 000 ans et plus), plus difficile à mettre en évidence. Il existe cependant une profonde identité psychique entre l'homme du XXe siècle et celui qui a peint les fresques sur les parois des cavernes, identité s'exprimant assez bien dans l'image verticale du rêve de Jung. De la plus lointaine antiquité jusqu'à nos jours, diverses couches de civilisations s'étagent les unes sur les autres, avec leurs différences et leur profonde similitude. Le rêve du pont contient aussi une image de disposition verticale : au plus profond, dans le lit du torrent, est l'homme préhistorique, alors que, sur le pont, se trouve le monastère. Le pont résume ainsi dans l'horizontale la problématique verticale et la nécessité d'une connection profonde entre les différents plans.

L'opposition entre les moines et l'homme préhistorique contient encore d'autres implications. Plus proche de la nature et du monde animal, l'homme préhistorique vit dans un rapport d'identité avec eux : des hommes peuvent devenir des animaux et inversement car les animaux sont porteurs de la force primordiale. C'est le conflit entre instinct et esprit qui est ici représenté. Cependant, l'homme préhistorique est en voie de réhabilitation ; il est à l'origine d'un dynamisme sans lequel l'élan du moine s'étiolerait. Il faut apprivoiser cette force profonde pour l'amener à une force d'expression sublimée, tout en la respectant : elle est dans le lit du torrent, à la source.

De nombreux monuments de l'architecture médiévale évoquent la même chose ; je veux parler de ces églises comportant des cryptes, véritables églises souterraines, souvent construites sur des lieux de culte plus anciens — celtes parfois. On en trouve en Auvergne, abritant ces effigies particulières de la vierge que sont les vierges noires. Notre-Dame de Chartres comporte ainsi une crypte où, sous le vocable de « Notre-Dame de Sous-Terre », on vénère une telle vierge.

À Marseille, l'église de Saint-Victor en est un exemple : c'est une église du XIIe siècle, faisant partie d'une abbaye bénédictine. La crypte placée sous l'église est plus ancienne, basilique du Ve siècle où se trouve la vierge noire. C'est là aussi que reposent les martyrs saint Victor et saint Cassien. Elle fut construite sur un lieu naturel, une grotte aménagée au fil des siècles, lieu de culte antérieur au christianisme. Comme à Chartres et à Clermont-Ferrand, un puits aujourd'hui condamné était consacré à saint Blaise et contenait une eau tenue pour guérir les maux de gorge[36].

Le 2 février, fête de la Chandeleur, donne lieu à différentes manifestations qui se déroulent pendant huit jours. Le 2 février est la fête de la purification de Marie et de la présentation de Jésus au temple — 40 jours après Noël. Elle se confond avec les antiques fêtes de Cérés — Déméter chez les Grecs — et d'Imbolc chez les Celtes.

Cette fête de la Chandeleur, célébrant les relevailles de la vierge, se trouve placée au moment où la remontée de la lumière et l'allongement des jours commencent à être sensibles : c'est la fête du feu nouveau, fête des chandelles. À Marseille, les pèlerins viennent allumer, auprès de la statue de la vierge noire, des cierges verts qu'ils ramènent chez eux ; la vierge et l'enfant sont revêtus d'un manteau vert. Les boulangers de Marseille font des petits gâteaux en forme de bateau — les navettes — que l'on vient faire bénir. La Chandeleur est aussi l'époque où l'on confectionne traditionnellement les crêpes, gâteaux solaires que l'on fait sauter ou tourner en tenant une pièce dans la main. La réussite de l'entreprise est censée assurer la fécondité et la richesse pour toute l'année. Dans d'autres régions de France, on faisait autrefois sauter une crêpe sur l'armoire où elle devait rester toute l'année, apportant ainsi la richesse dans la maison.

L'église St-Victor nous donne la même image de structure du psychisme que le rêve de Jung. Au fond du sanctuaire, dans le secret de la profondeur, c'est, à travers l'effigie de la vierge noire, la vieille déesse-mère que nous retrouvons — Déméter, Isis —, la « Grand-Mère » qui connaît les secrets de la végétation, de la vie et de la mort, de la renaissance après la disparition. C'est elle que viennent prier les enfants, les aveugles, les femmes stériles et les navigateurs. Pourquoi les navigateurs ? Parce que ce ne sont pas seulement ceux qui vont sur l'océan mais les navigateurs de l'âme, ceux qui font le voyage intérieur — navigation que l'on retrouve dans les symboliques de cheminement psychologique et dont les « pérégrinations d'Ulysse » sont un exemple.

Pourquoi, encore une fois, s'attacher à ces images mythologiques, à ces traditions populaires ? Toutes fascinantes qu'elles soient, ont-elles encore un intérêt contemporain, autre que documentaire ? Il apparaît que pour exprimer des états psychologiques, l'inconscient utilise des images et des motifs parfois archaïques, souvent anachroniques, difficilement accessibles. Mais, chaque fois qu'il est possible de rapporter ces motifs à des données mythologiques traditionnelles, on peut alors en découvrir le sens profond. A travers les rêves, l'inconscient s'exprime de façon symbolique, allégorique. Il faut des points de référence pour élucider ce langage, pour comprendre ce que viennent faire dans la nuit d'un rêveur, un pont de singes tibétain, un homme préhistorique ou l'ébauche d'anciens mythes — motif d'Icare, par exemple, réapparaissant dans les songes sous la forme d'avions décollant et s'écrasant au sol ou motif du labyrinthe qui ressurgit sous forme de couloirs interminables en sous-sol. Les images prises au pied de la lettre ne livrent que peu d'enseignement. Par la confrontation avec les traditions religieuses, mythologiques, populaires qu'elles évoquent, les images du rêve peuvent être amplifiées et comprises dans leur signification psychologique profonde. La parenté de notre psychisme avec celui de nos ancêtres est telle que notre mémoire inconsciente s'exprime dans le même langage que ceux-ci. Il est donc nécessaire que l'homme du XXe siècle renoue avec son frère de l'antiquité pour comprendre le sens symbolique des traditions mais aussi les messages très actuels que l'inconscient fournit à travers les rêves.

Telle était la démarche, la méthode proposée par Jung : une fois élucidé le rapport au monde contemporain — famille, parents, adaptation sociale —, il convient d'aller plus loin, dans ces couches plus profondes du psychisme qu'il a appelées « inconscient collectif ». Notre passé psychique remonte en effet au-delà de notre père et de notre mère, un fil nous relie au monde des ancêtres. Ainsi, le prêtre, le sorcier ou le chaman au cours de la transe initiatique, vont dans « l'au-delà », au « pays des ancêtres », pour recevoir la compréhension et l'enseignement. Dans la tradition hindoue et bouddhiste, l'adepte reçoit la connaissance des vies antérieures. Dans le travail psychologique jungien, il s'agit d'établir un contact avec l'inconscient collectif — le monde des archétypes — par les rêves, l'imagination active et l'amplification des images fournies par l'inconscient, grâce aux nombreuses analogies traditionnelles.

Pour tenter d'illustrer ces données, j'ai choisi un conte d'Islande, d'inspiration assez primitive qui s'intitule « La barque de pierre »[37].

Dans une île près du pôle nord, battue par les vents, un roi avait un fils beau et fort qui atteignait sa maturité ; il s'appelait Sigurd. Il lui dit :
— Bientôt je serai vieux et tu devras prendre femme pour pouvoir me succéder. J'ai entendu dire que, dans un pays lointain, vit une très belle princesse. J'aimerais que tu ailles la demander en mariage.
Le jeune homme partit en expédition et atteignit bientôt le pays où la jeune fille vivait avec le roi, son père. Sigurd fit sa demande en mariage et le roi accepta à la condition qu'il reste dans le pays pour gouverner à sa place. Le jeune homme promit en disant néanmoins, qu'à la mort de son propre père, il voudrait retourner dans son île, pour assumer la charge du royaume.
Quelques années passèrent ainsi. Le jeune couple était heureux. Un enfant leur naquit. Celui-ci avait deux ans quand parvint la nouvelle de la mort du père du jeune roi. Celui-ci rappela sa promesse à son beau-père et le bateau fut frêté pour leur retour dans l'île natale de Sigurd.

Les premiers jours de la traversée s'écoulèrent sans histoire ; le vent soufflait dans la bonne direction et l'allure du bateau était bonne. Quand soudain, un après-midi de grande chaleur, le vent tomba. La chaleur était excessive sur le pont. Les compagnons du roi — et bientôt celui-ci — descendirent dans la cale et succombèrent au sommeil. La jeune reine resta seule sur le pont à jouer avec son enfant. Bientôt, quelle ne fut pas sa stupéfaction de voir un point noir se dessiner à l'horizon et se rapprocher rapidement : c'était une barque de pierre et dans la barque, il y avait une affreuse sorcière, hirsute et édentée. Quand la barque fut près du bateau, la sorcière grimpa sur le pont, prit l'enfant des bras de la jeune femme que la peur rendait muette et le posa sur un tas de cordages. Elle arracha les bijoux de la jeune reine et s'en décora. Puis, elle obligea celle-ci, terrorisée, à prendre place dans la barque de pierre en disant :
— Va, retourne dans les profondeurs auprès de mon frère qui règne dans les entrailles de la terre.
Et bientôt, la barque disparut à l'horizon, emmenant la jeune reine. La sorcière prit alors tout à fait l'aspect de la reine et descendit dans la cale en réprimandant son mari de ce qu'il l'avait laissée seule sur le pont, sans s'occuper de l'enfant. Celui-ci pleurait et rien ne semblait pouvoir le consoler. Le jeune roi trouva sa femme étrange et d'humeur acariâtre, ce qui ne lui arrivait jamais...
Le vent ayant repris, ils font voile de nouveau et bientôt abordent à l'île de Sigurd. Le roi descend à terre avec sa femme, ou plutôt celle qu'il croit être sa femme, toujours d'humeur querelleuse. L'enfant pleure continuellement et le peuple venu les accueillir murmure d'étonnement devant cette belle jeune femme à l'humeur sombre. Le roi lui-même est fort désorienté. Il s'installe dans le palais et fait quérir une nourrice, car l'enfant ne cesse toujours pas de pleurer. Quand celle-ci le prend dans ses bras, il se calme enfin. Dans le palais, on murmure sur l'étrange allure de la reine. De jeunes pages qui jouent dans le couloir près de la chambre de la reine entendent un monologue étrange. La reine, devant son miroir, dit :
— Quand je baille un peu, je suis une charmante jeune femme ; quand je baille un peu plus, je suis à demi sorcière et quand je baille tout grand, je suis sorcière tout à fait.
Et les pages épouvantés, qui regardent par une fente de la

porte, la voient reprendre sa forme première, hirsute et édentée, et le sol s'ouvre pour laisser passer un géant, à trois têtes, portant une auge de viande crue que l'affreuse sorcière engloutit. Les pages sont si effrayés qu'ils n'osent rien dire. La nourrice, elle, qui veille la nuit près du berceau de l'enfant, est témoin d'une apparition : le sol s'ouvre et une jeune femme très belle, avec à la ceinture une chaîne qui descend dans la profondeur, prend l'enfant dans le berceau, le regarde avec amour, l'embrasse et le repose sans un mot. La seconde nuit, l'apparition revient, prend à nouveau l'enfant et, le reposant après l'avoir embrassé, elle dit tristement :
— Deux fois aujourd'hui, il n'en reste plus qu'une.
Et elle disparaît. La nourrice effrayée va voir le roi pour lui raconter ce qu'elle a vu. Celui-ci, le soir suivant, prend son épée et veille auprès du berceau de son fils. Quand la femme apparaît, il reconnaît la reine et, de son épée, tranche la chaîne. Elle se jette alors dans ses bras et lui dit qu'elle était prisonnière du géant à trois têtes, le frère de la sorcière, qui voulait l'épouser. Pensant trouver un moyen de s'enfuir, elle lui avait promis d'accepter, à condition de pouvoir embrasser son fils trois soirs de suite. Le roi fit tuer la sorcière et ils coulèrent des jours heureux.

Au début de ce conte, nous trouvons une situation qui correspond à l'ordre « normal » : dans un royaume, le vieux roi désire que son fils lui succède. Cette situation est plus équilibrée que celle qui débute « Les trois cheveux d'or du diable » puisqu'il n'existe pas ici de rivalité paternelle à l'égard du fils. Nous verrons d'ailleurs que les attitudes des personnages masculins sont, tout au long du récit, relativement adaptées. Cependant, pour l'accession au trône, il faut une reine, une épouse. La quête ici représentée est la quête de la femme, avec les dangers qu'elle comporte. Le futur roi ne peut l'être tout à fait qu'après la conquête du féminin. Cette conquête se fait « par delà les mers », dans l'autre monde. Ce n'est pas seulement une expédition maritime pour trouver une fiancée, c'est un voyage initiatique qui mène à la découverte du féminin et à son retour dans ce monde-ci. En effet, on ne peut comprendre tout à fait ce conte d'origine nordique que par référence à d'autres récits d'origine celtique, relatant le voyage d'un héros dans l'au-delà dont il revient initié[38].

Le prince représente l'attitude dirigeante du psychisme en voie de rénovation. Son père vieillissant l'envoie chercher ce qui manque au royaume : une dimension d'âme. Si dans un premier temps, l'expédition s'effectue sans problèmes, on peut remarquer que la femme trouvée semble comme retenue auprès de son père qui n'accorde sa main que si le jeune Sigurd reste auprès de lui. Psychologiquement, cela indique que la fonction féminine est encore retenue dans l'inconscient. Dans le cadre d'un récit de « quête du trésor », cela marque aussi la nécessité d'une période de stase, d'un séjour aux enfers ou dans l'au-delà préalable au retour dans ce monde-ci. Ce conte peut représenter la quête des qualités féminines par un homme, mais aussi les dangers d'une attitude féminine non encore libérée de l'attachement parental, et tout spécialement de l'attachement au père.

Pendant toute une période de latence, rien ne se passe. Mais lorsque la fonction dirigeante, représentée par le prince, doit accéder concrètement à la royauté — retourner dans son île pour gouverner son royaume —, il faut alors que la fonction féminine se libère des attaches familiales, pour jouer son rôle dans la nouvelle vie, celle qui se déroule au niveau du conscient. Que l'île de la princesse soit l'autre monde ou l'inconscient, la découverte du trésor, objet de la quête, ne suffit pas ; il faut retourner dans ce monde-ci, ramener les valeurs inconscientes dans le conscient. Le moment crucial est celui du retour, celui où se passe le drame, lorsque le vent tombe, lorsque l'action s'arrête, lorsque le bateau s'immobilise et que ses passagers sont la proie du sommeil. Ceci ressemble, psychologiquement, à ce qu'on appelle un abaissement du niveau de conscience[39] : le prince et ses compagnons s'endorment, la fonction dirigeante est un moment anéantie au profit de l'irruption d'une tendance inconsciente représentée par la sorcière.

Cet épisode était somme toute préfiguré par le temps de latence exigé par le père de la princesse, retenue auprès de lui par une tendance affective régressive. La sorcière figure d'une part l'ombre de la princesse, enchaînée par des attachements profonds, secrets, au monde de son enfance ; d'autre part, d'une façon plus subtile, le couple sorcière-princesse représente les fonctions féminines du prince qui n'ont pas fini leur évolution et sont encore en état de dualité. L'aspect néfaste agressif, vindicatif, dévorant de la féminité fait son entrée et supplante l'aspect lumineux de la jeune mère.

Beaucoup de contes présentent ainsi la femme sous ses deux

aspects, jeune fille ou mère attentive et mère terrible. Que l'on pense à Blanche-Neige : à sa naissance, sa mère meurt et se trouve bientôt remplacée par une marâtre. Si l'on peut voir là les deux aspects de l'image de la mère dont tout enfant fait l'expérience, on peut y voir aussi la bipolarité du féminin et l'ombre inhérente à toute tendance psychique. L'ambivalence de la personnalité est ainsi représentée par deux personnages, l'un lumineux, l'autre infernal. Lorsque le roi s'endort, il y a abaissement du niveau de conscience et les éléments négatifs peuvent remonter et occuper le devant de la scène.

On peut aussi qualifier ce phénomène de possession par un complexe autonome. Ainsi, une personne habituellement adaptée peut soudain être, par un conflit interne ou externe, la proie d'affects qui la dominent : c'est l'irruption de la sorcière qui renvoie dans la profondeur l'être le plus évolué et possède la personnalité. Le langage familier rend fort bien la chose ; on dit « je ne sais pas ce qui m'a pris » pour justifier un affect soudain dont on aura été la proie. L'image féminine s'est négativée ; la princesse — l'âme — a disparu au profit d'un élément de l'ombre. Dans le cadre de l'image que l'enfant se fait de sa mère, c'est l'apparition soudaine d'un être qui gronde, punit, frustre l'enfant qui fait disparaître la mère consolatrice — ce que d'ailleurs le conte illustre bien : l'enfant pleure tout le temps. Le surgissement de l'aspect punitif du personnage maternel peut être ainsi ressenti comme une véritable substitution, l'enfant ne pouvant identifier ce personnage à celui de la vraie mère.

Dans le cadre d'une évolution subjective des tendances féminines, sont aussi décrits ici les dangers de l'amour dévorant de la mère ; celle-ci ne donne plus la vie à l'enfant pour le laisser en user librement mais présente une affectivité vorace, fort bien représentée par le repas de viande crue — l'ogresse n'est pas loin. L'amour de la mère n'est pas seulement don et protection ; il est dangereux en ce qu'il induit une tentation régressive de retour à la matrice qui refuse les nécessités vitales. L'angoisse ressentie face au danger de régression est représentée par les figures d'ogre et d'ogresse. Nous nous trouvons là devant l'aspect dangereux de la déesse-mère qui — nous l'avons vu — donne la vie mais aussi la reprend. Dans la mythologie, la terre, ressentie comme déesse-mère qui donne ses fruits et porte la vie, porte aussi la mort puisqu'elle reçoit dans son sein celui qu'elle a fait naître : le grain de blé comme le cadavre ; elle est donc aussi celle qui dévore, celle qui tue. Ceci nous renvoie à une idée philosophique chère aux Chinois : la vie est éternelle circulation et cette circulation a deux pôles : la vie et la mort...

Revenons au conte : le jeune couple débarque et, devant cette nouvelle princesse, tout le monde ressent une certaine gêne : il y a un décalage entre la personnalité extérieure et « quelque chose d'indéfinissable ». L'image que les jeunes gens voient par la fente de la porte est révélatrice ; l'aspect dévorant de l'amour maternel, quand il est unilatéral, ne laisse pas l'enfant vivre sa propre vie : « j'ouvre un peu la bouche et je suis tout à fait charmante ; j'ouvre un peu plus... » et alors apparaît dans toute son ampleur l'aspect redoutable et castrateur de l'autorité maternelle.

Toute analyse comporte nécessairement une confrontation avec les figures néfastes : objectivement dans l'évocation de la relation parentale, subjectivement dans la découverte de ces tendances en soi-même. Nous avons vu, dans le chapitre consacré à l'automne, la confrontation avec l'ombre de la figure paternelle. Ici, il s'agit de la confrontation avec l'ombre de la figure maternelle, attitude dévorante — littéralement intestinale — qui renvoie tout germe nouveau dans les entrailles de la terre. La mère qui a donné la vie peut aussi donner la mort par réengloutissement.

Dans le cadre du conte, qui relate la quête du féminin — celui-ci étant absent du royaume —, on comprend qu'il faut non seulement le découvrir sous ses aspects positifs — la reine — mais aussi connaître et parer à ses effets mortels, rencontrer cette ombre du féminin, déjà reconnue plus haut chez Déméter ou dans la figure de la vieille mère du pont du Nord. Il semble ici que l'attitude dévorante soit liée à un attachement secret au père : si la sorcière prend le devant de la scène, c'est que la jeune princesse est enchaînée au géant à trois têtes qui mène le jeu dans la profondeur. On peut penser que le géant à trois têtes représente une figure infernale du père qui veut retenir sa fille auprès de lui et s'interpose sous cette forme rappelant le Cerbère aux trois têtes, gardien des enfers. L'attachement de la fille pour son père est ainsi exprimé par la chaîne qui la retient. Il est d'ailleurs bien connu psychologiquement qu'une fille par trop admirative de son père reste si attachée à cette image qu'elle fera vite preuve de mauvais caractère à l'égard d'un mari qu'elle compare sans cesse à une figure paternelle idéalisée — ce qui l'empêche aussi de remplir harmonieusement son rôle maternel.

Mais les héros – et c'est en cela qu'ils sont des héros – montrent un désir de libération qui conduit leur aventure. Si la quête du féminin ne se fait pas sans une perte momentanée du niveau de conscience diurne, afin de laisser surgir les ombres, l'attitude héroïque tranche la dualité et renvoie les tendances négatives dans la profondeur. Comme toute histoire héroïque, elle n'est que temporaire car on comprend que l'ogre et l'ogresse n'ont été que renvoyés aux enfers d'où ils peuvent un jour ressurgir. Les images du conte sont archaïques et la solution se présente comme une victoire des forces conscientes sur les forces de l'inconscient, à travers une perte de conscience suivie d'un retour à la conscience. On peut penser que la solution héroïque est insuffisante car elle ne fait que renvoyer les monstres dans la profondeur, sans vraiment les combattre, mais elle montre cependant l'un des aspects de la dialectique du conscient et de l'inconscient. Il n'est pas toujours possible de livrer bataille et, parfois, la meilleure attitude, après la prise de conscience, est celle du détachement. Une attitude qui prenait le devant de la scène s'évanouit alors d'elle-même. On voit cependant quels dangers dorment dans l'inconscient et on comprend mieux qu'il faille les exorciser, comme en Appenzell. De l'inconscient surgissent des forces (l'homme préhistorique) qu'il faut connaître et élaborer afin de couper lucidement avec ce qu'elles contiennent de dangereux. Il ne s'agit pas de faire de soi-même, par un abaissement du niveau de conscience, le champ d'élans inconscients incontrôlés : le but à atteindre est la royauté, cette maîtrise qui ne doit pas se couper du monde inférieur. Ce n'est pas par hasard que le prince subit un abaissement du niveau de conscience : s'il restait sur le seul plan de la conscience, il ne saurait pas que dort, au fond, tout un monde de forces et d'éléments dangereux. Nous débouchons là sur un paradoxe ; dans l'inconscient ou dans la profondeur de la nature humaine se trouvent des dynamismes porteurs de vie qui nous sont nécessaires : ce sont les forces de l'instinct, celles de l'homme préhistorique ou de l'homme sauvage. Ces forces contribuent à créer une personnalité complète ; il faut non seulement en prendre conscience mais aussi les intégrer, les « dominer » dans le sens de la maîtrise et non pas dans le sens du refoulement. C'est une attitude paradoxale bien décrite par le conte.

L'OMBRE

Jung a appelé cette phase « la confrontation avec l'ombre ». Quand on lui demandait « qu'est-ce que l'ombre ? », Jung répondait parfois : « C'est l'inconscient »[40]. C'est ce qu'on ne connaît pas ou ce que l'on ne connaît pas de soi-même. Il ne peut y avoir d'élargissement de la conscience sans intégration dans celle-ci des contenus de l'inconscient — contenus encore inconnus. La confrontation avec l'ombre et son intégration constituent le travail de l'analyse. Si, pour définir ce qu'il appelait l'ombre, Jung disait parfois « c'est l'inconscient », c'était pour sortir d'une pensée trop catégorielle s'accordant mal avec la nature même de l'inconscient. L'inconscient est l'ombre, peut-on dire, mais il contient tout à la fois un facteur régulateur qui permet l'intégration et la métamorphose des élans primitifs. Comment préciser une description ou une définition de l'ombre ? Disons que c'est ce que nous ne connaissons pas de nous-mêmes, ce qui est dans « l'ombre », inconnu, et ceci sans jugement de valeur positif ou négatif. Ce sont aussi certains aspects de nous-mêmes que nous jugeons néfastes, à bon ou mauvais escient. En effet, des tendances tout à fait positives ont pu être dépréciées par l'éducation reçue — notre spontanéité, les manifestations de nos instincts. Ainsi, dorment en nous « l'homme préhistorique » et « le moine » qui ont besoin de se réconcilier. Ce qui est dans l'ombre peut aussi s'appeler « le diable » et représenter un aspect très dangereux des passions humaines ; d'où un nécessaire travail de connaissance de soi, qui consiste à retourner sur soi le miroir à travers les images que fournit l'inconscient, afin de ne pas voir que le côté lumineux de soi-même mais aussi le côté ombre. Nous sommes ainsi renvoyés à l'image que nous donnons aux autres de nous-mêmes, ainsi qu'à l'image que nous avons des autres.

Cette confrontation avec l'ombre est le début d'un travail analytique qui détruit les anciennes structures et renvoie au sujet un aspect de lui-même assez différent de ce qu'il pouvait imaginer et aussi assez difficile à supporter. Nous voilà de nouveau dans les images alchimiques de la Nigredo : calcination, putréfaction... plongée pour découvrir les énergies positives, mais aussi pour se connaître « côté danger ».

C'est donc ce que fait le prince et ce n'est pas par hasard qu'il rencontre cette péripétie. Avant d'accéder à la royauté, il doit acquérir une meilleure connaissance du monde, pas seulement la connaissance naïve de l'enfance qui voit les choses du bon côté, mais aussi cette connaissance plus amère de la noirceur du cœur humain. Il lui faut rapporter ce qu'il a trouvé à « sa femme », c'est-à-dire à son âme, et libérer celle-ci de la dépendance des passions, afin que puissent naître l'amour et l'état de royauté véritables.

La phase de confrontation avec l'ombre est une phase de début de travail : l'être vient pour résoudre telle ou telle difficulté vitale et l'une de ses premières découvertes, c'est qu'il est lui-même l'origine des événements dont il souffre. L'étude du phénomène le renvoie à lui-même, à son ombre, et il en découle souvent une période de stagnation. Les images oniriques qui peuvent alors exprimer cette phase sont des images de labyrinthe. Nous avons parlé précédemment d'un rêve où un jeune homme naviguait sur des canaux ; plusieurs fois il se heurtait à des portes fermées, ou les canaux s'enfonçaient sous terre et n'étaient plus navigables ; au bout d'un certain temps, une porte s'ouvrait et il pénétrait alors dans une grande usine de construction de voitures. Voilà une image de labyrinthe ; la personne était dans une phase de stagnation où elle tournait autour de ses problèmes et, chaque fois, elle était renvoyée à ce qui n'allait pas. Au bout de cette pérégrination longue et pénible s'est ouverte la porte de la grande « usine », la partie rénovatrice de l'inconscient où le véhicule — les voitures — va être réparé ou construit, où le dynamisme, à force de se promener dans le labyrinthe, a pris conscience de lui-même pour pouvoir s'ouvrir et devenir efficient.

Dans la mythologie grecque, le motif du labyrinthe nous renvoie au mythe de Thésée.

Le labyrinthe avait été construit sur les ordres de Minos, roi de Crète, par l'architecte Dédale — qui y fut enfermé plus tard avec son fils Icare. Cet enchevêtrement souterrain de tunnels et de couloirs n'avait qu'une seule issue ; une fois entré, il était impossible d'en trouver la sortie. Minos y avait enfermé le Minotaure, monstre moitié homme, moitié taureau, né des amours coupables de sa femme, la reine Pasiphae, avec un taureau. Il fallait nourrir ce monstre — homme à tête de taureau — de chair humaine. Pour cela, les Athéniens, que Minos avait battus à la guerre, devaient envoyer (tous les ans ou tous les trois ans) un tribut de sept jeunes hommes et de sept jeunes filles qui étaient jetés en pâture au Minotaure. Thésée, fils du roi d'Athènes, Égée, décida de délivrer celle-ci du tribut qui lui était imposé, en combattant le Minotaure. Il

partit en expédition, se présentant parmi les jeunes gens envoyés en tribut, et fut aidé par Ariane, la fille de Minos et Pasiphae, sœur du Minotaure. Elle lui donna une pelote de fil qui lui permit de retrouver son chemin dans le labyrinthe et, après avoir tué le Minotaure, d'en ressortir.
La fin de l'histoire montre Thésée, oubliant la reconnaissance due à Ariane et l'amour de celle-ci, l'abandonnant sur l'île de Naxos pour repartir vers Athènes et épouser Phèdre, une sœur d'Ariane. Ariane deviendra l'épouse de Dionysos et, selon certaines traditions, sombrera dans la folie.

Nous pouvons retrouver un certain nombre d'analogies entre ce mythe grec et le conte qui vient d'Islande. Un personnage féminin, Pasiphae, s'est uni avec un taureau ; elle est ainsi entrée en contact avec les forces de l'instinct, mais sans les transformer totalement. De ces épousailles est sorti un être bivalent, le Minotaure, monstre mi-taureau, mi-homme. C'est une évolution incomplète d'une force primitive qui n'a pas trouvé complètement son humanisation, un aspect de la nature animale de l'être humain qui n'a pas suffisamment évolué. L'étape suivante va être la confrontation de l'homme avec le Minotaure, comparable à la confrontation du prince avec la force qui retient la princesse prisonnière ; elle se fait avec l'aide d'Ariane, symbole de l'âme comme l'aspect positif de la princesse du conte. Il s'agit de libérer une dimension d'âme féminine de la possession par une dimension instinctive. Mais, dans le langage de l'inconscient, « tuer » ne veut pas dire détruire, « tuer » signifie transformer, ce qui devrait amener à une sorte de résurrection, à un nouvel aspect de l'instinct en question. Thésée tue le Minotaure mais, par l'abandon d'Ariane, il laisse la tâche en chemin. Ariane, comme Pasiphae, retombe dans un état « d'abaissement du niveau de conscience », car l'élément instinctif qui est lui-même le moteur de la vie n'a pu évoluer suffisamment. Elle reste donc abandonnée sur une île, représentation de l'inconscient, en proie à la folie et à la possession passive par le dieu Dionysos.

Le monde grec représentait la dualité par l'opposition entre Dionysos — le grand dieu Pan, dieu des instincts — et Apollon — dieu de la lumière — ou parfois par une dualité en Apollon lui-même, apparaissant sous deux formes : le dieu lumineux qui voit tout, soleil sur son char, et un dieu sombre figuré sous une forme animale — le bouc. Au fond, la tâche qui n'est pas complètement accomplie dans la mythologie grecque, c'est l'union des deux mondes, la possibilité du passage correct d'une dimension à l'autre. Il faut éviter la scission entre le monde de la lumière et le monde de l'ombre et réaliser une circulation énergétique entre l'ombre et la lumière. La dimension d'ombre peut alors nourrir — tout en évoluant — la dimension lumineuse lucide et la dimension lucide consciente peut ainsi retourner aux sources que sont les forces de l'instinct, sans s'appauvrir dans une attitude exclusivement intellectuelle. Tout homme se trouve pris dans ce dilemme et dans cette dualité : que faire de la partie instinctive et de la partie rationnelle et intellectuelle ? Comment les marier toutes deux d'une façon harmonieuse et féconde, porteuse de fruit ?

Dans l'iconographie chrétienne, l'image du labyrinthe se retrouve dans une forme un peu différente du labyrinthe grec ; ce n'est plus un enchevêtrement de chemins qui égare celui qui s'y aventure, sans espoir de sortie. Le labyrinthe chrétien, tel qu'on le retrouve sur le sol de certaines cathédrales — Chartres par exemple — dessine un chemin sinueux qui rapproche progressivement le pèlerin qui le parcourt du centre qui figure le ciel. Si le chemin fait des allers et retours qui semblent successivement écarter puis rapprocher du centre, il mène toujours, si on le suit fidèlement, au but. Dans le même ordre d'idée, les cours de nos écoles primaires s'ornent d'un dessin symbolique, support du jeu de marelle : entre ciel et terre, ou enfer et paradis, il faut pousser son galet en déjouant les difficultés du parcours. Le jeu de l'oie est aussi une représentation du « voyage » vers un but, semé d'embûches qui mettent le joueur en difficulté — prison, retour en arrière, stagnation — ou d'occasions lui permettant soudain une avance rapide. Toutes ces figurations représentent l'évolution psychologique comme un cheminement dans un sens déterminé et sujet à des aléas. Les pèlerins et les navigateurs, gens du voyage, sont pour cette raison porteurs d'une symbolique de cheminement psychologique.

Une autre figure du monde grec nous rappellera ces navigateurs que protègent les vierges noires et la navigation du conte islandais ; je veux parler d'Ulysse en route, après la guerre de Troie, pour retrouver sa patrie et y exercer la royauté. Avant d'atteindre celle-ci, il vit toute une série d'aventures.

Fait prisonnier par le cyclope Polyphème, il doit se libérer en l'enivrant, puis en lui crevant son unique œil avec un pieu

chauffé. Ceci lui attire la malédiction du cyclope et du père de celui-ci, Poséidon, dieu de la mer. Dans cette navigation, Ulysse est exposé, soit à la colère des dieux qu'il a offensés, soit aux imprudences de ses compagnons qui meurent les uns après les autres, au fil des escales — ces compagnons imprudents peuvent se rapporter aux diverses tendances d'une personnalité qui agissent à son insu, l'exposant à sa perte. Les incidents se multiplient : sur l'île des cyclopes, chez les Lotophages ou lorsque Éole, pour protéger Ulysse, lui confie une outre où sont enfermés des vents contraires que ses compagnons libèrent imprudemment. Quand ils abordent dans l'île de Circé l'enchanteresse, les compagnons d'Ulysse sont transformés en cochons — image de la possession par les instincts et de l'abaissement du niveau de conscience. Protégé par Athéna, déesse de la raison, Ulysse résiste aux enchantements et libère ses compagnons.
Ce n'est qu'après une descente aux enfers, au pays des ombres, qu'Ulysse, instruit par le devin Tiresias, trouvera le chemin du retour, après avoir résisté aux dernières embûches dressées sur sa route.

Les compagnons d'Ulysse ont tendance à vivre inconsciemment leurs affects, leurs désirs, sans se soucier des conséquences. Malgré ses conseils de prudence, à chaque épisode, il en meurt quelques-uns. Ils semblent représenter certains aspects immatures de la personnalité même d'Ulysse qui, à chaque étape, sont retranchés par une épreuve. C'est quand ils sont tous morts dans la dernière tempête, provoquée encore par leur imprudence, qu'Ulysse aborde seul à l'île de Nausicaa où lui sera donné un nouveau bateau pour rejoindre Ithaque. C'est une personnalité mûrie qui va aborder l'île, combattre les prétendants et retrouver la royauté, ayant dans sa descente aux enfers intégré la connaissance intuitive du devin.

L'idée de navigation est ici symbolique d'une pérégrination autour du centre à atteindre. Les vierges noires sont — nous l'avons vu — les protectrices des navigateurs qui, cheminant sur l'océan et ses mystères, en proie aux caprices du vent et des tempêtes, figurent les voyageurs de l'âme, naviguant sur cet océan qu'est l'inconscient, en proie aux aléas du souffle de l'Esprit. Naviguant sur la mer, l'inconnu, le marin doit s'orienter d'après le ciel et les étoiles et utiliser les vents pour assurer sa direction ; c'est à bon droit qu'il est représentatif de l'aventure psychque.

Plus près de nous qu'Ulysse, un héros de saga enfantine — Pinocchio — relève des mêmes caractéristiques. Pinocchio représente la personnalité incomplète : c'est un pantin. Ne dit-on pas de quelqu'un qui n'a pas acquis sa maturité et qui va de-ci, de-là, tiré par les ficelles de ses affects ou de l'avis des autres, qu'il est un « pantin » ? Pinocchio en est un ; sans individualité, il agit, mû par quelque chose d'autre que lui-même. Conseillé par le vieux Geppetto — son père —, la fée bleue ou le criquet qui a la charge de sa conscience, il ne se conduit pas trop mal ; mais quand c'est le renard ou le chat qui le dirigent — c'est-à-dire certains aspects de son instinct —, tout va alors dans l'autre sens. Il est l'individu encore soumis aux différentes pulsions positives ou négatives, qui n'est pas du tout maître de ce qui lui arrive.

Parmi les pérégrinations de Pinocchio, on peut citer l'île des plaisirs où il part avec des camarades — on retrouve ici l'île de Circé. Tout est merveilleux au départ puis, peu à peu, les enfants se transforment en ânes, comme les compagnons d'Ulysse se transformaient en cochons. Ulysse, lui, est prévenu et protégé par Minerve, la déesse de la raison, et les enchantements n'ont pas prise sur lui ; il peut libérer ses compagnons de leur emprise. Quant à Pinocchio, c'est sa conscience qui vient le rappeler à l'ordre et le libérer. Vient alors le moment de la plongée dans l'inconscient, l'engloutissement par la baleine, le monstre marin. Cette fois-ci, il s'agit d'une plongée dans l'inconscient qu'on pourrait appeler « incubation ». Pinocchio va rechercher son père, celui qui lui a donné la vie, donc l'image lumineuse du père qu'il retrouvera dans le ventre du monstre qui l'a avalé. Le monstre marin, la baleine, apparaît dans beaucoup de mythes où elle représente les forces monstrueuses de l'inconscient qui engloutissent l'aspect humain. Psychologiquement, un sujet peut très bien traverser une phase où il se sent en quelque sorte « englouti ».

Le thème se retrouve dans l'histoire de Jonas, ce prophète de l'Ancien Testament auquel Dieu avait demandé d'aller prêcher à Ninive[41].

> *Jonas n'en a pas du tout envie, il a peur de se faire massacrer par les gens de Ninive et trouve toutes sortes de raisons pour ne pas s'y rendre. Il est alors avalé par une baleine et traverse, dans son ventre, un état d'incubation et de transformation,*

tandis que la baleine le conduit au bord de la plage, près de Ninive. Quand Jonas sort du ventre de la baleine, il est transformé par cette épreuve, par ce passage dans la profondeur, et il est enfin en état de prêcher et de convertir les habitants de la ville.

Cette descente dans la profondeur, cet état d'incubation, cette confrontation avec le monde des ombres — qui apparaît dans diverses traditions et dont je viens de donner plusieurs exemples — apparaît comme une nécessité : sans cette rencontre, ce moment de désarroi, de perte des énergies, de vide total, sans cette confrontation avec l'ombre, rien non plus ne peut émerger.

Nous avons vu plus haut les rites du solstice d'un point de vue plutôt extérieur. Les mêmes images peuvent aussi être comprises subjectivement. On pourrait l'exprimer ainsi : que ressent le soleil quand il descend dans la profondeur ? Comme dans le mythe égyptien où le soleil, après sa course diurne dans le ciel, parcourt la nuit le monde des morts, que fait notre conscience quand elle doit affronter l'état de désorientation et de perte de lumière ? Que faire quand on ne comprend plus, quand les anciennes solutions ne sont plus satisfaisantes et que les nouvelles ne sont pas encore là, quand des racines semblent frayer leur chemin dans la terre mais que cela ne se voit pas et que rien ne vient dire effectivement que quelque chose de nouveau se prépare ?

Cet état ne peut être vécu autrement que comme un événement douloureux mais il ne peut pas non plus ne pas être vécu car il permet la mise en contact avec des forces profondes. Les réponses conscientes, rationnelles, qui face au problème de l'instinct, tirent un trait pour tenter de vivre uniquement dans une dimension consciente, civilisée, finissent par devenir insuffisantes. La personnalité se sent mal à l'aise car, derrière les portes fermées, dort tout un monde de pulsions qui demande à s'exprimer. Si on ouvre la porte, la confrontation avec ces forces est difficile, mais ce sont pourtant elles qui sont porteuses de rénovation, de création. C'est un très grand paradoxe, mais apparemment un fait inéluctable : il n'existe pas de possibilité créatrice sans relation avec une dimension profonde, instinctive, qui est aussi porteuse de violence. Il n'y a pas d'évolution sans combat avec l'ombre et cette confrontation n'est pas irruption mais dialogue et intégration progressive.

Quand les phénomènes de l'inconscient font une irruption brutale, on se trouve à la limite des dissociations et des psychoses. Le même contenu psychologique, intégré par un abord, un dialogue avec l'inconscient, amènerait un enrichissement de la personnalité, et non pas une psychose. Une autre façon de contacter dangereusement ces forces se rencontre dans les expériences de la drogue. Celles-ci ouvrent la porte de l'inconscient, mettent face à un univers imaginatif, univers de pulsions profondes ; mais si le sujet n'a pas l'instrument pour amener cet univers depuis son monde primitif jusqu'à une construction élaborée, il provoque simplement une irruption, un peu comparable à l'état d'abaissement de conscience du prince sur le bateau qui déclenche le surgissement de la sorcière. Il va donc falloir trouver comment utiliser tous ces contenus. Dans les prises de drogue, après un ou deux voyages agréables, les expériences peuvent devenir de plus en plus douloureuses ; il est alors de moins en moins possible d'utiliser et d'intégrer ces données, qui constituent pourtant la richesse de la personnalité.

Une jeune femme ayant eu recours à des drogues fit un jour le rêve suivant :

> *Elle voyait un vieux sage qui lui disait : « Tu as violé les secrets. »*

Il est certain que les découvertes faites par elle dans ses expériences contenaient des richesses essentielles appartenant à sa personnalité, mais sa façon de les acquérir — par effraction — ne lui en donnait pas l'usage sain et normal et les rendait inutiles.

Il faut donc mener avec l'ombre un combat permettant une intégration progressive de ces données, de façon à ce que les forces de l'instinct, les pulsions, ne fassent pas irruption d'une manière destructurante mais puissent peu à peu trouver leur place et leur activité positive. Il est ainsi évident qu'un prince, pour gouverner, doive d'abord être mis en contact avec le monde de l'inconscient et ses écueils, pour le maîtriser et en faire sortir la dimension positive, après une prise de conscience de tous les dangers que recèlent la passion et l'affect. L'amour représenté par la princesse a été transformé, décanté, épuré de son aspect dévorant représenté par la sorcière.

Parmi les problèmes de l'ombre, il faut aborder en psychologie le problème de la projection. J'ai défini l'ombre comme étant l'aspect de nous-mêmes que nous n'aimons pas, que nous jugeons négatif, contenant des dimensions que nous ne connaissons pas. Cette ombre peut être aussi perçue par nous à travers la projection que nous en faisons sur autrui. Avec un regard quelque peu déformé, une « paire de lunettes » donnée par nos expériences plus ou moins traumatiques, nous regardons les autres et voyons en eux des traits de caractère qui ne sont pas forcément les leurs mais les nôtres ; ou bien nous repérons chez eux une attitude qui nous déplaît particulièrement parce qu'elle éveille une secrète ressemblance. La chose est clairement exprimée dans l'Évangile par la phrase : « Ils voient la paille qui est dans l'œil d'autrui et ne voient pas la poutre qui est dans le leur. » On peut penser que la poutre dans l'œil déforme suffisamment la vision pour supposer ou « voir » une paille dans l'œil d'autrui.

Cette notion de projection pose un problème difficile : c'est en effet une épée à double tranchant. L'analyse des projections amène vite un état de désorientation, car on peut en arriver à supposer que tout est projection de notre part. Or, si parfois un jugement sur autrui est illusoire, fruit d'une projection personnelle, dans d'autres cas il correspond bien à la réalité d'autrui et n'est plus une illusion. Quels critères retenir pour s'assurer qu'un sentiment ou un jugement est ou non une projection, une illusion ou une réalité justement perçue ? Ceci est en partie une question d'honnêteté et d'intuition personnelles. Les critères sur lesquels on peut s'appuyer cependant sont les suivants : devant une situation donnée ou une personne donnée, un jugement ou un sentiment subjectif ne sera que l'écho de ce que nous ressentons personnellement face à la situation ou à la personne ; mais en examinant le problème — en quelque sorte hors de soi — dans ses répercussions sur d'autres que soi, on peut aussi voir apparaître des aspects constants de l'attitude de cette personne vis-à-vis des autres, et non simplement de nous-mêmes. Pour reprendre l'Évangile, il s'agira de « juger l'arbre à ses fruits », en faisant abstraction du goût particulier que nous avons personnellement pour les fruits en question. Le renard de la fable projette son incompétence à atteindre les raisins, manifesta son mécontentement sur ceux-ci : ils sont trop verts ! La vérité psychologique était toute autre : ils étaient délicieux mais hors d'atteinte. L'homme se comporte souvent comme le renard, noircissant à plaisir ce qui est hors de portée pour masquer son envie et son dépit. Le critère d'objectivité — la qualité des fruits —

n'enlève rien au critère de subjectivité — le désir déçu — et la vérité psychologique fait tomber une projection mensongère.

Le problème de la projection pose donc inévitablement celui de la vérité et de l'illusion. C'est souvent au terme d'un long débat intérieur, toutes les possibilités de projection ayant été envisagées, qu'une conclusion se dessine, faisant la part de l'exacte quantité de « paille » et de « poutre » se trouvant dans l'œil de chacun. Il faut considérer d'ailleurs que la projection ne s'exerce pas uniquement dans un sens négatif dépréciatif ; nous projetons aussi sur autrui des sentiments positifs, attendant d'eux des réactions ou des attitudes que nous leur « prêtons » — comme le dit si bien le langage courant — et qui ne leur appartiennent pas. Ceci est à l'origine de bien des désillusions amicales ou amoureuses, lorsque les premiers enthousiasmes sont passés.

La situation se complique encore du fait que la projection elle-même est active sur autrui. Ainsi, un enfant apprécié à l'école par son maître fera des progrès rapides, alors que la suspicion du même maître à l'égard d'un autre de ses élèves peut faire péricliter celui-ci — ce qui aura d'ailleurs pour résultat de conforter le maître dans son opinion. Des expériences l'ont prouvé, donnant à des instituteurs des renseignements inversés sur les élèves qu'ils recevaient. Lorsqu'un « bon élève », dans l'esprit du maître, fait une faute, il pense que c'est un accident ; si c'est un « mauvais élève », il pensera : « toujours pareil ! ». Bien sûr cette influence extérieure a des limites, mais elle reste considérable. L'amour ici intervient : en tant que projection positive, il peut faire des miracles et trouve sa justification en ce que les qualités projetées — ou supposées — se développent effectivement, pourvu qu'elles soient suffisamment ressemblantes aux possibilités du sujet. La haine produit l'effet inverse et entraîne un engrenage négatif — comme l'amour, un engrenage positif. Il y a donc dans l'amour une part de projection, parfois même d'illusion, qui est fécondante.

L'étude de soi-même, de ses tendances et de ses projections conduit le sujet à un retrait des projections, lucidité qui dans les relations humaines nourrit à la fois le besoin d'objectivité et le besoin de subjectivité. Ce retrait n'est jamais complet, total ; la chose est définie sur le plan scientifique, dans l'étude même de la matière. Les limites de nos moyens d'investigation, nos sens et notre intelligence ne nous permettent pas une prise directe sur le réel. Les Quanta de Planck en sont un exemple : ce sont les plus petites quantités d'espace et de temps que notre esprit puisse définir. L'étude d'un phénomène l'isole de son contexte, ce qui le modifie. De plus, pour étudier un phénomène, il faut l'éclairer — donc le bombarder de photons —, ce qui le modifie encore. On peut donc dire que chaque fois que nous observons un phénomène — qu'il soit matériel, physique ou psychique —, il y a de notre part une émission d'énergie qui le modifie. L'image qui en résulte est l'enfant du mariage de notre esprit avec l'objet étudié. Nous nous découvrons ainsi nous-mêmes à travers l'objet de notre étude — ce qu'avaient perçu les alchimistes — et il est nécessaire de progresser dans cette étude, de devenir en quelque sorte transparent pour refléter le plus fidèlement possible la réalité — c'est aussi ce qu'exprime le concept hindou de la Maya. La connaissance de soi mène à la connaissance des autres, l'étude des autres et le retrait de projections nous renvoient à nous-mêmes, l'étude de nous-mêmes et l'identification — sorte de projection à l'envers — nous renvoient aux autres et nous n'en avons jamais fini...

Cette phase de retrait des projections et de recherche de la réalité peut sembler longue. J'ai choisi cette période de l'hiver pour la décrire et l'étudier car elle rappelle le cheminement contradictoire du labyrinthe, l'errance et la désorientation, la descente aux enfers, le travail des racines. Cette descente est ressentie comme un voyage aux entrailles de soi-même, comme une involution, disons même une régression ; le retour en arrière évoque des états d'enfance avec ce qu'ils contiennent de sentiment d'impuissance et de petitesse. L'incubation est une sorte de mise en sommeil, de mort apparente, état que traversent Blanche-Neige ou la Belle au Bois Dormant. Ces jeunes filles à l'âge de la puberté, avant la transformation définitive et l'établissement de leur féminité, rencontrent l'aspect négatif de la déesse-mère. L'image maternelle double — bonne mère et mère néfaste — s'exprime par deux personnages, la reine et la sorcière qui veut enrayer le développement de la nouvelle féminité et la plonger dans l'état d'inconscience. Les rapports avec le mythe de Déméter et Perséphone apparaissent : une force de renouvellement veut se manifester et une force ancienne s'y oppose, créant ainsi un obstacle qui déclenche une descente dans la profondeur, une disparition des énergies, lesquelles ressurgiront plus tard, rénovées. On peut penser que Déméter elle-même, bien qu'elle s'y oppose, a besoin de la descente aux enfers de Perséphone pour une fécondation secrète — les grains de grenade — sans laquelle sa force pourrait s'amoindrir. Mais cette phase de renouvellement la prive, pendant l'incubation, du bénéfice extérieur de ses forces. Au cours de cette période de fécondation et d'incubation, la « mère » est privée de la « fille ». Ainsi, au cours de certaines périodes de mûrissement intérieur, le sujet se trouve privé des effets, des fruits de la maturité qui se prépare, et apparemment plus démuni qu'avant, « mort » ou en sommeil, comme l'arbre dénudé par l'hiver. Ce n'est que grâce à cette mort apparente qu'apparaîtront de nouveaux bourgeons.

C'est une force masculine, fécondante, qui provoque la péripétie qui va apporter le renouveau, après une mise en sommeil. Blanche-Neige « croque la pomme », image du fruit défendu ; Aurore, la Belle au Bois Dormant, se pique le doigt au fuseau de la vieille sorcière Carabosse — image phallique —, Hadès enlève Perséphone et lui offre les grains de grenade... La mythologie germanique connaît aussi ce motif : le dieu Wotan est entouré de ses Walkyries qui doivent conduire auprès de lui les âmes des héros morts au combat. Quand une Walkyrie a désobéi au dieu d'une façon ou d'une autre — souvent parce qu'elle s'est éprise d'un mortel —, Wotan la pique de l'épine du sommeil. C'est ainsi que Sigfried réveille Brunehilde endormie dans une île d'Islande.

Ces images de sommeil ou de mort apparente, décrivant un état de stagnation ou d'incubation, peuvent apparaître sous une forme différente, aggravée, dans les motifs de pétrification. Un héros ou une héroïne doit rendre leur forme humaine à des êtres qui ont été transformés en pierre ou en statue de pierre. La pierre ici ne représente pas le symbole évolutif qu'est la pierre alchimique, mais une image d'immobilisation dans le développement. Voici un conte de pétrification que nous étudierons ensuite. Il est originaire du sud de la France, d'une région proche de l'Espagne[42].

LA JEUNE FILLE SILENCIEUSE

Une jeune fille vivait seule avec son père. Elle parlait si peu qu'on l'avait surnommée « la jeune fille silencieuse ». Un jour son père, au retour de la promenade, lui rapporta trois œillets qu'il avait trouvés sur sa route : un œillet jaune, un œillet rose et un œillet rouge. Elle les plaça sur la cheminée et les trouvait si beaux qu'elle ne cessait de les admirer. Un jour qu'elle

avait pris l'œillet jaune pour mieux le voir, elle le fit tomber par mégarde dans le feu. Aussitôt apparut un jeune homme tout vêtu de jaune qui lui dit :
— Que désirez-vous ?
La jeune fille silencieuse ne répondit pas et le jeune homme lui dit :
— Bien, si vous avez besoin de quelque chose, vous me trouverez sur la colline aux trois pierres, par-delà la montagne.
Et il disparut.
Alors la jeune fille prit l'œillet rose et le jeta dans le feu ; aussitôt apparut un jeune homme tout vêtu de rose, aussi beau que le précédent, qui s'inclina devant elle et lui dit :
— Que désirez-vous ?
La jeune fille silencieuse ne répondit toujours pas. Le jeune homme lui dit :
— Bien, si vous désirez quelque chose, vous me trouverez sur la colline aux trois pierres, par-delà la montagne.
Et il disparut.
La jeune fille prit alors l'œillet rouge et le jeta dans le feu et apparut un jeune homme tout vêtu de rouge, plus beau encore que les deux autres ; il s'inclina lui aussi devant elle et lui dit :
— Que désirez-vous ?
La jeune fille silencieuse ne répondit toujours pas et il lui dit :
— Bien, si vous désirez quelque chose, vous me trouverez sur la colline aux trois pierres, par-delà la montagne.
Et il disparut lui aussi.
La jeune fille tomba en état de langueur et personne ne pouvait rien pour elle... Un jour, elle dit à son père :
— Je m'en vais, je dois partir sur la colline aux trois pierres.
Et malgré les supplications de son père, elle s'en alla. Elle chemina très longtemps, par-delà la montagne, et bientôt elle arriva sur une colline où se trouvaient effectivement trois pierres. Elle s'assit sur l'une d'elle, fatiguée. Aussitôt apparut le jeune homme vêtu de rouge qui lui dit :
— Que désirez-vous ?
Mais la jeune fille silencieuse ne répondit rien ! Alors il lui dit :
— Descendez la colline et vous trouverez une maison où est une vieille dame ; elle a besoin de servantes. Certainement elle vous emploiera.
Et il disparut. La jeune fille descendit la colline, trouva la maison, s'adressa à la vieille dame qui l'employa volontiers

comme servante et qui bientôt la préféra aux autres servantes pour sa gentillesse. Celles-ci furent très vite jalouses d'elle et s'en allèrent dire à leur maîtresse que la jeune fille s'était vantée de pouvoir laver en une seule journée tout le linge de la maisonnée. La maîtresse de maison appela la jeune fille et lui demanda s'il était vrai qu'elle s'était vantée d'une telle chose. Elle protesta que non. Cependant, la vieille dame lui dit :

— Puisqu'il en est ainsi, tu vas le faire !

Et voilà notre jeune fille qui remonte sur la colline et qui s'asseoit sur une pierre et qui pleure. Et voilà le jeune homme rouge qui apparaît et qui lui dit :

— Pourquoi pleurez-vous ?

La jeune fille ne dit rien ! Et il lui dit :

— Descendez à la rivière et appelez tous les oiseaux du monde ; ils viendront et laveront le linge pour vous.

Elle emmena le linge de la maison et descendit à la rivière et là, elle appela tous les oiseaux du monde. Ils vinrent tous et bientôt tout le linge fut lavé et elle retourna avec sa charrette pleine de linge propre de la journée. Les servantes furent d'autant plus jalouses et vinrent dire à la maîtresse de maison que la jeune fille silencieuse s'était vantée de pouvoir guérir les yeux de la maîtresse. En effet, la vieille dame, depuis que ses trois fils avaient été ensorcelés par un enchanteur, avait tant pleuré qu'elle était devenue aveugle. La vieille dame appela la jeune fille qui se défendit d'avoir prétendu pouvoir guérir ses yeux, mais la vieille dame ne voulut rien savoir et lui dit :

— Puisqu'il en est ainsi, il faut me trouver l'eau qui guérit les yeux.

Et voilà la jeune fille, en pleurs, assise sur la pierre. Et voilà le jeune homme vêtu de rouge qui apparaît et qui lui dit :

— Pourquoi pleurez-vous ?

Et la jeune fille silencieuse ne répond toujours rien ! Alors il lui dit :

— Prenez cette coupe, descendez à la rivière, appelez tous les oiseaux du ciel et ils viendront verser une larme dans la coupe ; le dernier laissera une plume avec laquelle vous nettoierez les yeux de votre maîtresse.

Elle prit la coupe et accomplit ce qui lui avait été dit. Tous les oiseaux du ciel versèrent une larme dans la coupe et avec la plume qu'avait laissé le dernier, elle guérit les yeux de sa

maîtresse. Cette fois-ci, la jalousie des autres servantes ne connut plus de bornes et elles dirent à la vieille dame que la jeune fille s'était vantée de pouvoir libérer ses trois fils de leur enchantement. De nouveau, la vieille dame appela la jeune fille et lui demanda si c'était vrai : elle protesta que non, mais la vieille dame ne voulut rien savoir !
— Puisqu'il en est ainsi, faites-le !
Et voilà la jeune fille qui remonte s'asseoir sur la pierre et qui pleure ; et voilà le jeune homme rouge qui apparaît et qui lui dit :
— Pourquoi pleurez-vous ?
Et elle ne répond pas ! Alors il lui dit :
— Appelez toutes les jeunes filles des environs, qu'elles viennent ici avec une bougie allumée et qu'elles fassent trois fois le tour des trois pierres.
Elle appela alors toutes les jeunes filles des environs ; elles vinrent toutes avec une bougie allumée et firent trois fois le tour des trois pierres. La jeune fille silencieuse fermait le cortège. Au premier tour, rien ne se passe ; au deuxième tour, rien ne se passe ; au troisième tour, un coup de vent éteint la bougie de la jeune fille qui crie :
— Hélas, hélas, ma bougie s'est éteinte !
Et à ce moment-là, les pierres se fendirent et les trois jeunes gens apparurent, libérés. Il fallait que la jeune fille qui avait brûlé les œillets parle devant les pierres ! La jeune fille redescendit vers la maison avec les trois fils. Elle épousa le jeune homme vêtu de rouge et pardonna à toutes les servantes leur méchanceté ; et tous vécurent heureux...

Psychologiquement, ce que représente cette jeune fille dans son état maximum, c'est un état d'autisme, de non communication. Elle est en complet repli sur elle-même ; toutes les fois qu'une parole est sollicitée, elle ne peut la formuler. Ces trois jeunes gens pétrifiés sont un aspect d'elle-même, son aspect actif, sa créativité, son aspect masculin qui, transformé en pierre, ne peut plus agir. En pathologie, l'autisme est l'un des états ou symptômes de la schizophrénie. On trouve aussi dans cette maladie des aspects complètement dissociés ; sans aucune manifestation de sensibilité, le sujet se trouve dans une sorte d'état de mort extérieure, comme pétrifié, ce qui peut aller jusqu'à une pétrification physique, la raideur catatonique. La jeune fille représente cet état de sensibilité bloquée qui ne peut plus s'exprimer. Sans doute, là-dessous couve une grosse quantité d'énergie affective qui, si elle s'exprimait brutalement, ferait peut-être des ravages — d'où la pétrification ; le conte va montrer comment sortir de cet état, comment libérer une énergie, en partie masculine, d'un ensorcellement, d'une possession par l'inconscient — la personnification masculine de l'inconscient de la femme est appelée, en terminologie jungienne, « Animus » et représente son aspect actif.

Dans l'histoire, il n'est pas question primitivement de la mère de la jeune fille : « elle vit avec son père ». On peut penser que la difficulté à disposer de ses forces personnelles masculines est en rapport avec un attachement profond de la jeune fille à son père, qui ne lui permet pas de partir dans le monde adulte, d'évoluer, de devenir femme — de même, la Walkyrie est pétrifiée, endormie par le dieu père Wotan et ne peut accéder à sa féminité normale. La jeune fille a cependant la révélation de sa créativité ou de sa nature profonde quand les fleurs, qui lui ont été données par son père lui-même, sont brûlées et qu'elle voit apparaître des figures masculines qui sont des symboles d'elle-même en tant qu'activité, qualités viriles. On retrouve, dans le conte de « La Belle et la Bête », une image analogue évoquant la force profonde de l'instinct qu'il va falloir intégrer. Ici, cette force est pétrifiée ; ce n'est pas une force active et dangereuse — comme le Minotaure —, c'est une force bloquée. C'est pourquoi j'ai choisi cette histoire pour illustrer la symbolique de l'hiver, du gel, de la perte de vie. Il s'agit d'une perte de vitalité, et non d'un effet dangereux de la vitalité, car on ne voit aucun signe d'excès dangereux.

La pérégrination de la jeune fille la conduit vers la vieille dame, résurgence de la déesse-mère, se présentant sous un aspect qui va la faire progresser. Les demandes de la déesse-mère à l'égard de la jeune fille, chaque fois que les servantes l'accusent d'avoir prétendu réussir une tâche irréalisable, sont positives puisqu'elle lui demande ainsi d'affronter la difficulté. Il faut parvenir au résultat de sortir l'être de son autisme et, au moment crucial de l'histoire, c'est la peur de perdre le jeune homme qu'elle aime, de ne pouvoir le libérer, de ne pouvoir atteindre cet instinct totalement figé et bloqué, qui s'exprimera enfin dans le cri de la jeune fille. Ce cri libère l'énergie retenue, permettant enfin aux figures masculines représentant sa vitalité — le jeune homme rouge et ses frères — de réapparaître.

Ce conte nous montre par quel processus on sort d'une phase de pétrification. Il se présente comme un mouvement continu qui accumule progressivement l'énergie et l'élan intérieur pour les rendre enfin actifs. L'attitude silencieuse et repliée de la jeune fille est décourageante. Chaque fois qu'elle est sollicitée par les figures masculines qui représentent son Animus — « Que désirez-vous ? Pourquoi pleurez-vous ? » —, elle se tait. Dans une attitude passive et repliée, elle suit scrupuleusement les conseils donnés ; c'est une jeune fille sage mais qui n'exprime aucun désir personnel. Aussi, malgré ses qualités d'obéissance — ou à cause de cette extrême obéissance —, rien ne se passe. Il faut une accumulation énergétique pour qu'elle ose enfin exprimer son désir et dénouer la situation. Ce personnage figure un état d'introversion maximum qui, n'entreprenant rien, ne réussit rien. En lui apportant de l'extérieur les trois œillets — fleurs qui, en espagnol, ont une connotation virile —, le père enclenche cependant un processus actif qui va se dérouler inéluctablement. Le feu, première image de l'amour, transforme les fleurs, amène à la conscience le sentiment de l'absence des énergies vitales et la nécessité de les délivrer. Le cheminement entrepris l'est par un sentiment de nécessité intérieure: l'état de langueur qu'en langage moderne on pourrait appeler dépression.

La dépression est telle qu'il faut faire quelque chose et que la jeune fille entreprend une démarche ; mais elle retombe très vite dans sa passivité. Le jeune homme rouge, symbole du feu intérieur, suscite de nouveau l'action, comme la provoquent les servantes jalouses qui figurent des tendances plus entreprenantes, mais refoulées. Combien de fois ne disons-nous pas : « si j'osais, je ferais bien ceci ou cela », mais justement nous ne l'osons pas ! Et l'ami bien ou mal intentionné qui nous prétend capable de le faire nous rend alors le service de nous piquer au jeu et de nous mettre en marche. C'est ce que font les servantes qui obligent ainsi la jeune fille à sortir d'elle-même, bien qu'elle suive d'une manière toute passive le cours des événements.

Comme dans beaucoup d'autres contes, nous trouvons ici trois étapes, trois tâches à accomplir, trois jeunes gens à libérer, ce qui représente les trois dimensions à rénover: corps-âme-esprit. La couleur jaune du premier jeune homme symbolisera l'action, l'épanouissement des forces viriles intérieures, le corps ; la couleur rose, une affectivité encore teintée d'enfance, l'âme ; la couleur rouge, l'amour et sa force créatrice. La première tâche — le linge à laver — représente la décantation, le nettoyage, la confrontation avec l'ombre — on connaît l'expression : « laver son linge sale en famille ». La seconde tâche — l'éclaircissement de la vue, la lucidité — représente le retrait des projections. La troisième tâche est la restauration complète de la personnalité, suivie du mariage intérieur et de la renaissance. Toutes ces tâches concernent la maison de la vieille dame ; la féminité est atteinte ici dans toutes ses dimensions. C'est un peu la vieille femme au fond d'elle-même que la jeune fille doit restaurer et il est besoin pour le travail de son obéissance d'abord, mais de son don d'elle-même surtout. Au cours d'une évolution psychologique, on a parfois l'impression de piétiner désespérément parce que le sujet, bien qu'accomplissant rigoureusement les tâches prescrites, reste constamment enfermé, replié dans ses doutes et son pessimisme. Les questions auxquelles la jeune fille ne répond jamais sont très représentatives de cet état de stagnation. « Que désirez-vous ? Pourquoi pleurez-vous ? » La réponse qui vient est : « Je ne sais pas »... Ce n'est que lorsque le cri surgit, ce cri de désespoir qui fait enfin s'animer un être jusque-là pétrifié, que l'on voit aussi surgir l'espoir de renaissance.

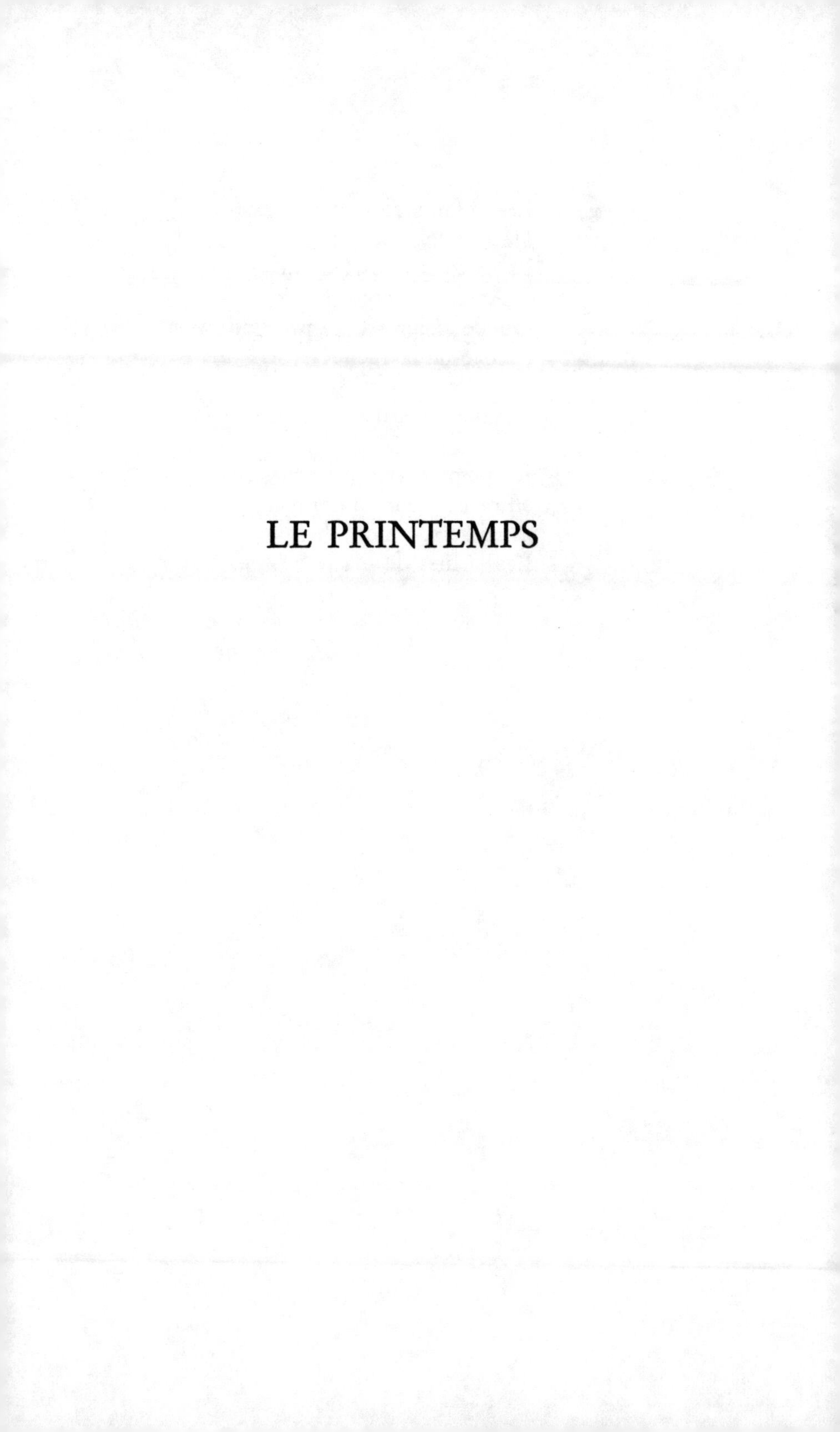

LE PRINTEMPS

Les enfants sortent joyeux
De l'école.
Ils mettent dans l'air tiède
D'Avril une note tendre.
Quelle allégresse au profond
Silence de la ruelle !
Un silence pulvérisé
Par des rires d'argent clair.

Je chemine vers le soir
entre les fleurs du verger
et laisse sur mon chemin
Les larmes de ma tristesse...

Federico Garcia Lorca
Chanson de printemps

LA SAISON

Le fil du déroulement temporel nous conduit maintenant vers le printemps qui, on le verra, inaugure un renouveau salvateur après les étapes mortelles de l'automne et de l'hiver. L'aspect cyclique du temps prend toute sa valeur avec la remontée de la lumière, la réapparition de la végétation, le retour à la vie de ce qui semblait mort. Cet aspect cyclique fonde l'expérience qualitative du temps que les hommes ont pu éprouver depuis l'apparition de la conscience. Elle dément l'autre expérience du déroulement temporel, celle d'un temps inexorable, flèche tirée d'un moment inconnu du passé vers un avenir inconnaissable; cette flèche-là conduit l'homme de sa naissance à sa mort — « fugit irreparabile tempus ». Mais le temps cyclique annuel est là pour toujours démentir l'angoisse du temps inexorable. À chaque printemps, l'être humain, contemplant la verdure renaissante, s'imprègne de la sensation d'un renouveau auquel il s'identifie ; c'est lui qui renaît avec le printemps. Le voilà qui espère de nouveau, qui retrouve un élan de jeunesse, des souvenirs d'autres printemps. C'est enfin la belle saison qui s'annonce et ce retour de la vie apparaît comme une fête: fête des fleurs, du Mai, de l'espoir, espoir de guérison...

La nature se guérit, comme spontanément, de sa maladie mortelle de l'hiver. Cette mort n'était donc qu'apparente et la vie, toujours présente, couvait dans le secret; l'éclosion que chacun attendait se prépare. L'espoir de renouveau fait vivre, permet de traverser les périodes sombres, comme l'espoir de guérison soutient le malade.

Qu'est-ce que la guérison ? En termes médicaux, nous dirons que c'est le retour à l'état de santé antérieur. Cette définition n'est pas tout à fait exacte car il est bien rare, en effet, que le malade retrouve l'état de santé antérieur sans aucune modification. Au sortir d'une maladie, la personne qui vient de la subir est changée. Elle a acquis parfois une immunité qui la défendra à tout jamais d'une nouvelle attaque ; elle peut aussi garder des traces, des séquelles, graves ou légères, du mal dont elle a été atteinte ou voir la maladie aiguë se transformer en atteinte chronique qui repousse dans le futur l'espoir de guérison. Est-ce à dire que l'idée même de guérison est illusoire ? Certainement pas, mais il faut souligner que la guérison définit plus un nouvel état de viabilité qu'un simple retour à l'état antérieur. Elle est d'abord et avant tout une victoire sur la mort qui a été déjouée pour cette fois ; elle est ensuite une transformation physique et psychique de la personne qui vient de subir la maladie. À partir de cette transformation, un nouveau cycle vital peut s'amorcer.

Ce qui est vrai pour la médecine du corps l'est plus encore pour la médecine de l'esprit. La guérison en psychologie s'avère ne jamais être un retour à l'état de santé antérieur, mais l'apparition d'un état nouveau qui permettra une saisie différente du problème vital. C'est si vrai que toutes les attitudes qui cherchent à restaurer le passé tel quel sont vouées à l'échec, essais de régression vers un statu quo ante dont on garde une nostalgie inguérissable, éternel retour en arrière dans des souvenirs entretenus, incapacité de tourner la page. Guérir, pourrait-on dire, c'est changer ; c'est regarder son passé d'un œil nouveau, son avenir dans une autre perspective. Mais comment changer sans détruire les attitudes de pensée qui, jusque-là, ont soutenu la conduite ? Et comment les détruire parfois, si ce n'est par une violence intérieure qui contraigne à la transformation, par une révolution interne qui amène à une modification radicale ? Si guérir, c'est renaître, il faut pour cette résurrection une mutation profonde. On comprend qu'il ait ainsi fallu passer par la déchirure de l'automne et la stase de l'hiver : la mort n'était intervenue là que pour modifier des structures vieillies. Elle s'efface maintenant devant la pulsion vitale qui veut réapparaître : le printemps est là. Le feu qui couvait sous la cendre va briller de nouveau.

Cette « guérison » est donc une transformation en profondeur de l'être qui a subi les interrogations mortelles ; c'est un réveil de la vie qui va infuser dans de nouvelles structures psychiques, élaborées pendant l'ombre de l'automne et la stase de l'hiver. Le temps, on le voit, s'introduit comme une nécessité dans toute évolution psychologique ; il est le cadre d'un processus psychique qui conduit la personne vers un état nouveau que Jung a appelé « processus d'individuation », indiquant par là que le mouvement vital poursuit un but : celui de la construction d'une personnalité réunifiée.

Il a donc fallu détruire pour reconstruire ; un mouvement vital de rénovation s'est opposé à un autre mouvement vital tout aussi puissant, celui de la reproduction répétitive, qui est inhérent à la vie. En effet, tous les systèmes biologiques s'entretiennent à partir de mécanismes répétitifs qui assurent leur reproduction fidèle. Les cellules mais aussi les molécules — comme l'ADN par exemple — produisent des doubles d'elles-mêmes qui transmettent invariablement les qualités initiales. Ainsi est assurée la pérennité de la vie sur terre, une certaine fidélité biologique des individus à eux-mêmes et à leurs descendants ; un chêne fabriquera toujours des feuilles et des fruits conformes au modèle initial ; nos cellules, quand elles cicatrisent, reproduisent invariablement le type tissulaire qui nous identifie. Ces mécanismes de fonctionnement codés sont invariants et leur défaillance pourrait être mortelle ; c'est ce qui se passe — on le voit actuellement — lorsque certains virus s'introduisent dans ce code pour le modifier à leur profit.

Pourtant, le système de reproduction répétitif, homogène, n'est pas suffisant et la biologie a introduit aussi la possibilité du changement, en particulier grâce à la reproduction sexuée. Ici, une cellule ne se reproduit pas par division en deux cellules-filles identiques ; deux demi-cellules différentes produisent par réunion un élément tout à fait nouveau. On voit que la nature a su allier les forces de répétition de l'identique aux forces de rénovation par la combinaison d'éléments différents ; mais ce mécanisme obéit malgré tout à des lois précises qui le limitent : la reproduction sexuée apporte la variabilité, non l'anarchie biologique. Les mécanismes de reproduction sexuée et asexuée allient donc un fonctionnement répétitif, homogène[43] — traditionaliste pourrait-on dire — à un fonctionnement combinatoire, hétérogène, rénovateur. Ces deux axes s'équilibrent en assurant à la fois la pérennité des structures biologiques et leur immense variété. Tradition et rénovation figurent les contraires dont la polarité incessante anime la vie.

À ces lois biologiques s'ajoutent les lois d'apprentissage des comportements qui se fondent sur l'imitation[44]. Un jeune animal apprend les comportements qui ne lui sont pas innés par imitation directe des parents ; certains comportements alimentaires — l'initiation à la quête de la nourriture par exemple — sont ainsi acquis.

L'instinct d'imitation est sans doute le tout premier qui apparaisse et le plus puissant ; l'individu répète alors indéfiniment une attitude qu'il a appris, dès sa tendre enfance, à imiter scrupuleusement. Toute innovation va devoir briser cette chaîne mimétique.

Si nous reprenons notre réflexion sur les mécanismes répétitifs et leur fidélité, en l'appliquant aux processus psychologiques, nous pouvons constater que les attitudes psychiques ont elles aussi tendance à la transmission répétitive, tant dans la vie du sujet que dans les lignées familiales. Ce fait repose sur certaines transmissions génétiques du comportement, sur la tendance au conditionnement et sur le mimétisme. C'est ainsi qu'on voit se reproduire dans les familles, sur plusieurs générations, des attitudes typiques, transmises comme mécaniquement. Lorsque les modes de comportement ainsi reproduits sont bénéfiques, il n'y a qu'à s'en réjouir ; lorsque ce sont — ce qui est fréquent — des comportements déviants, ils sont transmis eux aussi avec la même fidélité. Ainsi un enfant qui a souffert de certaines attitudes parentales, risquera à son tour de faire subir à ses descendants les mêmes souffrances : le moule a créé un objet qui a tendance à reproduire le moule même dont il est issu, mécanisme inconscient qui assure les transmissions sans l'intervention de la conscience. L'enfant qui a souffert a tout d'abord tendance à intérioriser ces événements, à se les appliquer à lui-même, puis il les transmettra à la génération suivante. Il y a donc un moule à casser pour créer un mode de comportement nouveau. Nous retrouvons ici le travail destructurant de l'analyse, ce labour douloureux qu'évoquent aussi les images de la Nigredo, avec ceci de particulier que le sujet se trouve être lui-même le laboureur et la terre labourée, que les problèmes qui l'agitent n'apparaissent pas toujours clairement comme « semences » car, dans ce processus, aucun recul n'est possible. Il faut bien du discernement ou de l'expérience pour deviner que la phase de démembrement des attitudes antérieures va inaugurer la germination de nouvelles conduites. On peut voir cependant apparaître, ici ou là, à côté des symboles castrateurs de l'image-père, l'aspect fécondant de la même image et à côté des images d'engloutissement dans le monstre maternel, celles de l'élaboration du germe dans la matrice. Le paradoxe inhérent à toute problématique psychologique apparaît là nettement.

Un beau jour, le labour n'est plus un morcellement mortel, il inaugure des semailles ; la maturation du germe n'est plus une errance dans le labyrinthe et la naissance s'annonce proche. Voici, pour en finir avec les symboliques hivernales, un rêve où la déambulation dans la profondeur se fait avec sérénité :

> *« Je descends en ascenseur dans une immense galerie cylindrique et noire qui ressemble à une gaine de ventilation en plus grand. J'appuie sur un bouton correspondant au niveau le plus bas que je ne connais pas. Après être descendue tout en bas, l'ascenseur se met à progresser horizontalement dans une sorte de galerie de mine. Impossible de revenir en arrière. Seul mon compagnon que j'appelle peut rappeler l'ascenseur depuis les étages supérieurs. »*

Ce rêve relativement serein semble indiquer que certains éléments ont été élaborés précédemment et qu'on se trouve maintenant dans une phase d'élucidation intérieure et de descente bien vécue. De plus, un rapport est assuré avec le monde conscient — le compagnon qui est resté en haut et peut y rappeler l'ascenseur. Il n'y a pas, par conséquent, danger d'engloutissement. La personne peut continuer son chemin, explorer « sa mine », ses richesses personnelles ; elle sait aussi qu'ayant pris contact avec les niveaux les plus profonds, « elle ne peut revenir en arrière » ; cette élaboration va se poursuivre jusqu'à une remontée spontanée.

C'est ce mouvement intérieur que nous étudierons avec le printemps et la renaissance qu'il inaugure. Tout ce qui a été remanié et destructuré a donné finalement une terre dans laquelle on a pu semer un nouveau germe. Ce germe a créé des racines dans la profondeur et nous allons le voir éclore. En fait, le printemps va nous faire découvrir une difficulté nouvelle liée au caractère contrasté de la saison : la remontée de la lumière, la percée de l'espoir, le retour de la belle saison, l'apparition de la végétation, se font de façon irrégulière, avec des poussées en avant et des retours en arrière continuels. Cette saison est donc vécue comme une alternative de joie et d'angoisse, jusqu'à ce que la renaissance soit vraiment définitivement installée.

Les débuts d'une vie sont, à vrai dire, toujours ressentis comme extrêmement fragiles ; espoir et inquiétude coexistent. Qu'on pense à ce que ressentent le médecin ou la sage-femme responsables d'une naissance... Une nouvelle vie va apparaître et les instants de cette mise au monde sont porteurs de la joie la plus extrême et de l'anxiété la plus vive. Ainsi est le printemps, porteur de toutes les promesses, mais encore fragiles et en danger mortel à chaque instant. Gelées précoces, retour au froid, mort des nouveau-nés, la joie coexistant avec la crainte : la tension des contraires est ici à son maximum. C'est ce que va nous décrire un rêve qui parle de lui-même :

> *« Je suis dans une chambre d'enfant, avec une jeune fille, et nous sommes penchées au-dessus d'un berceau où dort un bébé. Le bébé est mort de la mort subite du nourrisson. La jeune fille panique. Dans un premier temps, j'approche ma main du bébé pour m'assurer qu'il est froid, je caresse sa joue : il est bien mort. J'explique à la jeune fille qu'il faut savoir prévenir ce type de mort en surveillant souvent la respiration du bébé et je lui dis que je vais faire redémarrer sa respiration. Je prends doucement le bébé contre moi, sa poitrine contre la mienne, sa joue dans mon cou, ma main sur son dos, je commence à me balancer doucement, tout en parlant au bébé. Mes paroles et mon balancement doivent faire repartir sa respiration, c'est une danse pour la vie. Cela dure longtemps. Je parle et je danse avec le bébé jusqu'à ce qu'enfin j'entende son cœur battre de nouveau. »*

C'est une belle renaissance ! C'en était effectivement une pour la rêveuse, accompagnée du sentiment de sortir de la fascination de la mort, pour soi-même et pour les autres, de pouvoir redonner la vie et croire à cette vie rendue.

Le printemps apparaît donc comme une saison contrastée. Depuis le solstice d'hiver, la remontée de la lumière se fait dans un mouvement permanent et régulier. Le rallongement des jours, qui n'est vraiment sensible qu'au début du mois de février, coïncide avec la fête de la Chandeleur — elle-même fête de la lumière —, christianisation de l'ancienne fête des Brandons, célébrant la recherche par la déesse-mère Déméter de sa fille Perséphone, descendue aux enfers. Les jours rallongent vraiment, lueur d'espoir, la vie va revenir, mais une vie encore fragile — plus qu'en hiver. La sève qui remonte se heurte à la persistance des rigueurs hivernales. Le développement du germe est lui-même difficile à saisir. Je ne sais pas si vous avez déjà regardé un arbre qui bourgeonne ; les bourgeons, au début, sont encore à peine visibles. Enfant, je me disais : « Cette année, je vais les voir éclore ! » et je les surveillais. Un jour, deux jours... rien ! Et il suffisait d'une nuit un peu plus douce, d'un coup de soleil ou d'une inattention de ma part et, tout à coup, la feuille était là, sans qu'on ait pu percevoir vraiment son éclosion. Le développement est pourtant relativement progressif, mais il n'apparaît tout à fait qu'après coup, quand il est fini.

Il est de même très malaisé, dans un processus psychologique, de saisir, pendant l'élaboration un peu délicate du germe nouveau, si l'on est dans une phase de développement positif ou non. Ce n'est le plus souvent qu'en prenant du recul, sur une série de rêves ou d'événements, qu'il est possible de prévoir le sens évolutif, de saisir le mouvement, la flèche, et de pouvoir reconnaître qu'effectivement une évolution favorable est en train de s'effectuer. Quelque chose de nouveau est en vie, encore dans l'inconnu, insuffisamment établi pour être reçu dans la conscience, mais pourtant potentiel.

Ce développement progressif s'accompagne d'une accumulation d'énergie potentielle qui se présente comme une force bouillonnante, contenue dans la profondeur — la mine — et surgissant d'une façon désordonnée. Nous avons vu à ce propos les cérémonies du Nouvel-An en Appenzell (Suisse) où les masques qui défilent représentent des forces naturelles qu'il faut exorciser. Cette cérémonie prépare la remontée des énergies printanières et tente de conjurer leurs dangers : avalanches, redoux, mais aussi éclatements passionnels de l'instinct. Il ne fait pas toujours bon réveiller l'instinct endormi — ce qui se vérifie bien psychologiquement. La libération des images parentales négatives provoque une réalimentation des forces instinctives refoulées. Celles-ci, longtemps contenues, vont s'extérioriser, et cela dans la forme immature où elles s'étaient maintenues jusqu'ici. Ce sont des forces nouvelles, encore primitives. Certaines techniques psychologiques, comme la Bioénergie, favorisent ce phénomène et cette remontée des émotions, des affects, des passions. La sagesse antique parlait, elle, de confrontation avec le monstre qui est dans la profondeur, pour le « tuer » — ce qui dans le langage symbolique signifie essentiellement « transformer ». L'affrontement avec le dragon — et la victoire sur lui — signifie que le héros est devenu maître de cette force dangereuse et peut en disposer pour lui-même : elle est intégrée.

La rencontre avec l'énergie souterraine par son irruption à la surface de la conscience est typique du printemps. Le germe fait éclater les anciennes structures, pousse vers une nouvelle façon d'être qui remanie complètement la personne. Elle est violence, parfois passion, changement de point de vue, surgissement volcanique. Il faudra réceptionner cette force et la diriger, la canaliser, l'élaguer à l'image des travaux paysans du printemps — taille des arbres et sarclage — qui décantent les éléments inutiles surgis avec la poussée de la végétation. Le printemps, c'est aussi pour l'éleveur la période de l'agnelage, naissance des agneaux et des chevreaux. C'était aussi, avant l'apparition des méthodes modernes, le retour de la ponte. Pour nos grands-parents, il n'y avait pas d'œufs en hiver car la ponte est liée à l'éclairement qui, stimulant l'hypophyse, entraîne l'activité des glandes sexuelles. La remontée de la lumière entraîne, biologiquement, une remontée de l'instinct, une période de fécondité et de nidification, célébrée dans la tradition des œufs de Pâques que les enfants cherchaient dans les jardins et qui, symboles du germe nouveau, attestaient le retour à la vie. Parlant du mois de mars et de la tension propre à cette période, un dicton précise: « Mars, le mois des fous. » J'ai d'ailleurs pu moi-même le vérifier lorsque, ayant à négocier en mars une hospitalisation en psychiatrie, l'interne me répondit qu'il n'y avait pas de place et qu'il avait dû refuser plusieurs admissions le jour même ; la clinique la plus proche était dans le même cas. Comme je lui demandais si le service était toujours aussi saturé, il me répondit: « Non, mais c'est le mois de mars ! » Ainsi, même dans le domaine très rationnel de la psychiatrie classique, on se trouve confronté à cet état volcanique et critique de la remontée printanière.

Dans les souvenirs d'enfance de Giono[45], ce beau livre qui s'appelle *Jean-le-bleu*, est racontée une histoire qui exprime bien cette tension critique. Giono, enfant, avait été envoyé en convalescence dans un petit village de montagne au-dessus de Manosque, après un mauvais hiver:

> *Nous sommes au début du printemps, les bourgeons éclatent, l'air se fait plus doux. Le mistral se met à souffler et voilà qu'un jour, on ramène le fils du charron qui, s'étant endormi sur sa charrette, en est tombé et s'est brisé la colonne vertébrale. Il est agonisant et met trois jours à mourir, dans une atmosphère dramatique. Les parents le veillent. Giono entend les cris de la mère... Un vendredi, on l'enterre et, au bal*

du dimanche suivant, une des jeunes filles ne danse pas avec son promis ; celui-ci sort, prend un fusil et s'en va... On le retrouve près d'une meule de foin, il s'est tiré une balle « dans la ganache ». L'atmosphère s'épaissit. Bientôt, c'est le boulanger que l'on retrouve pendu à un gros arbre du village. Une espèce de psychose est en train de s'installer. Quand aux enfants, ils jouent... à se pendre ! Ils s'attachent les uns les autres aux arbres, puis se décrochent au dernier moment, en se demandant : « Qu'est-ce que tu as vu ? » Ils ont vu « le bleu », une sorte de luminosité sensible juste quand la corde les serrait. Une des petites filles est fascinée par le ruisseau qui coule un peu plus bas ; elle s'en approche de plus en plus, ses compagnons la retiennent. Alors, le curé fait dire à tout le monde : « C'est une maladie et ça se soigne. » Il fait éteindre tous les feux dans les foyers et jeter les allumettes dans la fontaine ; il demande aux villageois, massés sur la place de l'église, d'assister à la messe qu'il dit, seul au fond de son église, portes grandes ouvertes. Puis, il prend le cierge sur l'autel et passe dans chaque maison rallumer les nouveaux feux qui ont été préparés. On jette du sel sur ces feux, les foyers sont purifiés. C'est le vendredi, on a soigneusement balayé les cendres des vieux feux et elles ont été mises dans des sacs. Le dimanche, le curé dit une nouvelle messe, avec les plus beaux ornements ; chacun, habillé en dimanche, y assiste. Puis toute l'assemblée part en procession vers la falaise qui domine la vallée et là, on jette les vieilles cendres dans le vent qui les disperse. Le village est ainsi exorcisé. Le soir, chacun assiste au bal et s'efforce d'y danser, puis la vie reprend son cours normal. Le curé selle son cheval et va à la ville voisine, chercher de nouvelles allumettes...

C'est naturellement que se déroule, devant la psychose qui s'est installée, une cérémonie d'exorcisme et de purification. Le vieux feu, symbole des passions, devenu destructeur, pervers, conduisait le village à sa perte ; il est détruit et ses restes sont dispersés. Le feu nouveau, béni, est installé. La cérémonie qui parle symboliquement à l'inconscient enraye l'explosion désordonnée des affects et recrée un ordre nouveau qui guérit le village.

Cette saison printanière, faite d'alternances de joie et de tristesse, figure la tension des contraires. Les différentes fêtes qui jalonnent cette période mettent en scène cette alternance. Elles culminent dans la fête de Pâques qui est préparée par la période de Carême, elle-même inaugurée par les jours gras.

FÊTES – TRADITIONS – MYTHES

Nous avons quitté les fêtes de l'hiver avec la Chandeleur, fête des lumières qui fait la transition entre l'hiver et le futur printemps. Située quarante jours après Noël, elle est aussi la fête de la purification de la vierge et correspond sans doute aussi à la fête des Brandons où, parcourant les rues avec des torches allumées, on célébrait la recherche par Déméter de sa fille Perséphone descendue aux enfers. C'était, à la même date, chez les Celtes, la fête de la déesse-mère Belisama : Imbolc, fête de la fécondité.

Des fêtes du Carnaval, premières fêtes printanières, il est difficile de préciser l'étymologie exacte et l'origine, tant les influences archaïques, celtes et gréco-romaines, puis chrétiennes, se sont surajoutées les unes aux autres.

Les fêtes gréco-romaines des mois de février et mars — Lupercales, Saturnales, Bacchanales — célébraient dans une joie sauvage et débridée le retour du printemps et de l'instinct. Le roi des Saturnales, élu pour l'occasion, déchaînait les passions les plus refoulées. L'inversion y était pratiquée dans tous les registres : les maîtres devenaient serviteurs et ceux-ci maîtres, les hommes s'habillaient en femmes et les femmes en hommes, etc. — traditions que l'on retrouve dans les fêtes des fous au Moyen-Âge.

Pour faire remonter des enfers le dieu chtonien Ésus, les Celtes sacrifiaient des cerfs — animaux sacrés représentant le dieu — et, se revêtant de leurs peaux, dansaient plusieurs jours dans une atmosphère de licence sexuelle totale. On peut retrouver là l'origine des masques et des danses de nos carnavals.

L'étymologie du mot carnaval lui-même est controversée. Il

viendrait soit d'une fête d'Isis, située début mars, où une barque — carrus navalis — était jetée à la mer au milieu des gens masqués (on retrouve ce char dans les défilés carnavalesques), soit de l'expression latine « carne levare » — adieu à la chair — qui renvoie à la christianisation du carnaval, comme ultime période de licence avant le carême et la méditation sur la passion et la mort du Christ.

Derniers moments de joie instinctive avant la rentrée en méditation du carême ou remontée de l'instinct sauvage après l'occultation de l'hiver, ces fêtes célébraient dans leur excès l'expression de la nature instinctive et animale de l'humain, la levée des interdits, la force du monde chtonien et son irruption.

Le monde chrétien, héritier de ces fêtes, a cherché à les récupérer et à les sanctifier, en accordant avant le carême ces trois jours de licence que sont les jours gras, culminant dans le Mardi gras, suivi du sombre Mercredi des Cendres — « Souviens-toi que tu es poussière et que tu retourneras en poussière. »

Ainsi s'est constituée une tradition carnavalesque puisant aux différentes sources citées. Pour le monde antique, l'essentiel était la résurgence des forces de la vie et de l'instinct ressenties comme divines et mises en exil par l'hiver. Avec le monde chrétien, nous passons sur un autre registre ; ce n'est plus la vie de l'instinct et de la nature qui est ressentie comme le trésor à préserver — la force instinctive n'est que trop évidente pour la mentalité chrétienne. C'est la vie de l'âme, représentée par le symbole chrétien et mise en danger par les passions terrestres, qui devient le trésor qui, après une occultation, doit ressurgir dans la joie du dimanche de Pâques.

La fête de Pâques est aussi héritière de la Pâque juive célébrant la libération du peuple juif de l'oppression égyptienne, le départ vers la terre promise et la fin de l'exil. Commémorée par le sacrifice des agneaux d'un an et par la fabrication de pain sans levain, elle rappelait les conditions de l'exode des Juifs sous la conduite de Moïse. On devait prendre la Pâque « les reins ceints », habillé pour le départ, un bâton à la main et chaussé des sandales du marcheur. L'immolation de l'agneau avait une valeur purificatrice : avec son sang recueilli, le prêtre aspergeait l'autel et les maisons pour les purifier. On retrouve la même notion dans le sens profond de la fête de Pâques chrétienne : pour qu'il y ait libération, il faut qu'il y ait sacrifice ou immolation d'une victime — la victime chrétienne — assurant la rédemption spirituelle.

Ainsi se trouvent résumés dans la liturgie pascale les différents aspects évolutifs rencontrés depuis le début de ce travail et en particulier l'idée de renaissance consécutive à la mort. La liturgie pascale que vivent les moines pendant la semaine sainte commence la veille du Jeudi Saint, dans cette nuit du mercredi au jeudi qui porte le nom d'Office des Ténèbres. Cette liturgie comporte les prières nocturnes qui sont lues ou récitées, toutes les nuits jusqu'à Pâques, les lectures de l'Ancien et du Nouveau Testament. Les psaumes, les lamentations de Jérémie, retraduisent la souffrance de l'être exilé, battu, sacrifié, dont le seul secours est en Dieu ; les textes parlent aussi de la souffrance du peuple juif dans ses périodes de captivité, des destructions de Jérusalem, de la passion et de la mort du Christ. La première nuit de ce cycle, on installe sur l'autel un chandelier triangulaire avec quinze cierges allumés. Après chaque psaume, on éteint un cierge, d'un côté puis de l'autre, ne laissant allumé que le dernier qui, placé derrière l'autel, devient symbole, dans les ténèbres qui se répandent avec la mort du Christ, de la permanence de la vie spirituelle dépouillée par l'agonie de ses composantes terrestres.

De la même façon que ce cierge unique est placé pendant les trois jours précédant Pâques derrière l'autel, l'hostie consacrée à la messe du Jeudi Saint est exposée dans un tabernacle spécial, orné de fleurs et l'on viendra se recueillir et méditer devant ces reposoirs, le jeudi et le vendredi. C'est d'une veillée mortuaire qu'il s'agit et, tout à la fois, d'une méditation sur la permanence de l'essence de l'être au-delà de la mort.

Pendant la semaine sainte, on avait aussi coutume, le Vendredi saint, d'accomplir des chemins de croix, des processions de pénitents qui demandaient leur pardon. Certaines provinces représentent encore, au cours de cette période, le drame de la passion, comme au Moyen-Âge les Mystères joués devant les cathédrales. En Espagne, c'est à cette date que recommencent les courses de taureaux. Il ne faut pas oublier que ces courses représentent l'immolation de la victime animale dans l'espoir d'une évolution, comme dans le combat de Thésée contre le Minotaure ou le sacrifice du taureau dans la liturgie de Mithra. Cette identification avec le drame permettra l'identification future avec la joie de la renaissance. Beaucoup de cérémonies initiatiques mettent ainsi l'adepte devant la révélation de la mort et ce n'est qu'après le passage par l'angoisse que l'initié a vraiment éprouvée, qu'il peut aussi éprouver sa disparition et le retour à la vie. La liturgie pascale est ainsi une puissante liturgie de renaissance.

Le Samedi saint donne lieu à la cérémonie particulière de bénédiction du feu nouveau, inaugurant la renaissance. Avec ce feu, on allume trois cierges représentant la trinité, puis on bénit cinq grains d'encens qui sont placés en croix sur le cierge pascal, à son tour béni et allumé. C'est à ce feu, représentatif de la lumière du Christ et de sa permanence, que seront allumées les lampes de l'autel. Le cierge pascal, porté en procession jusqu'aux fonts baptismaux et plongé par trois fois dans les eaux, symbolise la vertu de l'esprit saint descendant sur cette fontaine, geste fécondant où le feu nouveau transforme l'eau qui servira aux baptêmes. Dans l'Église primitive, cette période était celle du Grand Pardon, celle où l'on baptisait les catéchumènes, où l'on donnait la Communion ou la Confirmation. Saint Paul parlait de la transformation intime qu'elle représentait : dépouillement du vieil homme et apparition de l'homme nouveau.

Toute une symbolique de renaissance éclate avec l'émergence du printemps. Pâques est une fête mobile accordée aux cycles cosmiques et située le premier dimanche qui suit la première pleine lune de printemps... On débouche sur la semaine sainte après les quarante jours du Carême, représentant les quarante années passées au désert par le peuple juif et les quarante jours de jeûne du Christ avant sa vie publique. Nous retrouvons ici encore la notion d'initiation à la renaissance spirituelle par la traversée de l'épreuve, la tension des contraires étant parvenue à son paroxysme et basculant alors dans le sens du renouveau.

Ces longues traversées du désert, déjà évoquées dans la stagnation de l'hiver, font partie de toute évolution psychologique. Aux moments d'amélioration succèdent des périodes de rechute qui mettent durement à l'épreuve l'espoir de guérison. Ces premières améliorations, bien que passagères, expriment les possibilités positives au fond de la personne mais qui, se trouvant encore à l'état de germe, de nouveau-né fragile, ont besoin de soins et de patience pour s'installer définitivement.

Pour illustrer ces notions de résurgences successives, j'ai choisi de résurgences successives, j'ai choisi un conte Slave[46] :

LES JUMEAUX AUX CHEVEUX D'OR

C'est l'histoire d'un roi qui veut se marier ; pour ce faire et trouver une épouse, il se promène dans la ville, à la recherche

d'une femme à son goût. Par une fenêtre ouverte, il entend deux jeunes filles qui parlent et l'une d'elles dit:
— Si le roi m'épousait, je lui donnerais la fille la plus belle de la terre!
Et l'autre dit:
— Si le roi m'épousait, je lui donnerais deux jumeaux aux cheveux d'or!
Le roi désire aussitôt connaître celle qui a fait la promesse des jumeaux aux cheveux d'or et, la rencontrant, en tombe amoureux, lui demande de l'épouser et en fait sa femme.
Le couple est heureux et, bientôt, la jeune femme est enceinte, mais une guerre éclate aux frontières du pays et le roi doit s'absenter, laissant sa femme à la garde de sa mère. Or, la vieille belle-mère déteste cordialement la jeune femme et lorsque celle-ci met au monde les enfants, deux jumeaux aux cheveux d'or, comme elle l'avait promis, la belle-mère les fait prendre, enterrer vivants et met à leur place deux chiots; elle fait enfin écrire au roi que la reine est une menteuse. La preuve de son imposture est qu'elle a mis au monde deux chiots, et non les jumeaux espérés.
Le roi, fou de douleur, fait écrire qu'on emprisonne la reine au fond d'un cachot et il est si chagriné par ce qui s'est passé qu'il ne revient pas pendant de longues années. Il continue de guerroyer, laissant le royaume sous la direction de sa mère.
Quand il revient quelques années plus tard, la première chose qu'il voit dans la cour du château, ce sont deux arbres tout à fait merveilleux dont les feuilles sont en or. Le roi ne se lasse pas de les regarder. Ces arbres ont poussé, bien sûr, là où ont été enterrés les deux enfants. Le roi ne le sait pas mais il passe beaucoup de temps auprès d'eux, il écoute la chanson du vent dans les feuilles et, bientôt, sa mère, la reine-mère, en conçoit une violente jalousie et, feignant une maladie très grave, lui dit qu'elle ne pourra guérir que si on lui fait un lit du bois de ces deux arbres qui sont là dans la cour.
Le roi est très malheureux de tout cela mais, voyant sa mère bien malade, il n'ose pas lui refuser ce don. Il ordonne donc que soient coupés les arbres. On en fait des planches, on en fait un lit, et bientôt la reine-mère dort sur ce lit.
Et la nuit, les planches se mettent à craquer et l'une dit:
— Comment dors-tu, mon frère?
Et l'autre dit:
— Pas trop mal, mais je me demande ce que devient notre mère au plus profond de son cachot.

Bref, la reine-mère ne ferme pas l'œil de la nuit !
Le lendemain matin, quand le roi lui demande si elle va mieux, elle lui dit qu'elle ne sera tout à fait guérie que si l'on brûle ce fameux lit, le lit dans lequel elle a dormi cette nuit.
Le roi, voyant sa mère si malade, et après quelques hésitations, accède à son désir et fait dresser un bûcher sur la place du château, sur lequel on brûle le lit.
Et voilà que deux flammes s'élèvent et retombent sur le sol ; ce sont deux agneaux au pelage doré qui sont là. Le roi s'éprend des deux agneaux et ne les quitte plus. Et bien entendu, la reine-mère est de nouveau passionnément jalouse et elle retombe malade...
Elle dit au roi qu'elle ne guérira que si elle mange de la chair de ces agneaux. Le roi est à nouveau très malheureux mais, voyant sa mère si mal en point, il hésite à lui refuser ce qui pourrait la guérir. Finalement, il donne l'ordre de faire sacrifier les animaux et de donner la chair à manger à la reine.
On sacrifie donc les deux agneaux et un serviteur part avec les deux peaux dorées pour les laver à la rivière. Au moment où il les plonge dans l'eau, les pelages lui échappent des mains et disparaissent...
Un chasseur, se promenant quelques temps plus tard au bord de l'eau, aperçoit un coffre. Ouvrant le coffre, quelle n'est pas sa surprise d'y voir deux enfants à la chevelure dorée qui dorment paisiblement ! Il emporte le coffre à la maison et dit à sa femme :
— Regarde-toi qui n'as pas d'enfants, ce que le ciel nous apporte !
Et il élève les enfants jusqu'à leur adolescence.
À leur adolescence, les jumeaux demandent à leur père adoptif de les laisser aller de par le monde pour vivre par eux-mêmes et gagner leur vie. Ils sont musiciens ; l'un porte une flûte, l'autre une guitare, et ils vont de-ci, de-là, avec des vêtements simples et un bonnet qui cache leur chevelure. Ils gagnent leur vie en donnant des aubades dans les maisons, les fermes, les châteaux. Et ils arrivent au château du roi, leur père.
Là, ils demandent à s'abriter pour la nuit, payant leur nuit d'une aubade. La reine-mère qui est là, ne veut pas les laisser entrer. Et le roi qui entend la discussion, s'approche et lui demande la raison de cette discussion. Ayant appris ce que font les enfants, il leur dit :

— Mais si! Entrez et chantez, montrez-moi ce que vous savez faire.
Alors, ils accordent leurs instruments de musique et chantent une chanson dans laquelle ils parlent de l'hirondelle: « L'hirondelle a fait son nid mais, bientôt, un faucon a ravi ses petits et elle tournoie en se lamentant autour du nid vide. Mais bientôt le faucon sera puni et l'hirondelle retrouvera ses petits. » Le roi tombe dans une profonde méditation après cette chanson et leur en demande le sens.
Alors, enlevant leurs bonnets, ils montrent leurs cheveux dorés, se font reconnaître et lui disent:
— Nous sommes tes fils et la reine, notre mère, a été injustement punie.
La reine-mère est confondue et jetée en prison. Le roi retrouve sa femme et ils vécurent des jours heureux.

Voilà donc un très joli conte qui montre combien de tentatives doit faire la force de résurgence, avant de s'affirmer totalement.

Du point de vue psychologique, on peut considérer le jeune roi comme étant sous l'autorité de sa mère; il a ce qu'on appelle un « complexe mère ». Il faut constater qu'il n'est nullement question, dans le conte, du roi son père; celui-ci est tout simplement absent. On peut en conclure qu'une dimension masculine d'ordre et d'autorité manque dans le « royaume », entièrement sous la domination de la « reine-mère », femme autoritaire et jalouse qui étouffe son fils sous ses exigences.

Le jeune roi choisit pour épouse celle qui lui promet les « jumeaux aux cheveux d'or » — c'est-à-dire une force masculine rénovée, lumineuse, redoublée. Il entreprend donc de rénover à la fois la fonction féminine et la fonction masculine. L'idée « d'épouser » représente un choix: c'est ainsi que l'on dit en langage imagé « épouser les idées de quelqu'un ». Cette attitude féminine rénovée sera porteuse de dynamisme — les enfants aux cheveux d'or. L'or de leur chevelure parle de la lumière qui émane de la tête et représente une spiritualisation ou une évolution de la personne. Le fait qu'ils soient jumeaux pourrait être une expression de la dualité du prince entre les aspects sombres et lumineux de son Anima; mais l'identité des jumeaux et aussi la promesse que cette dualité est en voie d'évolution vers une réunification. Cette évolution de la dualité ne peut se faire qu'après une série de sacrifices. Ainsi, le choix fondamental devra s'affronter à l'épreuve de la mère engloutissante, représentant toutes les passions négatives qui peuvent emporter le prince loin de ses premières amours. Ici, c'est la jalousie et la possessivité qui sont plus particulièrement décrites. Le conflit qui se déroule au fond de lui-même, entre l'aspect positif (la jeune reine) et l'aspect négatif (la reine-mère) de ses propres tendances féminines se trouve projeté à l'extérieur, sous la forme d'un conflit aux frontières le retenant au-dehors et l'empêchant ainsi d'avoir sur le conflit intérieur la lucidité nécessaire.

Le monde passionnel de la possessivité essaie de détruire la fonction lumineuse représentée par les jumeaux aux cheveux d'or, dont la vitalité va pourtant s'affirmer de résurgence en résurgence ; cette suite de transformations est sans doute nécessaire pour que s'affirme peu à peu une qualité encore nouvelle-née dans l'inconscient. L'aspect négatif de la reine-mère — retrouvé dans toutes les sorcières ou les ogresses des contes — est aussi le moteur qui déclenche la force d'affirmation. Le combat est nécessaire car l'énergie ainsi combattue est mise à l'épreuve. Après s'être exprimée dans la promesse verbale et dans la mise au monde des nouveau-nés, elle est enfouie puis réapparaît sous une première forme végétale. On voit ainsi souvent se réanimer la vie végétale dans les rêves des personnes en voie de renouveau ; elle exprime la poussée continue du vivant. Détruite à nouveau, elle devient « matière première », le bois dont on fait le lit, le lieu de repos en rapport avec l'inconscient. Ce bois rappelle comme une mauvaise conscience la culpabilité de la reine-mère et sa destruction métamorphose la force qui réapparaît à nouveau sous une forme animale : l'évolution de la personnalité se poursuit. Après l'énergie purement biologique, c'est celle de l'instinct qui apparaît avec ces agneaux — qui ne sont pas sans rappeler l'agneau pascal et la Toison d'Or. Ils représentent l'innocence d'une nature instinctive étrangère au mal et qui doit subir, par un nouveau sacrifice, la découverte de celui-ci. Leur toison qui échappe des mains du serviteur pour partir au fil de l'eau est l'image du trésor impossible à saisir. Il n'est pas question ici de « quête » du trésor ; celui-ci s'offre de lui-même au chasseur. Le chasseur est cependant un homme en quête et proche du monde animal. Ce « chasseur » ne fait pas de mal aux jumeaux (pas plus que celui de Blanche-Neige) ; il trouve le trésor, le coffre dans lequel dorment les jumeaux, dans la rivière — ce qui n'est pas sans évoquer le coffre où Isis retrouve Osiris. Il y a eu résurrection. Vient ensuite l'intermède souvent retrouvé du parent nourricier qui assure le développement des enfants jusqu'à l'adolescence. C'est une période de latence comme en connaît souvent le développement psychologique, phase cachée pendant laquelle l'enfant grandit, nourri simplement par ses parents nourriciers, dans le silence.

La dernière métamorphose concerne la nécessité de la reconnaissance par le roi — instance dirigeante du conscient — de la force positive qui a grandi dans l'inconscient. Les jumeaux, dans leur dernier cheminement, sont musiciens ; leur dimension créatrice est ainsi reconnue. Leur chanson de l'hirondelle nous rappelle encore la quête d'Isis. Le roi, cette fois-ci, affirme son besoin d'en savoir plus : il demande le sens de la chanson et ne se satisfait plus des refus de sa mère qui veut toujours renvoyer les messagers... dans l'inconscient. Ainsi s'affirme la restauration complète du royaume par la réunion du roi, de la jeune reine et des deux jumeaux, quaternité positive exprimant le nouvel équilibre psychique du roi.

Dans le cadre des traditions printanières, nous parlerons maintenant d'une cérémonie des pays européens : la Reine de Mai[47]. Destinée à assurer la fertilité et le développement bénéfique de l'année, elle se déroulait ainsi : une jeune fille jouait le rôle de la Reine de Mai. Comme l'adolescente, la nouvelle année printanière était pleine de promesses. Vêtue aux couleurs de l'aurore — rose vif ou rouge —, la jeune fille devait parcourir et traverser une forêt, représentant ainsi le déroulement des mois à venir. Elle portait à une vieille femme — sa « grand-mère » — les prémices des récoltes végétales — la galette — et animales — le pot de beurre —, nourrissant ainsi sa propre vieillesse à venir. Dans son parcours, elle devait rencontrer un personnage représentatif des dangers qui l'attendaient — le loup. Celui-ci dévorait la vieille femme et la jeune fille qu'un chasseur venait délivrer en tuant le loup. Vous avez tous reconnu un conte célèbre en France. Son interprétation psychanalytique : la rencontre de l'adolescente à la phase pubère — Chaperon rouge — avec le dynamisme sexuel et ses dangers — le loup —, n'exclut pas sa dimension cosmique : la représentation de l'année agricole, avec ses espoirs de récolte mais aussi ses dangers, débouchant sur un dénouement heureux grâce à l'intervention du chasseur qui, ici aussi, représente l'action masculine dans sa force positive.

LA TENSION DES CONTRAIRES

Le printemps, nous l'avons vu, se présente du point de vue climatique comme une saison contrastée. La remontée de la lumière inaugure l'installation de la belle saison. Cependant la transition ne se fait pas sans aléas, sans alternances de poussées printanières coupées par des retours du froid. Giboulées de mars, gelées tardives, hiver qui s'attarde font de cette saison une période de « tension des contraires ». Les Chinois diraient que l'énergie, retirée dans la terre pendant l'hiver, ressurgit au printemps et que c'est cette animation qui crée une tension particulière. Le désir que nous avons de voir revenir les beaux jours ajoute à la tension psychologique de cette période faite d'alternances.

Nous allons donc aborder plus précisément ce problème de tension des contraires dont le printemps est si représentatif. Les fêtes de cette période sont déjà symboliques de l'état d'opposition. Le carnaval présente, ritualisés, des inversions, des renversements de situation — jeu des pauvres devenus rois d'un jour et des puissants cachés sous le masque. Pâques nous offre le drame de l'opposition entre la vie et la mort dans son extrême acuité : mort cruelle et angoissante, résurrection triomphante.

Dans le monde psychique, comment nous apparaissent ces contraires ? Ce sont des systèmes d'opposés qui semblent s'exclure l'un l'autre. Prenons par exemple l'opposition du psychisme féminin et du psychisme masculin. Dans le monde de la féminité, les valeurs primordiales sont celles du sentiment, de l'amour, de la patience qui porte son fruit et le met au monde ; elles peuvent être passivité, intériorité, non action, engloutissement parfois, mais aussi don de soi et réceptivité — le Yin des Chinois. Toutes ces valeurs vont s'opposer aux valeurs masculines faites d'action, de détermination, parfois de violence et de destruction, mais aussi de créativité, d'intelligence discriminatrice, d'action fécondante.

Nous pouvons aussi représenter la tension des contraires par l'opposition Matière/Esprit. À la matière correspondent des notions telles que le sens de la terre, le sens de la création, de l'incarnation — matérialisme dans certains cas —, mais aussi l'épanouissement charnel, la beauté et la générosité de la nature. L'esprit est associé au monde de l'intelligence, de la pensée et de la spiritualité, mais aussi de l'ascétisme parfois porteur de mort, de la pensée rationnelle dévitalisante, de la technicité exacerbée... On rattache généralement la matière aux valeurs féminines ; c'est le monde maternel, matriciel, symbolisé par la terre, les déesses-mères, le Yin chinois ; l'esprit est rapporté aux valeurs masculines représentées par le symbole paternel — Jupiter-Zeus, le Dieu-père judéo-chrétien, le Yang —, fécondité et créativité mais aussi jugement discriminatoire.

Un autre type d'opposition est celle du Bien et du Mal. Aux notions de « Bien » sont rattachées celles de création, de construction — « Dieu vit que cela était bon » —, d'attitude morale éthique ; « Dieu », symbole du Bien, est opposé au « Diable », symbole du Mal, destructeur. Si les Hindous, dans leur trinité divine, ont inscrit un dieu créateur — Bhrama —, un dieu conservateur — Vischnou — et un dieu destructeur — Shiva —, ces trois expressions de la force transcendante étant nécessaires pour qu'il y ait création, le monde judéo-chrétien a, quant à lui, opposé au Dieu créateur en trois personnes, un Diable qui vient défaire son œuvre[48] ; une telle vision témoigne d'une dualité particulière et d'une tension des contraires perçue dans toute son ampleur. À ces notions de création et de destruction se rattachent celles de vie et de mort et leur contexte affectif de Bonheur ou de Malheur, notions qui sous-tendent toute cette étude.

Dans l'étude des attitudes psychologiques, on trouve aussi de nombreux couples d'opposés définissant les attitudes contradictoires extrêmes et situant les sujets suivant leur appartenance à l'un ou l'autre type : rationnel-irrationnel, activité-passivité, introversion-extraversion. Les notions d'introversion-extraversion ont été introduites par Jung, ainsi d'ailleurs que d'autres termes passés dans le langage courant, tels que « complexe », « archétype », « inconscient collectif »...

L'extraversion est un principe d'adaptation du sujet au monde extérieur en tant que tel, en dehors de l'interaction du sujet avec l'objet de sa perception. Ce qui intéresse l'extraverti, c'est ce qui se passe autour de lui, indépendamment de lui pourrait-on dire ; cela seul lui semble réel. Il prendra volontiers pour illusions les données de ses sens et de ses sentiments et voudra les soumettre à une vérification scientifique. Il s'intéressera au monde extérieur et à son action sur ce monde. La tendance active est généralement liée à l'extraversion.

L'introversion est au contraire un principe d'adaptation au monde intérieur. L'attention de l'introverti sera captée par la résonance intérieure qu'a suscité en lui un objet extérieur. Ce sont les données de sa perception et de ses sentiments qui lui paraîtront réelles, l'objet qui les a déclenchées pouvant à la limite lui devenir indifférent. La tendance passive est généralement liée à l'introversion[49].

En fait, nous participons tous des deux tendances et les deux types d'adaptation qui s'opposent sont également nécessaires : adaptation au réel extérieur — « aux objets » —, perception du monde en tant que tel ; adaptation au réel intérieur — « au sujet » —, perception des états intérieurs qui surviennent en résonance avec l'extérieur ou qui émanent directement du psychisme. On peut utiliser aussi pour cette description les termes d'objectivité et de subjectivité. Il apparaît en définitive nécessaire de réunir les opposés et de connaître autant l'intérieur que l'extérieur. À une phase d'extraversion qui adapte un être à son milieu succède une phase d'introversion qui l'adapte aux conséquences de la première phase ou prépare la suivante. Ceci suggère une activité polarisée du psychisme, polarisation que l'on retrouve dans la biologie même des êtres vivants. Les fonctions biologiques sont généralement duelles, en opposition polaire — absorption et digestion, catabolisme et anabolisme, rythme systole-diastole du battement cardiaque, etc. Cette opposition se poursuit au cœur même de la biologie cellulaire où souvent les corps chimiques s'opposent deux par deux, selon une loi de balance qui veut que quand l'un augmente, l'autre diminue — on peut citer le rapport calcium-phosphore ou potassium-sodium, par exemple.

On voit que, pour qu'il y ait déroulement vital, il faut qu'il y ait une succession rythmique dans le temps des deux attitudes qui s'opposent, ce qui revient à « conjuguer les contraires ».

Étudions une nouvelle opposition des contraires : celle du conscient et de l'inconscient. Le conscient contient tout ce dont nous avons une connaissance claire et répertoriée. Cependant notre faculté de connaissance ne s'arrête pas au seul domaine de notre esprit où tout est signalisé et repérable. Une connaissance d'une autre nature existe : celle de l'inconscient, psychisme latent, qui contient à la fois notre mémoire et une capacité créatrice dont l'origine nous échappe. L'obscurité et l'imprécision de l'inconscient s'opposent à la clarté et à la linéarité de la conscience. La pensée émanant de l'inconscient est, par sa globalité même, indéfinissable. Le conscient y découpe des données repérables et définissables. Jamais le conscient n'épuise ou ne délimite tout à fait le champ de l'inconscient. Si le conscient s'exprime par la pensée conceptuelle et la raison, l'inconscient s'exprime, lui, par la pensée symbolique et artistique.

Comme dans toute opposition polaire, il existe entre le conscient et l'inconscient un rapport qui est le troisième terme apparaissant au sein du couple d'opposés : c'est le pont entre les deux berges du fleuve, le rythme qui règle le battement cardiaque, l'alternance et la dialectique entre le conscient et l'inconscient, connaissance du jour et connaissance de la nuit[50].

Jung a insisté sur le caractère compensateur de l'inconscient. Si l'on imagine le conscient comme un certain angle découpé dans la totalité d'un cercle, angle de vue dans lequel il y aura prise de conscience, luminosité, etc., tout le reste du cercle représentera l'inconscient. Lorsque dans son attitude consciente un sujet se comporte de façon trop unilatérale, l'inconscient lui propose un point de vue tout à fait opposé, compensatoire, afin de redresser l'équilibre vital. C'est ainsi que l'inconscient peut jouer des tours en défaisant la nuit ce que le conscient a tissé le jour. Cette action de l'inconscient n'est pas destinée à stériliser l'activité de la conscience diurne mais à la rendre plus complexe, plus subtile, plus adaptée en fait au réel, celui-ci n'étant pas unilatéral et linéaire mais globalisant et complexe. Ainsi, l'équilibre psychique est issu d'un rapport positif entre la connaissance consciente et la connaissance inconsciente. Ce rapport naît d'une confrontation et d'un dialogue entre ces deux modes de connaissance qui tend à les rendre non plus contradictoires et stériles mais complémentaires et féconds.

Ainsi une tension des contraires qui s'exprime comme un dualisme pousse à transformer la contradiction en complémentarité : les contraires deviennent des opposés polaires comme les pôles négatif et positif sans l'opposition desquels ne passerait aucun courant, celui-ci étant le troisième terme qui naît de cette bipolarité, comme l'enfant naît de la rencontre de l'homme et de la femme. Tout est affaire de rencontre et de dialogue.

L'inconscient, de par sa nature même, reste malaisé à circonscrire. Nous venons de voir sa fonction compensatrice par rapport aux attitudes conscientes. Freud a insisté sur son aspect de mémoire dépositaire des événements traumatisants du passé. Cette mémoire de l'histoire individuelle, plus ou moins enfouie, oubliée, refoulée, est à la fois inscrite dans l'esprit et dans le corps, ce dont se rendent très bien compte les thérapeutes dont la méthode comporte une approche corporelle ; une telle approche déclenche des décharges de souvenirs physiques et psychiques. L'inconscient personnel est le champ de travail d'une analyse de type freudien. Une telle analyse met en outre au jour les tendances et les désirs qui n'ont pu être actualisés et dorment sous le couvercle de la conscience. D'après Freud, le dualisme — ou la tension des contraires — se serait construit par la rencontre conflictuelle des pulsions de l'instinct avec les interdictions éducatives qui se caractérisent dans une figure répressive : le Surmoi. Si cette tension et cette opposition existent, elles ne sont pas toujours le fait d'une rencontre entre les tendances intérieures et les interdictions extérieures. Le conflit peut exister à l'intérieur même de l'inconscient entre des tendances instinctives contradictoires. Le psychisme se structure nécessairement à partir de cette confrontation intime entre les différentes tendances. La psychologie animale — l'école éthologique en particulier — a montré que les comportements instinctifs se construisaient sur un système de régulations faisant intervenir une tendance et sa correction[51]. Aucune régulation de l'action n'est possible sans ce jeu des antagonismes ; on ne trouve jamais un développement linéaire et sans régulation d'une pulsion. C'est dire que la tension entre les opposés et leur conflit représente la polarité nécessaire pour que se construise une attitude psychique, qui se présente alors comme la résultante du conflit. La résolution est un troisième terme qui met fin à l'alternative stérile entre la pulsion et sa répression. Ce point de vue concerne le plan analytique d'un travail de type freudien sur l'inconscient « personnel », sur ce qui appartient au vécu du sujet.

Jung, quant à lui, a décrit l'inconscient, au-delà du contenu de la mémoire personnelle, comme une matrice psychologique contenant de multiples modes de comportement propres à l'espèce, apparaissant sous la forme d'entités mythologiques, symboliques. Ces schémas de comportement sont les « archétypes » qui se proposent au cours d'un travail analytique.

L'inconscient collectif décrit par Jung s'ouvre quand les problèmes personnels stagnant dans l'inconscient ont été quelque peu élucidés et qu'ont été travaillées les attitudes de retour et de fixation à l'enfance. Cet inconscient collectif a une fonction régulatrice et créatrice et propose des schémas directifs créateurs. Inconscient créateur, il n'est pas seulement compensateur vis-à-vis de l'attitude consciente, mais propose aussi des modèles de comportement et assure une régulation du psychisme qui tend à faire vivre celui-ci dans un équilibre dynamique. Cet équilibre dans le mouvement est parfois représenté dans les rêves par un cheminement en vélo, dont tout le monde sait qu'il n'est en équilibre que quand il roule. L'apprentissage du vélo a d'ailleurs pour tous les jeunes enfants une valeur de maturation et de promotion bien connue.

C'est sur cet inconscient créateur que peut se baser un travail profond de restauration psychique. Les débuts d'une analyse obligent à étudier les traumatismes personnels et à décanter ceux-ci. Comme dans la comparaison déjà utilisée du chirurgien qui nettoie une blessure, le dynamisme réparateur qui amène la cicatrisation et propose de nouveaux modèles de fonctionnement est issu de l'action personnelle de l'organisme lésé. Au niveau cellulaire, ces schémas réparateurs sont des mémoires de fonctionnement antérieures au traumatisme ; psychiquement, de tels schémas vitaux existent aussi mais leur fonctionnement est bloqué, soit par un traumatisme passé, soit par certaines tendances de base du psychisme. Après la première décantation analytique, ces schémas apparaissent sous forme d'images intérieures directrices que Jung a nommées « Archétypes », telles ces figures secourables, maternelles ou paternelles, qui viennent remplacer les figures parentales dépassées ; elles prennent souvent une dimension élargie, plus qu'humaine, devenant les symboles de l'action de forces psychiques qui paraissent transcendantes, divines. Dès lors, se produit un véritable déplacement ; le problème, de purement psychologique qu'il était dans son expression primaire, névrotique, apparaît moins maintenant comme l'expression d'un mauvais fonctionnement psychique que comme la recherche d'une raison évolutive de vivre ; le sujet débouche alors sur une dimension religieuse et mystique également contenue dans l'inconscient. Cette observation faisait dire à Jung que la névrose est « la souffrance de l'âme qui cherche son sens ». Il est vrai que la guérison psychologique, à ce stade, passe plus par des retrouvailles avec le sens de la vie et la découverte d'une attitude fondamentale personnelle, philosophique, éthique ou religieuse, que par une simple réénergétisation au niveau de l'instinct vital. La source, pour couler et devenir fleuve, doit d'abord se creuser un lit qui représente le sens, la direction de son écoulement ; désobstruée, ayant trouvé son sens, la source peut enfin s'écouler librement.

Ce sens d'écoulement, c'est l'inconscient créateur qui le propose. À ce niveau de décantation et de renaissance que suggère le printemps, le nouveau germe qui est en train de surgir possède en lui-même une organisation interne. Le thérapeute qui, recevant initialemen, la personne, avait pu discerner quels problèmes, quelles difficultés familiales l'entravaient, se trouve maintenant devant un dynamisme créateur — le feu secret de la personnalité — et son rôle va être de soigner ce feu et de l'aider à s'affirmer tout en poursuivant une décantation indispensable. Ainsi le jardinier qui prépare la terre, plante, enlève les mauvaises herbes et assiste au développement d'un germe dont le dynamisme lui échappe.

Dans cette description des fonctions opposées que sont le conscient et l'inconscient, j'ai plus longuement insisté sur l'inconscient. La particularité de l'inconscient, c'est d'être la mine ou la réserve de données qui passeront plus ou moins dans la conscience. Autant il est facile de définir clairement la conscience dont les limites sont celles du connu, autant il est difficile de définir l'inconscient dont les limites sont indéfinissables, et qui contient en potentiel tout ce qui peut surgir un jour ou l'autre dans la conscience. Pour cette raison, l'inconscient est souvent représenté dans la symbolique onirique comme l'étendue marine dont il est impossible d'explorer toute la profondeur tandis que le conscient devient le frêle esquif qui vogue sur cette immensité. Les rapports du bateau et de la mer sont régis par le pilote, celui qui mène le bateau et tente d'accorder les deux mondes, conscient et inconscient, avec lesquels doit naviguer le psychisme humain.

ANIMA — ANIMUS

Poursuivant cette étude de l'opposition des contraires, il nous faut revenir sur l'opposition féminin-masculin et l'approfondir. En effet, au cours d'un travail psychologique, cette opposition se présente inévitablement et comme chaque sujet n'appartient consciemment qu'à son sexe biologique, il va être amené à faire la découverte intérieure de la partie opposée — soit pour un homme, un aspect « féminin » de son caractère et pour une femme, un aspect « masculin ». Abordées en analyse freudienne, ces notions se réfèrent à la première expérience de l'enfant avec le parent de sexe opposé, l'attirance envers celui-ci et le rejet du parent de sexe identique, schéma œdipien déjà abordé. Ainsi pour un homme, la première image intérieure qu'il a de la femme est déterminée par sa mère ou le personnage maternel qui l'a éventuellement remplacée ; pour une femme, la première image masculine sera représentée par le père. L'analyse mène au détachement progressif du lien affectif aux images parentales, par le dépassement de l'élan œdipien vers le parent de sexe opposé et la libération des angoisses nées de l'opposition au parent de même sexe.

La femme va ainsi découvrir les images et les attachements qu'elle a vis-à-vis de son père — de ses frères parfois —, puis ce qu'elle a choisi ou cherché dans ses différents partenaires amoureux, par ressemblance ou par opposition à son père. Se détachant peu à peu de cette image du père, elle pourra découvrir, après en avoir fait le tri, quelles influences bénéfiques ou tendances positives elle peut garder de ce premier contact masculin, pour les réinvestir dans un partenaire qui n'est plus un partenaire familial.

Un homme va se détacher progressivement de l'image maternelle et de la fascination qu'elle a exercée, pour découvrir d'autres psychologies féminines et réinvestir ses intérêts auprès de personnalités féminines différentes de celles de son enfance, choisies cependant par ressemblance ou par opposition bien souvent. Dans le conte des « jumeaux aux cheveux d'or », tant que le prince ne s'est pas libéré de l'influence de sa mère, il suit les conseils de celle-ci et épouse ses points de vue, ce qui a pour effet de détruire sa relation avec sa femme. L'inconscient du prince est représenté par cette mère destructrice qui s'oppose à l'apparition d'une rivale et noue l'affectivité de son fils. Une telle analyse se situe sur le plan objectif, étudiant d'abord la relation à un objet extérieur, la mère, puis la femme (dans le cas de la femme, le père).

Jung a montré une autre façon de saisir le problème, par une analyse se situant sur un plan subjectif. Dans ce cas, l'opposé est aussi dans l'inconscient, identifié au sujet et représentant un aspect de lui-même. Ainsi, dans l'inconscient féminin reposent une tendance, des fonctions masculines ; de même, dans l'inconscient masculin se trouvent des tendances féminines. La recherche de ces aspects et leur assimilation au conscient permettent de mieux saisir les objets extérieurs — par une compréhension interne cette fois-ci —, étendant l'adage alchimique « ce qui est en haut est comme ce qui est en bas », pour saisir l'identité de ce qui est en dehors avec ce qui est en dedans.

Toutes les psychologies dites « de comportement » étudient les problèmes d'une façon objectale et tâchent de résoudre les attitudes négatives de cette façon. Mais il faut aussi découvrir qu'il existe des résonances intérieures et, en particulier, que le problème extérieur ne fait que souligner le conflit intérieur. Il n'y a pas de rupture de continuité entre un être et son environnement, la partie participe toujours du tout ; c'est la raison pour laquelle un travail intériorisé des tendances débouche aussi sur une transformation extérieure du sujet.

Ainsi, à travers ses images féminines intérieures — sa mère, ses sœurs et toutes les autres figures qui l'ont impressionné —, un homme découvre aussi ses propres tendances féminines, dans leurs bons et mauvais aspects, et apprend à traiter avec ces traits particuliers de son caractère. Une femme découvre, à travers les représentations paternelles ou fraternelles et les divers hommes qui ont croisé sa route, de quoi est fait son type intérieur masculin. Jung a appelé « Anima » cette fonction féminine de l'homme et « Animus » cette fonction masculine de la femme.

Anima et Animus ont des caractéristiques propres, des aspects positifs et négatifs et des fonctions particulières dans chaque type de psychisme. Jung considérait aussi ces figurations de l'attitude psychique interne comme ayant un rôle de médiateur entre le conscient et l'inconscient, médiateur chargé de transmettre de l'inconscient au conscient le point de vue opposé de l'attitude consciente, ou de communiquer les messages de l'inconscient, parfois très étrangers au monde habituel du sujet conscient.

Ainsi, au cours d'un travail analytique, apparaissent de nombreux personnages de sexe opposé qui définissent à la fois les problèmes objectifs vécus par le sujet et ses attitudes intérieures plus ou moins mal connues, attitudes qui ont besoin d'être décantées ou intégrées par le conscient.

ANIMA

Étudions plus précisément la fonction « Anima » de la psychologie masculine. Nous connaissons tous le langage du poète attendant la venue de la muse inspiratrice ; cette muse est un aspect du poète lui-même qui prend figure humaine pour s'adresser à lui. Ce sont l'inspiration, les capacités sentimentales, les dons artistiques, toutes attitudes imprégnées d'amour des autres, d'amour de la beauté et qui sont volontiers désignées comme féminines de par leur aspect passif, perceptif et sensoriel, sentimental.

De par la nature même de son psychisme — donnée de base ou « équation personnelle » — et de par les expériences vitales rencontrées dans ses rapports féminins, un homme aura donc à l'intérieur de lui-même une « femme » dont les attitudes seront plus ou moins évoluées. Ainsi les différentes figures idéalisées féminines se situent le long d'une gamme qui va de la femme fatale et de la sorcière à la Mère divine.

L'Anima se présente sous divers types possibles : l'image de la femme fatale figure une anima négative. Un homme porteur d'une telle anima peut se montrer extérieurement viril et actif — « macho » même — alors qu'il est intérieurement la proie de ses affects ; il est alors possédé par des sentiments et des émotions qui viennent d'ailleurs nourrir dans le conscient un besoin d'action mal placé et peuvent déboucher sur des actes violents ou, au contraire, provoquer une inhibition complète. Un tel homme peut tomber sous le joug d'une femme extérieure destructrice, devenir amoureux d'une femme qui le conduira irrémédiablement à sa perte, comme Manon Lescaux ou l'entraîneuse de cabaret qu'incarne Marlène Dietrich dans *L'Ange Bleu.* Cette dernière amène à complète déchéance le vieux professeur d'université rigide et momifié qui n'avait pas accordé d'attention à ses besoins sentimentaux et s'était muré dans une attitude consciente professionnelle ; elle vole en éclats quand il rencontre cette femme fascinante qu'est l'Ange Bleu. Il s'agit là du cas extrême d'un rejet conscient des valeurs féminines qui se rattrapent cruellement en possédant celui qui les refusait.

D'autres types d'anima, immortalisés par notre culture, se présentent dans la psyché masculine. La beauté idéalisée — Vénus, déesse de l'amour passion — situe la femme dans une perfection quelque peu extérieure et peut aussi faire des ravages. Dans la mythologie grecque, nous voyons que le choix qu'en fit Paris déclencha la guerre de Troie et la mort de nombreux héros grecs et troyens.

Un autre type d'anima est la femme d'action symbolisée dans le monde chrétien par Jeanne d'Arc et dans le monde grec par certains aspects de Diane chasseresse ou des Amazones. C'est la femme chez laquelle prédomine l'action, la décision, une certaine rivalité avec l'homme... Un homme qui aura eu une mère autoritaire de ce type pourra difficilement affirmer sa personnalité et risquera de tomber sous la coupe d'une femme qui « portera la culotte ».

Plus évoluées sont les figures de déesses-mères, symboles de la maturité dans toute son ampleur. La Vierge chrétienne en montre l'aspect totalement lumineux. Les figures de déesses-mères de l'antiquité étaient plus complexes ; porteuses de vie, elles étaient aussi initiatrices de la mort, comme la terre qui réengloutit ses propres fruits. Isis sauve Osiris mais elle est aussi celle qui attaque le vieux dieu du soleil Râ, en plaçant sur son chemin un serpent mortel[52]. Déesses de la vie, elles le sont aussi de la mort, comme Déméter et sa fille Perséphone, épouse du dieu des enfers. Chez les Hindous, on retrouve la même notion : la déesse Kali, mère bienfaitrice, est aussi la « terrible », qui, ivre de carnages, répand sa fureur pendant les combats.

Plus évoluée peut-être que cette figure passionnelle de la déesse-mère, on rencontre enfin la figure de Sagesse représentée par Athéna, la Sophia des gnostiques ou Pârvati, épouse du dieu Shiva... Là, la dimension féminine rentre en relation avec la dimension masculine, ce qui est l'un des aspects d'Isis, en tant qu'épouse d'Osiris[53].

On passe donc de la femme fatale, inspirant des passions dévastatrices à la sagesse la plus haute, en rencontrant les images de la beauté idéalisée, encore narcissique, de l'action et de la maternité profonde, passionnée et parfois dangereuse. Toutes ces tendances peuvent animer et à la fois fasciner une psyché masculine, la possédant au sens propre du terme. La difficulté que représente pour un homme le fait de comprendre en quoi il se comporte parfois « comme une femme » oblige à développer devant ses yeux toute une gamme de types féminins où il puisse se reconnaître. C'est ce que fait l'inconscient en mettant en scène dans les rêves ces divers aspects féminins pour permettre de les saisir. Une fonction psychique ne peut être perçue qu'au travers d'une forme, d'où la profusion d'images citées plus haut.

L'homme part donc en quête de son anima. Dans la mythologie grecque, nous en trouvons plusieurs illustrations. Prenons ici l'exemple d'Orphée :

Orphée est le poète qui ravit par ses chants les cœurs des muses et des hommes. Il a épousé Eurydice qui est une muse.

Celle-ci étant morte, le musicien tombe dans un profond désespoir. Son chagrin est si grand qu'il cesse de créer et le monde s'émeut de la perte de la musique. Les muses intercèdent auprès du dieu des enfers, pour que lui soit rendue Eurydice, son épouse. Orphée obtient ainsi le droit de descendre aux enfers et d'aller y chercher sa femme, à la seule condition que, pendant la remontée, il ne se retourne pas en arrière. Suivant les versions, Orphée obéit à cet ordre et sauve véritablement Eurydice qui le suit; dans d'autres versions, plus répandues, il ne résiste pas à l'impulsion de se retourner pour vérifier qu'elle le suit véritablement et la perd ainsi à tout jamais. Il devient alors fou, la proie des Ménades, déesses du destin.

Le mythe représente la nécessité pour un homme de retrouver sa propre composante féminine et de la faire revenir depuis « l'enfer » du monde inconscient jusqu'à la conscience. Cette montée à la conscience est une entreprise difficile. Nombreuses sont les attitudes demandées au cours d'une telle quête pour ne pas risquer de perdre en route la richesse que l'on avait entrepris de chercher. En effet, cette fonction qui va représenter une richesse pour la personnalité est profondément enclose dans l'inconscient et a tendance à y retourner ; son intégration à la conscience demande une attention soutenue.

Dans un travail psychologique, un homme doit donc faire la découverte de tendances inconscientes de sa structure psychique qui portent une coloration « féminine », fonctions de sentiment et de sensibilité, traditionnellement reconnues comme féminines. Grâce à cette dimension intérieure que nous avons appelée, avec Jung, « Anima », l'homme acquerra un état perceptif plus subtil, une meilleure connaissance de lui-même et des autres, une faculté d'amour moins conquérante, plus réceptive, une capacité d'empathie et de pénétration intuitive — toutes facultés qui élargiront et enrichiront son psychisme. Cette dimension féminine enfouie dans l'inconscient masculin s'exprime tout d'abord chez l'homme avec tous les défauts et les insuffisances propres au caractère féminin dans son aspect négatif ; affects et colères subits et immotivés, attitudes capricieuses, dépendance affective, en sont des exemples parmi d'autres. La conquête d'une dimension féminine plus évoluée est en général représentée dans les contes par les aventures d'un jeune homme inexpérimenté qui doit délivrer une princesse de légende. J'ai choisi pour illustrer cette notion de conquête de l'anima par le conscient masculin, un conte de Bohême (l'ancienne Tchécoslovaquie) : l'histoire de Néboïssa ou « Comment Néboïssa trouva une fiancée » [54].

NEBOÏSSA

« Néboïssa » est le nom de notre héros — ce qui en tchèque veut dire « n'aie pas peur ». C'est en effet sa phrase favorite, car cet enfant n'a peur de rien.

Son père se désole. Que faire, en effet, d'un tel fils? Inconscient, il court les pires dangers. Le père a bien essayé, avec l'aide du sacristain, d'utiliser toutes sortes de stratagèmes pour éveiller une peur salutaire, mais rien n'y fait et Néboïssa a obtenu de son père le droit d'aller courir le monde, pour découvrir ailleurs ce qu'il n'a pas trouvé chez lui.
Le voilà donc parti à l'aventure, insouciant, inconscient, tout gai et joyeux comme un pinson. Bientôt, il traverse une forêt sauvage et, la nuit tombant, se demande où s'abriter. Pour s'orienter, il monte dans un arbre et aperçoit, non loin, les tours d'un château.
— Voilà un bon gîte pour passer la nuit, se dit-il.
Mais quand il se présente à la poterne du château, il le trouve désert. Il traverse des salles toutes plus vides les unes que les autres pour parvenir dans une pièce où un magnifique repas est servi.
Toujours aussi insouciant, il s'apprête à se mettre à table quand une hésitation le prend: il parcourt à nouveau de fond en comble le château, espérant découvrir son propriétaire. Finalement, il aperçoit une petite porte dérobée qu'il n'avait pas vue jusque là et, l'ouvrant, pénètre dans un charmant jardin fleuri. Au centre du jardin, une pièce d'eau et, dans l'eau, il voit une jeune fille qui est enfoncée dans l'eau jusqu'au cou: on aperçoit juste son visage. Il lui dit:
— Mais que faites-vous donc là? Venez donc dîner avec moi!
Mais la jeune princesse lui explique que c'est tout à fait impossible parce qu'elle est ensorcelée. Son père, le roi des

montagnes, possédait ce château ; des dragons jaloux en ont pris possession, chassant son père et sa mère, et la retiennent prisonnière.

– Qu'à cela ne tienne ! lui dit-il, je vous délivrerai bien volontiers.

Elle lui explique alors que ce sera une tâche difficile et dangereuse et que bien d'autres sont morts dans une telle entreprise : il entrera dans la salle où est servi le repas et pourra se restaurer. À minuit, douze dragons, plus hideux les uns que les autres, pénétreront dans la salle et le salueront aimablement. Il ne faut pas qu'il leur réponde. Puis commencera un combat terrible... S'il en réchappe, il trouvera près du lit un baume enchanté préparé par sa mère, que les dragons ne peuvent pas toucher et qui le guérira de ses blessures.

Voilà donc Néboïssa installé dans la chambre et attendant tranquillement. Il n'a pas peur. Vers minuit, un fracas épouvantable ébranle les murs du château et douze monstres hideux apparaissent, des massues à la main. Ils lui adressent des paroles de bienvenue : un autre serait terrorisé, mais lui non ! Il se rappelle qu'il ne doit rien dire et, sans dire un mot, sort son épée dont il caresse la lame. Alors les monstres se précipitent sur lui et commence un combat qui dure jusqu'aux lueurs du matin. Quand le soleil se lève, les monstres disparaissent. Néboïssa, épuisé, se traîne jusqu'au lit, s'enduit de baume magique puis s'endort lourdement.

Quand il se réveille, il est frais et dispos. Il se précipite au jardin où il retrouve la jeune fille qui a émergé de l'eau jusqu'à la taille. Il la trouve plus belle que jamais ! Les jeunes gens passent la journée à deviser gaiement et, quand le soir tombe, Néboïssa repart vers un nouveau combat, déjà plus inquiet que la nuit précédente ; non qu'il ait vraiment peur, mais il désire ardemment réussir son entreprise. Le combat, cette nuit-là, est encore plus violent que la veille et bientôt son épée lui est arrachée. Néboïssa doit subir les coups de massue et les blessures sans perdre connaissance. Finalement, les dragons doivent encore une fois céder la place. De nouveau, il se traîne comme il peut sur le lit et s'enduit de baume réparateur... Quand il se réveille, frais et dispos, il se précipite au jardin et trouve sa jeune princesse qui a émergé totalement de l'eau ; seuls ses pieds sont encore rivés sous la surface de l'eau. Ils jouissent tous deux de cette troisième journée et de l'espoir qui grandit. La troisième nuit s'annonce et le cœur du jeune homme bat plus violemment que les fois précédentes ; pour rien au monde, il ne voudrait échouer. Le combat est farouche ; son épée cassée depuis le début, complètement désarmé, il parvient à garder conscience jusqu'à la fin du combat et les dragons doivent céder la place, en poussant des cris de rage car ils ont perdu leur pouvoir sur le château et ses habitants ; encore une fois, il se traîne jusqu'au lit... et quand il réveille, frais et dispos, il se précipite au jardin pour retrouver la jeune princesse enfin libre ! Les jeunes gens s'embrassent et se promettent l'un à l'autre et la jeune fille donne à Néboïssa sa ceinture où est gravé son nom, en gage de fidélité. Et les voilà partis vers le sud pour retrouver le royaume des parents de la princesse.

Car nous n'en sommes pas à la fin de leurs aventures. Les deux jeunes gens traversent une grande forêt sauvage et, au soir, ils s'égarent dans une contrée sombre et marécageuse. Nul chemin et nulle habitation en vue ! La princesse tremble de froid et de peur. Néboïssa décide de la laisser au pied d'un arbre pour chercher du secours et s'engage seul dans le dédale des arbres. Quelle n'est pas sa surprise de découvrir presque aussitôt un chemin qui le mène vers un parc soigneusement entretenu, plein de fleurs et de fruits qu'il pense ramasser ! À peine rentré dans le jardin, il entend des voix et se cache dans un buisson de peur d'être pris pour un voleur. Ce sont trois jeunes filles qui devisent gaiement et qui découvrent Néboïssa. Elles lui disent de les suivre jusqu'à la demeure de leur mère, ce qu'il fait volontiers pensant trouver là secours, gîte et nourriture pour lui et sa fiancée. Mais les trois jeunes filles sont en fait les filles de la grande sorcière Yegi-Baba et, quand celle-ci voit le jeune homme, elle déclare qu'il fera un excellent mari pour l'une de ses filles. Elle s'empare de lui et le met au cachot.

Le voilà qui dépérit de désespoir en pensant au sort de sa fiancée. Dans l'espoir de pouvoir se sauver, il promet le mariage à l'une des filles, étant assuré que cela prendra un certain temps car ces charmantes demoiselles se battent maintenant : chacune le veut pour elle !

Néboïssa se promène désespéré dans le jardin du château, cherchant une issue pour s'échapper ; mais le jardin est ensorcelé : un mur invisible l'empêche de s'éloigner. Il connaît les affres du désespoir et de la peur, pense qu'il ne reverra plus jamais sa fiancée qui a dû mourir, livrée seule aux bêtes sauvages de la forêt, et il voudrait mourir aussi. Un jour qu'il essaie encore de trouver un passage dans le mur invisible, il entend un léger bruit. Levant les yeux, il voit devant lui une vieille femme au regard étincelant.

— Je connais ta souffrance, lui dit-elle, elle aura bientôt une fin ! Les jours de Yegi-Baba sont comptés. Cueille cette herbe et mets-la dans ta botte gauche. Quand tu rentreras au château, Yegi-Baba se transformera en chat et se précipitera sur toi ; écrase-la de ta botte : elle deviendra de la boue noire et ses filles seront transformées en rochers. Tu seras libre ! Alors, tu reviendras me voir.

Néboïssa est très impressionné par cette apparition. Il retourne au château, l'herbe dans sa botte, tremblant, et tout se passe comme prévu. Il se précipite alors vers l'enceinte du château. La vieille femme l'attend et lui dit :

— Il te faut maintenant escalader cette montagne et, sur son sommet, tu trouveras un jardin dont les plantes ne donnent pas de fleurs. Dans les racines de chaque plante est un os de dragon qui l'empêche de fleurir. Il te faudra déterrer chaque os pour que chaque plante refleurisse.

Néboïssa grimpe rapidement sur la montagne et trouve le jardin. Patiemment, il déterre et nettoie chaque racine, enlevant chacun des os de dragon. Il en fait bientôt un tas et tout le jardin refleurit. Apparaît alors un monstre qui est le génie de la montagne et qui le remercie de ce qu'il vient de faire, lui disant :

— Que puis-je faire pour te remercier ?

Néboïssa lui demande des nouvelles de sa fiancée qu'il a perdue en s'aventurant inconsidérément dans le château de Yegi-Baba. Le génie de la montagne appelle aussitôt tous les animaux de la terre qui sont ses serviteurs. Ils arrivent les uns après les autres : ils ont bien vu la jeune femme qui restait seule ; ils l'ont vue chercher en vain où avait pu disparaître son fiancé et parvenir à trouver un chemin pour sortir de la forêt. Le dernier des animaux dit qu'il l'a vue au bord de la mer Noire, cherchant comment la traverser pour rejoindre le pays de son père. Aucun ne sait d'autre nouvelle d'elle.

Néboïssa désespère de nouveau quand arrive le dernier des sujets du génie de la montagne : un vieil aigle qui est en retard. Son maître lui en demande la raison sévèrement ; l'aigle lui répond qu'il a été blessé par un chasseur de l'autre côté de la mer Noire.

— Et pourtant, dit l'aigle, c'est moi qui ai ramené la princesse qu'il va épouser !
Néboïssa comprend alors que celle-ci, le croyant mort, a accepté de se marier. Il supplie l'aigle de lui faire traverser la mer Noire et de l'aider à retrouver celle qu'il aime. L'aigle est épuisé, il sait que ce sera sa dernière course, son dernier vol, mais devant le désespoir de Néboïssa, il accepte.
Les voilà donc partis ; le vol est long et laborieux. Quand ils arrivent sur la rive opposée, l'aigle s'effondre et demande à Néboïssa de l'achever, car sa mort est certaine, pour abréger ses souffrances. Néboïssa refuse d'abord, puis devant le regard suppliant de son ami l'aigle, il accepte. Celui-ci lui dit :
— Quand je serai mort, tu prendras mon cœur et tu l'ouvriras ; tu verras que ce que tu y trouveras te sera utile.
Néboïssa, la mort dans l'âme, achève son ami, ouvre sa poitrine, prend son cœur et, l'ouvrant, y découvre des pierreries et de l'or.
Le voilà dans la ville du roi de la mer Noire. Il s'installe à l'auberge et demande des nouvelles du pays. On lui dit que la princesse a été miraculeusement sauvée, qu'elle est rentrée et que son père veut la marier à un seigneur du voisinage qui est fort riche, car le royaume de la mer Noire est en grande difficulté et a besoin de redorer son blason. Le jeune homme ouvre son trésor et, donnant de nombreuses pièces d'or à l'aubergiste, il lui commande des laquais, un carrosse, un costume de cérémonie et fait dire que tous les gens qui viendront à l'auberge festoyer avec lui recevront dix ducats chacun. Le bruit court aussitôt dans la ville qu'il est arrivé un seigneur extrêmement riche, bien plus que le promis de la princesse. Et le roi se dit que c'est bien dommage !
— Si j'avais su, j'aurais marié ma fille à celui-là ! Voilà un seigneur influent ; ne nous le mettons pas à dos et invitons-le à la noce...
Il fait donc envoyer un messager pour inviter le nouveau seigneur aux fêtes du mariage. Néboïssa prend à part un de ses laquais qui, bientôt, ressort vêtu des habits d'apparat. C'est lui qui se présente au palais, comme s'il était le seigneur, et qui assiste au repas de fiançailles. Le roi place à la table d'honneur, près de lui, d'un côté le promis, de l'autre le nouveau venu qu'il couvre d'attentions, au grand dépit du promis. La princesse, elle, pâle et amaigrie, ne semble rien voir. Le repas commence et quand vient le moment du bal, le

roi propose au nouveau seigneur d'ouvrir celui-ci avec la princesse, à la grande surprise du promis et de l'assistance. Le nouveau seigneur se lève et dit :
— Je ne sais pas danser mais, si vous permettez, Majesté, je voudrais vous demander que la princesse puisse danser avec ce pauvre mendiant qui est là, à la porte du palais.
Nouvelle stupéfaction dans l'assistance... Mais la princesse se lève et accepte cette danse. Et, bien sûr, le mendiant n'est autre que Néboïssa qui a gardé précieusement l'écharpe de la princesse et qui, au cours de la danse, laisse tomber l'écharpe et disparaît.
Alors s'opère une métamorphose chez la princesse. Elle qui semblait comme morte, absente, ramasse l'écharpe, se redresse et dit d'une voix claire :
— Je n'épouserai que l'homme qui portait cette écharpe et qui vient de la laisser tomber, car c'est lui qui m'a délivrée du château ensorcelé, et personne d'autre ne sera mon époux.
Alors, dans un charivari général, on voit réapparaître Néboïssa, vêtu cette fois de l'habit de cérémonie, qui se fait reconnaître de sa fiancée et du roi, et les noces se poursuivent. Ils furent heureux et ils eurent beaucoup d'enfants et, si vous voulez les voir, ils sont certainement encore là, quelque part de l'autre côté de la mer Noire...

Ce conte apparaît comme un condensé de travail psychologique. Le héros de l'histoire est un jeune homme, dans toute la naïve confiance de sa jeunesse inexpérimentée. Il n'a pas encore fait connaissance avec les difficultés de la vie et son joyeux caractère manque de maturité. Il a donc beaucoup de choses à apprendre et c'est ce que raconte notre histoire. Néboïssa a besoin de découvrir l'envers du décor et de délivrer une fonction féminine, future composante de sa personnalité, qui est actuellement engloutie dans son inconscient. Il est à remarquer, qu'au début de l'histoire du jeune homme insouciant, on ne parle pas de sa mère. C'est son père et le sacristain qui tentent d'initier sa sensibilité, mais sans résultats. Peut-être le jeune homme n'avait-il pas de mère et, pour cette raison, il lui faut explorer et expérimenter les différents aspects de la psychologie féminine, bons et mauvais, avec leurs avantages et leurs inconvénients.

Comme dans bien des récits de ce genre, il traverse, dès le début de son voyage, « la grande forêt où le soir tombe et où ne se trouve aucune habitation humaine » ; il se perd dans l'inconscient — disons dans une région psychique de la personnalité qui est encore inconnue. Le château abandonné qui s'y trouve est l'image d'un psychisme qui n'est pas animé par des attitudes humanisées mais par des passions que leur inconscience rend primitives et dangereuses. Une figure de l'énergie inconsciente négative emprisonne, ensorcelle l'âme — la jeune fille enfouie dans l'eau matricielle. Les dragons représentent une énergie primitive, monstrueuse, la passion engloutissante, l'amour égocentrique dévorant qui interdit à une sensibilité plus évoluée de s'exprimer.

Néboïssa va devoir affronter l'instinct primitif. Ce combat, relativement actif la première nuit, devient vite passif. C'est une lutte d'endurance dans laquelle il s'agit de résister aux coups et de rester éveillé, comme lorsqu'en proie à des émotions violentes — angoisse, colère, jalousie, haine, passion —, il faut subir leurs assauts sans oublier le but final et sans se perdre dans l'inconscience. Les combats qui se déroulent de nuit rappellent l'affrontement intérieur des cauchemars, les crises d'angoisse nocturnes. Au matin, restauré par le baume magique préparé par la mère de la princesse, le jeune homme libère chaque fois mieux les valeurs affectives et sensibles qu'elle représente. La voilà bientôt dégagée de l'inconscience première.

Une autre interprétation de cette première partie du conte suggère l'idée de renaissance. L'émergence progressive de la jeune fille n'est pas sans évoquer la naissance. Si l'on imagine ce que peut ressentir le fœtus pendant l'accouchement, on voit que l'univers de tranquillité et d'insouciance de la vie intra-utérine est brisé pour un cheminement vers la vie qui s'effectue par à-coups douloureux et terrorisants — les contractions — où la mère accueillante a fait place au monstre. Entre chaque « nuit », le baume de la mère restaure les forces pour une nouvelle progression. À chaque étape, l'émergence s'affirme jusqu'à la « naissance » — renaissance pour le jeune homme qui débouche ainsi sur une vie nouvelle.

Après cette première étape, doivent survenir de nouvelles épreuves. La libération n'est pas complète : une fonction libérée une première fois peut être perdue à nouveau. Néboïssa, encore naïf et inconscient du danger, se trouve confronté maintenant à l'image de la mère engloutissante — la sorcière Yegi-Baba et ses trois filles. De nouveau plongé dans l'inconscient — la forêt marécageuse —, il découvre ce qu'on pourrait appeler un fantasme : un très beau jardin où de charmantes jeunes filles se promènent. Tout cela a l'air innocent et magnifique car il n'a pas encore acquis la lucidité nécessaire et la connaissance des êtres et il attribue, dans sa naïveté, la bonté à la beauté. Il « prend ses désirs pour des réalités » et tombe dans un état régressif : fait prisonnier d'une sorte d'image infantile de la vie, il commence à découvrir l'angoisse et la peur, avec la conscience de ce qu'il a perdu la princesse, élément essentiel de lui-même qu'il doit retrouver.

La figure féminine qui vient à son secours, à la ressemblance des fées marraines de certains contes, est un avatar de la déesse-mère, qui est maîtresse même du destin de Yegi-Baba. Cette femme aux yeux étincelants est l'image de la sagesse qui lui dit ce qu'il devra faire pour se débarrasser du fantasme de la possession par l'image maternelle négative, pour poursuivre son chemin et reconquérir ce qu'il a perdu. On entrevoit une première fois un aspect positif de la personnalité et sa mise en place dans un équilibre harmonieux. Cette perception est nécessaire, il fallait au moins l'entrevoir une fois pour pouvoir ensuite se mettre en quête... quête laborieuse qui passe par la décantation et le nettoyage des racines : « déterrer les os du dragon ». Le dragon est l'une des symboliques de la mère engloutissante ou du besoin régressif infantile, attachement à l'enfance qui entrave le cheminement. Ce n'est qu'après le nettoyage de chaque racine que les plantes du jardin peuvent refleurir — chaque fleur représentant une fonction psychologique qui, nettoyée, peut s'épanouir.

Quand toutes les fonctions sont épanouies et que le jardin est mis en ordre, le génie du jardin apparaît et le remercie pour ce qu'il a fait — on pourrait dire ainsi « aide-toi, le ciel t'aidera ». C'est parce qu'il a vraiment accompli le travail de nettoyage qu'il reçoit maintenant une aide du ciel, une aide des instincts qui sont cette fois-ci les instincts dans leur aspect positif : tous les animaux du monde viennent lui donner des connaissances et le renseigner sur ce qu'il cherche. Le dernier, celui qui va finir le chemin, est l'aigle, représenté ici comme un animal secourable, bénéfique, l'animal de la lucidité — lucidité de l'esprit. Néboïssa est en train d'acquérir la connaissance de la vie, la lucidité, la connaissance du bien et du mal et de structurer ses conduites en conséquence. L'aigle est donc une fonction du héros lui-même et son immolation, à la fin du conte, sera l'acte qui confère la richesse intérieure. S'il vivait simplement l'aspect unilatéralement « aigle », il risquerait de tomber dans le piège de l'excès de domination. La partie « aigle », symbole de domination, est sacrifiée et il en conserve le « cœur » contenant la richesse, l'or et les pierreries, symboles alchimiques de l'être parvenu à la perfection de la maturité. Cette richesse constitue l'énergie nécessaire pour ouvrir les bonnes portes, faire les actions justes et se placer au niveau qu'il a atteint, pour prétendre enfin véritablement aux épousailles, c'est-à-dire aux retrouvailles avec la princesse.

C'est bien de richesse intérieure qu'il est question et non d'un trésor uniquement matériel ; c'est la raison pour laquelle Néboïssa se présente sous l'aspect d'un mendiant. Si le père de la princesse est ébloui par l'or et l'apparat, la princesse, elle, y est indifférente ; ce qui la réveille, c'est la vue de l'écharpe ; elle va vers celui qui possède le lien, le symbole de l'union, celui qui l'a libérée des enchantements. Viennent alors les noces, retrouvailles fondamentales du masculin et du féminin, toujours symbolisées dans les contes par la formule consacrée « ils furent heureux et ils eurent beaucoup d'enfants » : l'union des contraires est devenue féconde.

ANIMUS

Il nous faut maintenant étudier ce que représente « l'Animus » dans la psyché féminine. Nous retrouvons tout d'abord la figure du père ; mais si l'homme a volontiers au fond de lui-même une image de femme mythique, idéale, univoque, il apparaît que, chez la femme, l'image masculine peut être plus diversifiée ou multiple. L'Anima, la femme, est toujours un peu la mère, le refuge unique qui renvoie aux origines alors que l'Animus, l'homme, recouvre différentes manifestations de la virilité qui se projettent dans l'avenir. En effet, si l'homme vit l'image féminine comme un retour à son origine, la femme vit l'installation de cette figure masculine comme un but à atteindre en se détachant de l'origine — la mère. C'est ce qui explique sans doute la diversité des figures masculines intérieures, qui ont été incarnées dans l'enfance d'une femme non seulement par le père, mais aussi par les frères, les cousins, les professeurs, les prêtres, les médecins, les hommes célèbres, etc. Ainsi se dessinent différents types masculins, comme chez l'homme : l'homme primitif représentant l'épanouissement instinctuel — le « Tarzan », le sportif —, le séducteur — « Don Juan » —, l'homme politique ou le professeur, le médecin ou l'avocat, représentatifs du niveau de développement intellectuel et de l'adaptation sociale ; enfin vient l'homme figurant le développement spirituel — le prêtre, le sage...

Un récit grec illustre bien la quête de l'Animus par la femme : il s'agit de l'histoire de Psyché. Ce récit a aussi été étudié d'un point de vue différent comme la représentation de l'évolution d'une Anima masculine[55]. Nous verrons ici en quoi ce récit peut concerner une femme, à la découverte de l'amour et du partenaire amoureux.

> *La beauté de Psyché, femme mortelle, ayant détourné les hommes du culte de Vénus, celle-ci charge son fils Éros de la venger en inspirant à Psyché de l'amour pour un être monstrueux. Mais Éros tombe amoureux de Psyché et l'épouse, à l'insu de sa mère. Psyché rencontre Éros dans des circonstances particulières ; enlevée par lui, elle l'épouse sans savoir qui il est. Son époux la rencontre la nuit et lui interdit de chercher à voir son visage. Ses sœurs, venues la voir, lui suggèrent que son mari ne peut être qu'un monstre dangereux, ce qui détermine Psyché — Éros étant endormi — à s'approcher de lui munie d'une lampe et d'un poignard ; elle découvre ainsi la beauté et l'identité de son époux. Mais une goutte d'huile chaude tombe de la lampe et réveille Éros qui, voyant son secret découvert, disparaît.*
> *Désespérée, Psyché part en quête d'Éros et aboutit chez Vénus elle-même qui la charge de tâches irréalisables qu'elle parvient à accomplir avec l'aide des fourmis, d'un roseau et de la tour d'où elle voulait se jeter. Éros ayant supplié Jupiter, son mariage avec Psyché est reconnu et celle-ci est élevée au rang d'immortelle.*

Cette aventure de Psyché reparaît dans de nombreux contes du type « La Belle et la Bête ». S'ils peuvent représenter la quête de l'Anima par l'homme enfermé dans son état bestial, par manque d'âme, ils ont du point de vue féminin une signification de découverte de l'amour qui est aussi découverte de la sexualité et de l'instinct. Le monde de l'enfance et de l'adolescence est clos par l'irruption d'une force qui se présente sous une forme ambivalente, monstrueuse et attirante à la fois. Confrontée à l'amour, la femme vit à la fois le bonheur intérieur et la découverte redoutable d'une force bestiale qui l'emporte et la soumet à autre chose qu'elle-même ; c'est l'amour qu'elle porte à la « Bête » qui rend à celle-ci sa forme humaine. Les sœurs de Psyché, jalouses, comme Vénus qui lui destinait un monstre pour époux, dépeignent l'amour sous son aspect monstrueux. Psyché en découvre la beauté, la « Belle » découvre l'amour qu'elle porte à la « Bête ». Bien des femmes ne résolvent pas l'ambivalence entre le désir amoureux sentimentalisé et la peur de l'invasion par leurs propres forces sexuelles, et ne parviennent pas à redonner à la « Bête » sa forme humaine ou à retrouver « Éros » après la quête difficile qui affermit l'amour. De ce point de vue, c'est l'intégration de la sexualité qui est ici en cause. L'instinct ressenti comme bestial ou inconnu, porteur de mystère et de violence, doit être reconnu, aimé et recherché, pour être intégré à la conscience, cette intégration amenant une métamorphose.

Dans d'autres types de récits, une jeune fille doit délivrer ses frères de la malédiction qui les a transformés en animaux — cygnes ou corbeaux. Certaines versions se trouvent dans les contes de Grimm ou d'Andersen. J'ai choisi une version hongroise[56] :

LES SEPT CORBEAUX

Une reine avait sept fils et une fille. Un jour où elle devait s'absenter, elle confia la jeune fille à la garde de ses fils en leur demandant de bien la soigner. Or, pendant son absence, les garçons se disputèrent sur la façon de faire et, se querellant ainsi, ne s'occupèrent pas du tout de la jeune princesse qui se mit à dépérir.

La reine, à son retour, fut fort fâchée de l'attitude de ses enfants et s'écria :

— Ah ! Si j'avais su, je n'aurais pas laissé ma fille à votre garde ! Vous êtes vraiment tout à fait incapables et je préférerais que vous soyez transformés en corbeaux plutôt que d'être là auprès de moi !

Bien mal lui en prit car, aussitôt, les sept garçons, transformés en corbeaux, s'envolèrent par la fenêtre. La reine ne se consolait pas de ce désastre, ainsi que sa jeune fille qui décida de partir à la recherche de ses frères.

La voilà donc partie pour un long voyage. Elle ne sait pas bien

où aller et marche droit devant elle. Elle a emporté un panier avec des galettes. Traversant une grande forêt, elle voit venir vers elle un loup qui lui dit :
– Je suis affamé !
La jeune fille lui donne une galette à manger. Le loup la remercie de sa bonté et lui donne un sifflet d'argent en lui disant :
– Quand tu auras besoin de moi, tu n'auras qu'à siffler et penser à moi et je serai là pour t'aider.
Elle continue son chemin et rencontre un renard blessé qui lui dit :
– Voilà sept années que je ne peux me retourner ; voudrais-tu me changer de côté ?
Elle le soigne et le change de côté. Il lui donne un poil de sa patte et lui dit :
– Toutes les fois que tu auras besoin de moi, tu pourras m'appeler en soufflant sur ce poil et je serai là pour t'aider.
Elle continue son chemin et rencontre un oiseau qui lui demande à manger. Elle lui donne une galette. L'oiseau la remercie et lui dit :
– Quand tu arriveras au bord de la Mer Rouge, tu verras un pommier et tu verras tomber une pomme rouge ; tu la prendras, la mangeras et jetteras le trognon et les pépins à la mer.
Elle continue son chemin, accompagnée de l'oiseau qui volette auprès d'elle, et arrive au bord du Danube. Se demandant comment traverser, elle pense au loup, tire le sifflet d'argent de sa poche et celui-ci apparaît et, avec lui, des milliers de loups qui s'installent tout le long de l'eau et lui font une vraie passerelle vivante.
Elle traverse le Danube, continue son chemin et arrive au bord de la mer Noire. Là, elle se demande de nouveau comment traverser. Elle pense au renard, sort le poil et le voilà qui arrive, qui s'installe au bord de l'eau et fait de sa queue une passerelle, lui permettant de passer de l'autre côté.
Elle continue son chemin et arrive au bord de la Mer Rouge. Elle voit le pommier, ramasse la pomme, la mange et quand elle lance le trognon et les pépins à la mer, elle voit apparaître un vaisseau avec des serviteurs pour ramer.
Ceux-ci l'amènent sur l'autre rive, au pied d'une montagne. L'oiseau dit :
– Je ne peux pas t'accompagner plus loin car ici finit mon

pouvoir. Nous sommes au pays du maître des corbeaux. Mais il y a là un cygne qui peut t'amener jusqu'à la cabane que tu vois là-haut où vivent tes frères.
Alors elle appelle le cygne qui la conduit jusqu'à la cabane et là, ses frères étant absents, elle se cache après avoir posé une galette dans chaque assiette. Quand les frères rentrent, ils s'aperçoivent tout de suite que quelqu'un est venu dans la maison et, cherchant partout, ils finissent par découvrir leur sœur derrière un meuble. Ils lui disent :
— Malheureuse, que fais-tu là ? Si le maître des corbeaux arrive, il va te tuer !
Elle leur dit qu'elle est venu pour les délivrer et les ramener au château. Ils lui répondent que c'est tout à fait impossible. Elle insiste tellement qu'ils finissent par lui dire qu'elle peut les délivrer, à condition de rester muette pendant sept ans, sept heures et sept minutes. Alors la jeune fille accepte d'accomplir ce vœu et de rester silencieuse pendant sept ans pour délivrer ses frères.
La voilà repartie. Elle s'installe dans une forêt, se fabrique une cabane et rentre dans sa période de silence. Et voilà que le roi du pays est à la chasse et qu'un de ses chiens favoris s'écarte de la meute et s'en va dans un bosquet. Le roi découvre la cabane et, dedans, une très belle jeune fille. S'adressant à elle, il lui demande qui elle est et pourquoi elle est là ; la jeune fille ne répond pas. La trouvant fort belle, le roi l'amène au château et décide de l'épouser ; il se fait à l'idée qu'il a épousé une femme muette.
Au bout d'un an, la jeune reine mit au monde un enfant. Or, elle avait une femme de chambre violemment jalouse qui avait décidé de lui nuire. À la naissance, celle-ci prit l'enfant et, ayant barbouillé de sang son oreiller, alla dire au roi que sa femme avait tué son enfant. Puis elle porta en secret l'enfant volé au bord de l'eau, pensant l'abandonner ainsi aux bêtes sauvages.
Les sept corbeaux qui étaient là prirent l'enfant et le confièrent à un meunier qui l'éleva. Devant le crime que l'on reproche à sa jeune femme muette, le roi ne peut accepter l'idée de sa culpabilité et ses conseillers eux-mêmes lui suggèrent d'attendre.
L'année suivante, la jeune reine ayant accouché de nouveau, le manège se répète et le roi, encore une fois, refuse d'accuser sa femme dont la beauté et la douceur lui paraissent sans

reproche. Sept années passent ainsi ; chaque année, la jeune femme met au monde un enfant qui est ravi par la chambrière jalouse et sauvé par les frères corbeaux.
Cependant, au cours de ces sept ans, la confiance du roi est peu à peu ébranlée et quand la chambrière fait disparaître le septième enfant en accusant une fois de plus la jeune reine, le roi ne peut plus se défendre de suspecter son épouse et le conseil la condamne à être brûlée comme sorcière. On construit un bûcher dans la cour du palais et vient l'instant où la reine, toujours muette, doit y monter pour être brûlée. Mais, à cet instant précis, les sept années, sept heures et sept minutes se sont écoulées : on voit poindre à l'horizon sept points noirs ; ce sont les sept corbeaux qui atterrissent dans la cour du palais, retrouvent leur forme humaine et peuvent raconter au roi leur aventure. La reine, délivrée de son silence, peut enfin parler à son époux et leurs enfants élevés par le meunier leur sont rendus. Et comme le bûcher était prêt, on y fit brûler la chambrière qui l'avait bien mérité...

Dans bien des contes de libération de l'Animus, on a tout d'abord affaire à des figures masculines qui se sont transformées en animaux, comme dans « La Belle et la Bête », « Les douze cygnes », ou « Le Prince Grenouille »... Dans de très nombreux cas aussi, c'est une attitude passive qui est demandée à la femme — une durée d'attente dans le silence —, alors que dans les récits de quête masculine l'action est plus prédominante. Ici, on insiste sur la durée, la résistance passive, la ténacité dans l'adversité.

Au départ, nous trouvons un royaume qui ne semble pas avoir de roi. Bien qu'il n'y ait pas de fonction dominante masculine, créatrice d'ordre, la part masculine est largement représentée par les sept garçons ; l'Animus est figuré par des tendances nombreuses qui ne parviennent pas à une action concertée valable : les sept garçons se disputent et laissent leur petite sœur, symbole de l'âme, dépérir. De plus, la personnalité consciente — la reine — semble manquer de maîtrise de soi ; on comprend son mécontentement devant l'inefficacité de ses garçons, mais la façon dont s'exprime sa désapprobation — en explosion de paroles — est à l'image même de la dispute des jeunes garçons. Il s'agit bien d'une description des tendances immatures d'une femme qui parle à tort et à travers, affirmant péremptoirement des prises de position tout aussi contradictoires les unes que les autres et négligeant sa sensibilité et sa féminité. Les vindictes et les commérages féminins dans ce qu'ils ont de négatif sont fort bien décrits avec ce personnage de la reine-mère qui parle sans réfléchir. Ainsi certaines personnes prétendent dire ce qu'elles pensent « et en avoir le droit puisque c'est la vérité ». Que cette vérité soit blessante et qu'un tel discours risque d'avoir des conséquences ne leur semble pas essentiel ; il s'agit avant tout de soulager sa bile...

C'est donc l'action intempestive de la mère que la fille va devoir racheter par une longue épreuve. Au début, tout semble bien commencer. La jeune fille ayant entrepris son voyage, avec un panier de galettes, rencontre des animaux secourables ou, plus précisément, des animaux qui le deviennent parce qu'elle est elle-même secourable pour eux.

Le loup, symbole de voracité, de sauvagerie et de force mal contenue, est ici mal nourri, affamé ; la jeune fille doit le nourrir. Elle aura besoin pour cette longue traversée de la force qu'il représente car le loup porte aussi une symbolique positive. Les instincts primitifs devenus bénéfiques nourrissent le futur héros : qu'on se rappelle la louve qui nourrit Romulus et Remus et, plus près de nous, les récits de Kipling où l'enfant — Mowgli, la petite grenouille — est nourri par la mère louve et admis dans le clan. Les études de Lorenz[57] ont montré le sens social admirable du loup et il faut bien dire que l'homme a projeté sur le loup sa propre férocité en en faisant un symbole destructeur — « l'homme est un loup pour l'homme ». Le loup que la jeune fille aide et nourrit avec simplicité devient un animal secourable qui l'aidera à franchir le premier obstacle. Une maturation de l'agressivité primaire s'est produite et elle est devenue action efficace.

Le renard, habituellement symbole assez négatif de ruse ou d'intelligence utilitaire, apparaît ici comme secourable lui aussi. Dans cette histoire, il se plaint assez curieusement d'être resté sept ans sur le même côté. Il représente sans doute l'aspect unilatéral de l'intelligence qui désire s'adjoindre une façon différente de voir les choses — « être sur l'autre côté ». Ayant soumis et apprivoisé la force du loup, symbole d'action, et l'unilatéralité du renard, symbole de réflexion, la jeune fille va rencontrer l'oiseau, symbole de l'esprit, dans sa faculté intuitive et prévisionnelle. L'oiseau comme un guide l'accompagne et la conseille.

Les aspects d'évolution et de maturation sexuelle se présentent en arrière-plan de l'histoire : l'armée des loups ne la met pas en danger, le renard lui fait traverser le fleuve avec sa queue qui a grandi démesurément, l'oiseau lui conseille de croquer la pomme... La mer Noire, présente dans les contes de cette région, fait souvent figure de lieu de passage vers l'inconscient, vers l'au-delà. C'est après avoir traversé la mer Noire que le héros des « trois cheveux d'or » pénètre dans le monde mystérieux. Ici, il y a trois étapes à franchir : un fleuve, la mer Noire, la mer Rouge. Si le Danube et la mer Noire ont une réalité géographique, la Mer Rouge renvoie au monde de l'inconscient ou au motif du passage de la Mer Rouge par Moïse pour trouver la terre promise. Peut-être faut-il chercher les significations de ces trois passages dans la symbolique alchimique. Le fleuve est encore de cette terre mais, au-delà, se trouvent les couleurs du travail alchimique : travail au noir — Nigredo, passage dans l'ombre et exploration de l'inconscient —, liqueur rouge — apparition de l'amour ou de sa promesse.

Pourtant le cheminement n'est pas terminé : il faut encore ramener à l'état humain les sept frères corbeaux, intégrer à la conscience les fonctions entrevues de l'Animus qu'un discours et une irritation intempestifs ont relégué dans l'inconscient sous la forme d'un oiseau. L'oiseau, fonction intellectuelle ou spirituelle, est aussi porteur d'une signification néfaste, mortelle : le corbeau, animal de mauvais présage, oiseau des sorcières symbolisant aussi la Nigredo alchimique.

Vient alors le long temps du silence. Que le précédent cheminement ait assuré la mise en place harmonieuse de la sexualité et des fonctions affectives et sentimentales, c'est ce que confirme l'union heureuse avec le roi, bénie chaque année par une naissance ; mais la jeune femme doit pourtant se taire pour amener à maturation une partie plus intime d'elle-même, les sept corbeaux qui représenteront sa créativité personnelle.

Ce développement profond passe néanmoins par une épreuve singulière. La jeune femme doit supporter en silence pendant sept ans les manigances de la chambrière. Les enfants qu'elle met au monde lui sont enlevés les uns après les autres et elle est même accusée de les avoir tués. Le motif se répète assez souvent dans les contes : nous avons vu la mère des jumeaux aux cheveux d'or accusée d'avoir mis au monde des chiots, ses propres enfants lui ayant été retirés et tués. Dans les récits d'Andersen et de Grimm présentant des « frères oiseaux », ce thème est absent[58]. Ici, la femme de chambre jalouse expose les enfants aux bêtes sauvages ou aux éléments, comme l'ont été Œdipe ou Moïse. Pourquoi tant d'infanticides dans les traditions mythiques comme dans le folklore ? — infanticides qui bien souvent échouent puisque les enfants ainsi exposés sont finalement sauvés.

Plusieurs niveaux d'interprétation se proposent. La mort des enfants peut refléter en tout premier lieu un fait courant dans les sociétés antiques : la grande fréquence de la mortalité infantile qui est encore bien d'actualité dans le tiers monde. L'enfant, promesse de vie, est l'être le plus exposé et le plus fragile qui soit, à sa naissance et dans ses premières années. Naître, c'est être exposé à la mort ! Les époques passées ne connaissaient pas la moderne maternité triomphante ; les jeunes mères risquaient dans cette aventure leur vie et celle de leurs enfants ; les maternités se succédaient l'une à l'autre, peu d'enfants survivaient. La « chambrière » est alors un aspect de la grande mère Nature qui a de tout temps fait payer un lourd tribut à la femme, en échange de sa fécondité. Devant cette loi inexorable, on ne pouvait que se taire.

Le silence imposé peut aussi évoquer le droit limité à la parole dont disposaient les jeunes femmes, soumises à cette époque à l'autorité des belles-mères et des femmes d'âge.

À un autre degré, la chambrière représente aussi la déesse-mère jalouse de la féminité accomplie d'une mortelle, comme Vénus jalouse de Psyché. Psychologiquement, nous retrouvons la jalousie meurtrière qui peut animer certaines femmes contre leurs rivales. C'est hélas bien souvent la femme qui fait le plus de mal à la femme, à travers les mères-marâtres, les sœurs jalouses, les servantes cupides. On retrouve cette agression dans le roman de Tahar Ben Jelloun, « La nuit sacrée », où des sœurs vengeresses mutilent, en prison, l'héroïne que son père avait autrefois voulu faire passer pour un homme[59].

Ceci nous ramène à notre sujet : le développement et l'intégration des fonctions masculines de la femme. Les frères corbeaux ou les enfants enlevés représentent moins les enfants de chair que des qualités créatrices, spirituelles. Les oiseaux sont en effet une bonne représentation des idées ou des pensées qui occupent l'esprit, leur caractère « volatil » l'atteste. Ces pensées, néfastes ou immatures, traduites en paroles par la reine-mère sont caractérisées par l'image du corbeau. Dans l'évolution de la jeune femme, elles réapparaissent sous une forme humanisée à chaque naissance ; mais leur humanisation est sans doute incomplète, ce qui rend nécessaire un temps de maturation au cours duquel les enfants sont enlevés. Il faudra attendre sept maturations successives, sept étapes de développement, pour que toutes les fonctions soient rendues — complètement humanisées cette fois.

La fréquence du chiffre sept est une caractéristique du conte ; non seulement il y a sept frères, mais le renard est resté sept ans sur un côté et la jeune femme doit se taire sept ans, sept heures et sept minutes... Elle met au monde sept enfants, répliques rénovées des sept frères. Le chiffre sept, dans toutes les traditions, est considéré comme un chiffre parfait ; nombre premier, il représente soit l'union du quatre (symbole de la matière) et du trois (symbole de l'esprit), soit l'hexagramme ou sceau de Salomon (le six avec le centre comme septième). Représentant la totalité de l'univers en mouvement, il est aussi considéré comme le chiffre de la perfection et du changement après un cycle accompli, chiffre du renouvellement positif.

Il vient donc ici attester qu'il s'agit du développement profond d'une personnalité qui s'enrichit de toutes ses fonctions.

Nous avons vu, dans l'étude de la stagnation hivernale, un conte mettant en scène un Animus figé — les trois jeunes hommes pétrifiés et la jeune fille silencieuse. La situation était, pourrait-on dire, inverse car on avait affaire à une psyché féminine pétrifiée par l'inhibition : il fallait parler ! Ici, la psyché féminine, bien fournie en énergies viriles, semble en user à tort et à travers : il faut se taire ! On voit que le langage des contes, comme le langage onirique, est souvent contradictoire, ce qui est représentatif de la dialectique même du conscient et de l'inconscient qui cherche à réaliser un équilibre mouvant.

Le printemps nous a ainsi montré l'éclosion du germe nouveau au cours des tensions contraires ; ce mouvement va se poursuivre jusqu'à la maturation du fruit et nous verrons, avec la quatrième saison, l'achèvement du cycle, la conjonction des contraires et l'affirmation de la récolte.

L'ÉTÉ

Au champ de blé livré à la mort
Les faucilles coupent les épis.
...
Quelles pensées mystérieuses
Émeuvent les épis ?
Quel rythme de rêveuse tristesse
Les fait frémir ?...
...
Leur esprit unanime
Conserve
Un profond secret qu'ils méditent.
Ils extraient de la terre son or vif.
...

Federico Garcia Lorca
Épis

LA SAISON

En suivant le fil de la symbolique des saisons, nous avons atteint la quatrième et dernière phase du processus de guérison psychologique, la moisson de l'été portant son fruit symbolique : la guérison.

Voici venir l'été et son cortège de couleurs, de bruits, d'odeurs, de saveurs : les champs de blé dorent sous un ciel implacable, on entend les alouettes crier en montant vers le soleil, le violet des champs de lavande éclate dans les montagnes provençales, les arbres se chargent de fruits lourds et juteux, les insectes grésillent, toutes les couleurs de l'arc-en-ciel chatoient sur les places des marchés... A certaines heures, l'espace et le temps semblent s'immobiliser, dans la brume qui monte de la terre. Tout ce qui était en germe s'épanouit, se dilate, explose...

L'été, temps des moissons, des fruits et des récoltes coïncide avec l'apogée de la lumière, puisque nous sommes au solstice d'été. A ce maximum d'éclairement s'ajoute l'intensité maximale de la température qui donne d'ailleurs l'illusion que l'été est plus lumineux que le printemps, alors que dès l'entrée dans la saison — au moment du solstice, vers le 21 juin — les jours recommencent à diminuer. Il n'en reste pas moins que l'été représente l'accomplissement : exaltation de la lumière, exaltation de la chaleur, préparant la redescente automnale. Cet état n'est pas sans évoquer un hexagramme du Yi-King — le livre chinois des transformations —, le numéro 55, « Fong », traduit par « l'abondance, la plénitude ». Composé des deux trigrammes Tchen — le tonnerre — et Li — la flamme —, cet hexagramme exprime l'apogée du mouvement et de la lumière, la plénitude, la culmination du soleil au zénith, état tout à fait comparable à la saison estivale. Cependant, il est dit au sage « ne sois pas triste, tu dois être comme le soleil à midi », ce qui signifie qu'après le succès et l'apogée, il faut aussi accepter le déclin. La vie — et à sa suite tout processus vital — est toujours cyclique : il n'y a pas d'arrêt dans le développement ; quand on a atteint un point culminant comme la moisson, le cycle futur et le déclin qui l'amorce se font déjà sentir. Ainsi, la période d'accomplissement que représente la moisson présage déjà d'un futur développement.

Une autre particularité de la saison est d'ordre temporel : la moisson n'attend pas. Nous avons vu que l'automne représentait le temps des recommencements après l'engrangement des précédentes récoltes ; ces recommencements sont vécus comme une rupture par rapport au précédent cycle, temps des remises en cause, du courage, de la souffrance parfois. Le temps de l'hiver représente une phase d'attente et de stagnation où les racines se frayent un chemin sous terre et préparent la germination ; il est un temps qui dure, temps de l'attente et de la patience où il faut subir la stagnation et la lenteur des processus. Le temps du printemps est un temps contrasté qui demande parfois un surcroît de patience, parfois une action rapide — à l'image du médecin qui aide à la naissance. C'est le temps de la disponibilité. Le temps de l'été, lui, ne connaît pas l'attente : quand le fruit est mûr, il faut le cueillir aussitôt, de peur que la phase de maturation ne soit dépassée et le fruit perdu. Après le développement linéaire de la végétation, apparaissent des phénomènes chimiques provoquant la maturation du fruit, par l'apparition des sucres. Il s'agit d'une véritable transformation des éléments végétaux qui commande impérativement la récolte.

C'est ainsi que le déroulement temporel est vécu très différemment selon que l'on est dans une phase de germination et d'attente ou dans une phase de maturation. La joie de la moisson est issue d'un travail final parfois pénible. Les outils des moissons ou des vendanges évoquent d'ailleurs l'ambivalence du processus : la faux du moissonneur, le sécateur du vendangeur... Le grain ira vers la meule, le raisin au pressoir. Ultimes transformations ? même pas... De la farine ou du jus ainsi obtenus on fera, après fermentation ou cuisson, du pain, du vin, aliments de base de l'espèce humaine. Images de vie, ce sont aussi des images de mort, puisque la faux du moissonneur est celle qui arme la mort dans l'iconographie du

Moyen Âge, puisque la grappe écrasée, laissant échapper son sang, évoque d'autres vendanges, celles des massacres guerriers ou des visions apocalyptiques. Pourtant, les récoltes sont un moment joyeux, convivial où les fêtes ne manquent pas. Ainsi, le geste du coupeur de paille ou de raisin est un geste heureux ; le travail du meunier ou du vigneron est bénéfique. C'est qu'il faut distinguer la mort-transformation, omniprésente, de la mort-destruction porteuse d'angoisse. C'est à cette mort-transformation que font allusion des adages comme « Rien ne se perd, rien ne se crée, tout se transforme » ou la célèbre phrase de Bichat « La vie, c'est la mort ».

La mort-destruction existe-t-elle ? Au terme de cette étude, il nous semble que non. Mais dans ses premiers pas, la « mort » nous apparaît d'abord comme une destruction et engendre l'angoisse profonde dont nous avons parlé en traitant de l'automne et de l'hiver. Ce n'est que peu à peu qu'apparaissent à la conscience les germes que pouvait véhiculer cette « destruction » apparente, germes fragiles du printemps qui s'affirment dans la maturation de l'été. Cet éternel mouvement est une pierre d'achoppement pour l'esprit désireux d'absolu et d'immobilité. Le point culminant du solstice prépare déjà une redescente : la roue tourne toujours, s'arrêtera-t-elle jamais ? Pas sur cette terre semble-t-il ! Il faut maintenant célébrer la joie des moissons avant la descente prochaine de la lumière. Les Chinois, plus que d'autres peut-être, ont particulièrement bien compris cet éternel devenir, ce mouvement permanent balançant entre les deux pôles de la construction et de la destruction, ce métabolisme vital qu'est le Tao entre ciel et terre. La biologie nous y ramène constamment, ainsi que le déroulement temporel qui nous rappelle l'éternelle loi d'alternance. Mais l'été reste, dans sa plénitude, le moment de la récapitulation des mouvements précédents : le fruit porte en lui tous les signes des saisons qui l'ont amené à maturation. Ainsi, chaque année donne un fruit particulier qui la caractérise ; la quantité et la qualité des cueillettes, des moissons, des vendanges sont des signes que le connaisseur sait reconnaître — comme par exemple l'année d'un vin particulier. Psychologiquement aussi, le moment de la récolte est essentiel ; elle n'est sans doute jamais définitive et l'individu sera de nouveau remanié — « ne sois pas triste, tu es comme le soleil à midi ». Mais la prise de conscience de ce moment de moisson est essentielle : c'est elle qui accomplit véritablement le labeur des mois antérieurs. Il y a là un changement d'état comparable à celui qui permet de dire que les fruits ou le grain sont mûrs.

Je comparais l'automne et le principe d'analyse auquel il renvoie au démantèlement de la personnalité, à la prise de conscience d'une dissociation intérieure, évoquant l'image d'un puzzle qu'on aurait secoué et qu'il faudrait patiemment reconstituer : c'est l'habituel travail analytique ; mais un événement supplémentaire est nécessaire pour constituer une nouvelle substance psychique. Le rêve suivant l'illustre fort bien :

> « *La rêveuse voyait une image et cette image était un puzzle reconstitué, représentant une jeune fille accompagnée d'un cheval* — une personnalité féminine rénovée à laquelle s'est jointe la dimension énergétique représentée par le cheval. *De plus, la rêveuse voyait que, dans sa partie supérieure, les morceaux du puzzle s'étaient fondus les uns aux autres, le découpage avait disparu ; l'image était reconstituée totalement, au moins dans sa partie supérieure.* »

Cette notion supplémentaire de changement d'état est importante : on n'a pas simplement recollé les morceaux ; ce qu'on appellerait en alchimie une transmutation s'est opéré, le découpage a disparu et la fusion a rendu l'image intacte. Dans ce cas particulier, la fusion est en cours puisque seul le haut de l'image est totalement reconstitué. La fusion, perçue intellectuellement et affectivement — tête et poitrine — n'a pas encore atteint la totalité.

LA QUATERNITÉ

L'étude des quatre stades de l'évolution saisonnière fait ressortir la notion de quaternité significative de solidité et d'incarnation. De nombreuses quaternités expriment ainsi l'idée de matérialisation et d'équilibration polaire. Que l'on songe aux quatre points cardinaux — Nord, Sud, Est, Ouest —, aux quatre saisons, aux quatre éléments — Feu, Terre, Air, Eau. Si les Chinois décrivent cinq éléments, en adjoignant le métal aux quatre précédemment décrits[60], c'est que le cinquième élément parcourt les quatre autres, comme la quintessence alchimique. Aux quatre éléments correspondent aussi les quatre tempéraments hypocratiques : le Nerveux — correspondant à l'élément Terre —, le Bilieux au Feu, le

Sanguin à l'Air et le Lymphatique à l'Eau. Dans le domaine de la symbolique religieuse propre au monde chrétien, citons les quatre évangélistes accompagnant le Christ, figure de la quintessence, ou la quaternité particulière représentée par la trinité augmentée de la figure féminine de la Vierge Marie. L'apparition de symboles quaternaires est synonyme d'incarnation, d'implantation, dans la matière : le trois, symbole de l'Esprit, s'adjoint un élément qui, le faisant passer au quatre, installe l'Esprit dans la création ; psychologiquement, cela signifie le passage de l'inconscient dans le conscient. Les connaissances inconscientes sont globales et jamais totalement saisissables ; à leur passage dans le conscient, elles subissent un découpage permettant à l'intelligence de les saisir, mais limitant aussi la globalité de la connaissance inconsciente, car ce qui se gagne en compréhension précise se perd en perception globale. La compréhension consciente étrique le champ de perception inconscient, à l'image du rayon lumineux d'une lampe électrique dans une chambre faiblement éclairée. Le symbole, lui, exprime la perception inconsciente dans ce qu'elle a d'inépuisable, de signification toujours nouvelle. Cette opposition entre la connaissance du conscient et la connaissance de l'inconscient peut être représentée par la quadrature du cercle. Le cercle, symbole de l'inconscient, caractérisé par un chiffre irrationnel — 3,14116... — ne peut de ce fait être divisé en parties égales. C'est pourtant ce qu'on tente de faire avec la quadrature : inscrire un cercle dans un carré ou un carré dans un cercle relève d'une certaine approximation qu'il sera toujours possible d'affiner, sans pourtant espérer atteindre jamais l'égalité parfaite. Le jeu du conscient et de l'inconscient est semblable à cette quadrature du cercle toujours recommencée. Des contenus de l'inconscient passent dans le conscient et perdent en largeur ce qu'ils gagnent en clarté. La compréhension consciente de ces contenus anime, énergétise le conscient, puis se produit un retour de ces mêmes données dans l'inconscient où elles seront à nouveau remaniées, en vue d'une nouvelle expression, d'une nouvelle incarnation.

La psychologie jungienne, insistant particulièrement sur les structures quaternaires, images de l'équilibre de la psyché, a décrit, à l'instar des quatre tempéraments, quatre fonctions psychologiques principales qui sont : la Pensée, le Sentiment, l'Intuition et la Sensation. Ces fonctions déterminent à leur tour quatre types psychologiques selon que l'une ou l'autre est dominante. En y adjoignant les notions d'extraversion et d'introversion, précédemment étudiées, on peut décrire huit types psychologiques principaux[61]. Au type Pensée correspond la notion d'esprit et d'intelligence, symbolisée par la tête ; au type Sentiment, la notion d'âme symbolisée par le cœur ; au type Sensation, la notion de corps. A ces trois données s'adjoint une quatrième, l'Intuition, forme de perception et d'intelligence qui semble parcourir les trois tendances précédentes. L'Intuition relève à la fois de la pensée, du sentiment et de la sensation ; elle est ce « quatrième » qui, se joignant aux trois, le complète et lui donne l'équilibre. Elle crée l'intercommunication entre les trois fonctions, la fonction de liaison représentée par l'Hermès, le Mercure alchimique.

Jung considérait l'apparition de symboles quaternaires au cours de processus d'individuation, comme un témoin de la structuration et de l'équilibration de la personnalité menant vers une personnalité surordonnée, formée par la synthèse des éléments psychiques autour d'un principe unificateur, le Soi. Les archétypes s'expriment sous forme d'images mais aussi de chiffres — symboles numériques que nous avons rencontrés à plusieurs reprises Étudions les plus importants.

Le UN représente d'une façon générale le symbole masculin et l'esprit. Pour les Chinois, dans le Yi-King, il est le Ciel, le Créateur. L'hexagramme K'ien est composé uniquement de traits Yang formant deux trigrammes identiques : le Ciel — le Ciel. Dimension masculine créatrice, symbole de l'homme, il est la pierre dressée, le menhir, image du phallus. Principe créateur, il est aussi l'image de l'Unique, du non manifesté, l'image d'une globalité qui n'est pas encore entrée dans un développement créateur apportant le multiple. Le UN symbolise l'unification de la personnalité, à l'image de ce puzzle constitué de nombreux morceaux qu'une transformation progressive tend à rassembler en un dessin unique ; la multiplicité s'efface. Au cours d'une évolution psychologique apparaissent ainsi des symboles unitaires, représentant la tendance à l'intégration dans une personnalité des différentes parties, autrefois disparates. Je parlais d'analyse tout à l'heure et nous voyons qu'il faut mettre ici, en contrepoint, la notion de synthèse, c'est-à-dire, à partir d'une réunification, l'apparition d'un nouveau corps, au sens chimique du terme.

Les symboles unificateurs sont souvent représentés par des images du « mandala » — terme oriental désignant une image ordonnée autour d'un centre qui sert de support à la méditation. Ils sont en général construits à partir d'une quadrature, le centre représentant le cinquième élément. Divers autres symboles numériques peuvent s'y inscrire, triangles et doubles triangles comme dans le sceau de Salomon, construit avec deux triangles inversés formant une étoile qui unit le principe créateur masculin et le principe récepteur féminin (tradition juive).

On trouve de véritables mandalas occidentaux dans les cathédrales : rosaces où la quadrature se multiplie, frontons où les quatre évangélistes accompagnent le Christ, roue du Zodiaque où le quatre et le trois, symboles féminin et masculin, donnent naissance aux douze signes — trois pour chacun des quatre éléments.

Ceci nous conduit à l'apparition du multiple face au UN créateur. C'est l'un des premiers sens du DEUX qui, par opposition à l'Unique, symbolise la diversité et la descente d'un principe incréé dans le créé. Le deuxième hexagramme du Yi-King — K'ouen, le Réceptif — est formé de traits Yin constituant deux trigrammes identiques, la Terre — la Terre. Avec le DEUX apparaît la matière, l'opposition polaire entre le Yin et le Yang, le féminin et le masculin ; apparaît aussi la dualité dont nous trouvons de multiples exemples. Ainsi, le courant électrique ne peut circuler qu'à partir de l'opposition de deux pôles, positif et négatif. En physiologie, on voit que les fonctions vitales sont réglées par des mouvements rythmiques définis par deux pôles ou positions extrêmes, inverses, et le courant d'action qui les unit : la respiration, faite de l'inspiration et de l'expiration, le battement cardiaque alternant diastole et systole — le courant étant représenté par le rythme, respiratoire ou cardiaque. Citons encore le passage de l'influx nerveux dû aux mouvements des ions Sodium et Potassium, de part et d'autre de la membrane cellulaire, ou les équilibres biologiques comme le rapport entre le Phosphore et le Calcium, etc. Dans la plupart des cas, deux pôles sont équilibrés par une loi qui régit leur rapport ; cette loi, rythme ou rapport numérique, figure le troisième terme qui crée le mouvement entre les opposés polaires. La notion de troisième terme apparaît aussi dans le Yi-King : le troisième hexagramme — Tchouen — représente la « difficulté initiale » ; de la rencontre du ciel et de la terre, naît le mouvement vital mais celui-ci, comme au printemps, est à l'image de la tension des contraires. La Trinité chrétienne figure le Père, symbole créateur, et le Fils, symbole de l'être créé ; entre eux court l'Esprit qui les anime, troisième terme représentant la vie spirituelle, qui s'incarnera dans le féminin, ici représenté par le QUATRE.

Un adage alchimique, « l'Axiome de Marie », regroupe ces données numérologiques. Répertorié dans la littérature alchimique[62], vers le VIe siècle, il est, selon les traditions, attribué à une certaine Marie — dite Marie la Copte —, sœur de Moïse... Voici cet axiome :

> Le UN devient DEUX ; le DEUX devient TROIS et du TROIS naît l'UN comme QUATRIÈME.

Il résume en fait ce que nous venons d'étudier. Le UN, principe créateur infini, évolue vers la création, représentée par le DEUX, la dualité, la tension des contraires. De cette tension naît le troisième terme qui régit le rapport entre les opposés, et de cet équilibre en mouvement sort un germe qui en est le fruit. L'été, aussi, apparaît comme la quatrième saison, fruit du germe printanier, portant la semence du futur.

Nous avons déjà parlé de la notion temporelle propre à chaque saison, l'été étant l'époque où il ne faut plus attendre, quand la récolte est mûre, pour la recueillir. J'ai ainsi connu des étés bretons où les pluies risquaient de gâcher le travail de toute une année ; les Recteurs, en chaire, autorisaient exceptionnellement le travail le dimanche. Cette période de récolte n'est pas une phase tranquille où il suffit de contempler les champs de blé mûr, mais une période de travail impératif pour mettre la récolte à l'abri à temps. Les cultivateurs de l'époque — comme maintenant — n'avaient pas toujours leur temps normal de sommeil ; l'été, quand il fallait suivre les battages de ferme en ferme, les paysans finissaient à la nuit pour reprendre à l'aube dans la ferme suivante, ce qui ne les empêchait pas, d'ailleurs, d'aller au bal le samedi et d'y gagner une nouvelle nuit blanche.

La récolte n'attend pas, « quand le vin est tiré, il faut le boire » ; si le fruit du travail n'est pas engrangé en temps voulu, il risque d'être perdu. Psychologiquement, on peut dire que si le sujet ne prend pas conscience de certains progrès, de certaines évolutions, aux moments où ceux-ci se présentent, ils risquent d'être perdus et de repartir dans l'inconscient. Il faudra un nouveau cycle pour retrouver à nouveau les solutions négligées. Il est nécessaire de reconnaître que les choses ont changé. Ainsi, en faisant avec quelqu'un le bilan d'une année d'entretiens et en se reportant aux problèmes qui se posaient un an plus tôt, il est possible de mesurer le chemin parcouru, de s'apercevoir que des problèmes, cruciaux alors, sont passés au second plan et ont été résolus. Il est permis d'espérer que les nouvelles questions qui se posent trouveront elles aussi leurs réponses. Ainsi, le sujet n'a pas l'impression de nager continuellement dans la même problématique, comme s'il tournait en rond, et pourra même découvrir que si certaines questions reviennent à l'ordre du jour, elles le font selon un mouvement en spirale qui ne pose plus les problèmes de la même façon que l'année précédente. C'est la prise de conscience du chemin parcouru hier qui peut donner le courage d'en entreprendre un nouveau demain.

FÊTES – TRADITIONS – MYTHES

Avec l'été apparaît un cortège de fêtes assez différentes des fêtes étudiées précédemment. Ce qui est caractéristique, c'est qu'elles sont toutes sous le signe du feu. Nous y adjoindrons une fête de la fin du printemps qui inaugure les futures fêtes estivales : la Pentecôte chrétienne, fête du feu par excellence.

Nous avons vu que les fêtes celtes[63] étaient régulièrement placées tous les trois mois, divisant l'année en quatre secteurs identiques : le 1er novembre, la fête de Samain, correspondant à notre actuelle Toussaint, fête des âmes et de l'autre monde ; le 1er février, Imbolc, fête de la lumière, en l'honneur de la déesse-mère Brigitte, fête de la fécondité correspondant dans le monde chrétien à la Chandeleur et à la purification de la Vierge.

La fête de Beltaine avait lieu le 1er mai : nous en parlerons ici car nous ne l'avons pas abordée au printemps. Fête de la lumière solaire, c'était une fête sacerdotale pendant laquelle on allumait les feux sacrés. Proche de l'équinoxe de printemps, elle évoquait la notion celte – rattachée aux périodes équinoxiales – d'interpénétration entre les deux mondes. En Bretagne, les traditions du 1er mai voulaient que les jeunes gens mettent aux fenêtres des jeunes filles à marier des fleurs représentatives de leur appréciation au sujet de chaque jeune fille ; selon que les fleurs étaient des genêts ou des aubépines, il y avait critique ou célébration de la vertu. Dans la région méditerranéenne, une coutume voulait qu'on ne se marie pas en mai. Cet interdit a au moins une interprétation : le mois de mai était le mois de Marie, le mois de la déesse-mère, mois sacré où l'on ne devait pas célébrer d'amours humaines[64].

La dernière fête celte se situe au mois d'août ; c'est Lugnasad, le

1er août, consacrée au dieu Lug, dieu de la lumière. Fête du roi, symbolique de paix et d'abondance, c'était une fête sociale à l'occasion de laquelle se faisaient les réunions, les assemblées, les foires.

Parmi les fêtes chrétiennes qui ont trait à la symbolique du feu, il faut parler de la Pentecôte. Nous ne l'avons pas abordée au printemps, tout entier sous le signe de la renaissance pascale. Comme aboutissement de la vie du Christ, la Pentecôte se situe dans la perspective de l'été ; c'est si vrai qu'après la Pentecôte et pendant toute la période estivale, les messes dominicales resteront sous ce signe — du 1er au 24e dimanche après la Pentecôte qui représente l'achèvement de l'œuvre terrestre du Christ. C'est ensuite une nouvelle année liturgique qui recommence, avec la période de l'Avent qui prépare Noël.

Nous aborderons donc la Pentecôte dans le contexte de la symbolique estivale, symbolique de moisson, d'accomplissement, d'épanouissement et de fructification. Le feu — l'Esprit —, après son parcours terrestre, de la naissance de Noël à la mort-renaissance de Pâques, a porté son fruit et le distribue aux apôtres, réunis cinquante jours après Pâques. Ce feu est symbole de l'Esprit qui visite les douze et la Vierge réunis et leur confère le don particulier des langues. Plus précisément, dans le texte évangélique, il est dit que les apôtres, sortant de l'état d'initiation qu'ils viennent de recevoir, parlent eux-mêmes leur propre langue mais sont compris par tous les Juifs présents, venus de différentes régions pour une fête juive. Il y avait déjà, à l'époque, une certaine diaspora ; les Juifs réunis alors appartenaient à différents groupes linguistiques et ne se comprenaient pas tous entre eux. Or, là, chacun comprenait dans sa langue ce que les apôtres disaient dans la leur, à l'inverse de ce qui se produisit pendant la construction de la tour de Babel. Cette notion de compréhension universelle rejoint celle d'inconscient ; il s'agit là d'un langage qui peut être entendu par tous et non d'un langage cloisonné.

Dans les traditions populaires, les fêtes du feu qui inaugurent l'été sont les fêtes de la Saint-Jean. Au départ fêtes préchrétiennes célébrant le solscite d'été et la culmination de la lumière, elles ont été récupérées, comme d'autres, par la liturgie chrétienne, pour devenir, le 24 juin, la fête de la Saint-Jean d'été, pendant de la fête de Noël au solstice d'hiver. On y allume des feux de joie, feux de fécondité dont les cendres seront conservées pour ensemencer les champs ou protéger les maisons. Les jeunes gens qui parviennent à sauter par-dessus le feu sont assurés de la réussite de leurs entreprises amoureuses.

Dans *Le serpent d'étoiles*[65], Giono a transcrit une très belle fête de la Saint-Jean d'été, célébrée dans l'Alpe par des bergers, pendant la transhumance, et à laquelle il a pu assister. Ce livre date de 1933 et on peut situer cette fête vers les années 30. La tradition d'alors voulait que les bergers qui guidaient les troupeaux de toute la Provence vers les alpages, se réunissent sur le plateau de Mallefougasse pour célébrer la nuit de la Saint-Jean. Cette célébration était une sorte de jeu dramatique où les bergers jouaient le drame de la création.

Sur une aire sauvage et dénudée, est installée une scène carrée. Aux quatre coins de la scène, quatre grands feux sont entretenus par des servants. Des instruments de musique installés sur une colline dominant le lieu — fifres, flûtes d'eau et harpes éoliennes — jouent en sourdine et accompagnent l'action.

Le meneur de jeu, un grand berger sarde — *« cet homme maigre à foulard rouge d'où tout le jeu part en éclaboussement comme l'eau d'un chien qui se secoue »* — commence un long poème qui retrace la création.

> *« Les mondes étaient dans le filet du Dieu comme des thons dans la madrague... et le Dieu avait du ciel jusqu'aux genoux... et il se lavait le corps avec du ciel... »*

Vient la création de la terre dont on voit la naissance, l'évolution et la jeunesse.

Un autre berger prend alors la parole ; la terre s'inquiète d'un élément de la création qu'elle ne comprend pas : l'homme. Qui est l'homme ? La terre s'adresse à la mer. C'est un nouveau berger qui tient le rôle de la mer et répond. Puis vient la montagne qui a vu l'homme de loin mais ne sait pas très bien qui il est. Le fleuve, lui, l'a vu en voyageant, de plus près ; il l'a vu conduire des troupeaux... Le poème nous a conduit doucement du monde primitif et chaotique du début de la création, au monde de la nature tel que nous le connaissons et à l'apparition de l'être humain dans le monde.

Bientôt c'est l'herbe qui parle ; elle a vu les ébats amoureux de l'homme et de la femme et la naissance des enfants, la présence et la pénétration de l'homme sur terre, le monde sauvage peu à peu habité.

Parlent ainsi tour à tour la mer, la montagne, le fleuve, l'arbre, le vent, l'herbe, la pluie, le froid, la bête. La bête a vu dans les yeux de l'homme autre chose que le terrible mouvement de la terre : *« Nous avons vu dans ses yeux la tranquillité et la paix et c'est pour ça que nous l'aimons. »*

La terre craint de perdre ainsi sa puissance, puissance chtonienne de la création où l'homme apparaît comme l'élément nouveau qui va renverser l'ordre cosmique :

« Alors le maître ce sera lui,
il commandera aux forêts.
Il vous fera camper sur les montagnes,
il vous fera boire les fleuves.
Il fera s'avancer ou reculer la mer,
rien qu'en bougeant de haut en bas
le plat de sa main. »

La terre décide alors de lutter contre l'homme, de dresser une barrière entre la nature et lui :

« ... tu ne pourras jamais sauter la barrière et entrer de plain-pied dans la grande forêt des réflexions de la bête... tu seras le chef de l'or et des pierres, mais sans comprendre les pierres, tu les massacreras avec ta truelle et ta pioche... et l'or fait de lumière, tu le garderas dans la sombre puanteur de ta bouche... tu te feras des aides avec du fer, des boulons et des charnières, mais à toutes tes machines tu seras obligé de prêter ta tête et ton cœur et tu deviendras méchant comme le fer et les mâchoires de la charnière. »

Et avec la barrière, naît la dualité.

Alors apparaît le berger, le chef des bergers qui interpelle la terre :

« Nous sommes là, nous les chefs des bêtes !
Nous sommes là, nous les hommes premiers.
Il y en a qui ont conservé la pureté du cœur.
Nous sommes là.
Tu sens notre poids ?

Tu sens que nous pesons plus que les autres?
Ils sont là les hommes qui voient les deux côtés de l'arbre et l'intérieur de la pierre, ceux qui marchent dans la pensée de la bête comme dans les grands prés du Devoluy dessus des herbes de famille.
Ils sont là ceux qui ont sauté la barrière!
... Nous sommes là, nous les bergers. »

La beauté et la vigueur du langage rehaussent l'image exprimant la fin d'une dualité et le retour dans l'intime compréhension de la nature. Il ne s'agit pas d'une œuvre de Giono, mais de la transcription par Giono d'un poème épique créé spontanément par des bergers, une nuit de la Saint-Jean. Cette création spontanée émane de l'inconscient qui anime chaque psychisme. Un moment privilégié — une fête magique — permet l'éclosion de cette œuvre commune qui dormait dans les esprits. Les hommes sont ainsi tous des créateurs en puissance qui rencontreront peut-être un jour l'instant magique où la force créatrice pourra s'exprimer.

Le berger a été de tout temps représentatif du conducteur attentif des âmes. J'ai ainsi connu en Provence un berger qui semblait sortir tout droit des livres de Giono — grand, maigre, attaché pour toujours à son troupeau. C'était une période de ma vie où, mon mari et moi, nous faisions de l'élevage; il venait souvent nous rendre visite quand il pâturait près de chez nous, retrouvant dans notre petite exploitation des souvenirs de fermes d'autrefois. Un dimanche, il me trouva en tenue de travail, sortant de la porcherie une brouette de fumier, et me dit cette phrase magnifique: « Alors! On gouverne! » L'un des usages du terme « gouverner », en Provence, signifie « soigner les bêtes », faire le nécessaire pour que ceux qui sont sous notre direction se portent bien: ainsi, gouverner, c'est servir. Le berger me donnait ce jour là une leçon profonde qu'expriment aussi les bergers de Giono avec cette belle image: la connaissance perd sa méchanceté lorsqu'elle a pénétré à l'intérieur des choses.

L'été, avec l'idée d'accomplissement que contient cette saison, représente la royauté et le gouvernement, dans le plein sens du terme. Psychologiquement, cet accomplissement signifie atteindre la maîtrise, se gouverner soi-même, devenir le roi de la structure psychique qui est la nôtre et qu'un précécent travail a réarchitecturée. Ainsi, la fête celte du 1er août était la fête du roi. Une chanson populaire française illustre ces notions:

AUX MARCHES DU PALAIS

Aux marches du palais
Y'a une tant belle fille, lon la,
Y'a une tant belle fille.

Elle a tant d'amoureux
Qu'elle ne sait lequel prendre...

C'est un p'tit cordonnier
Qu'a eu sa préférence...

C'est en la lui chaussant
Qu'il lui fit sa demande...

La belle si tu voulais
Nous dormirions ensemble...

Dans un grand lit carré
Orné de teille blanche...

Aux quatre coins du lit
Quatre bouquets de pervenches...

Dans le mitan du lit
La rivière est profonde...

Tous les chevaux du roi
Pourraient y boire ensemble...

Et là, nous dormirions
Jusqu'à la fin du monde...

Nous sommes ici « *aux marches du palais* » : le palais est le lieu où s'exerce le gouvernement et les marches sont les degrés qui y mènent. Psychologiquement, il s'agit-là d'atteindre l'état de gouvernement intérieur, la progression qui y conduit s'exprimant par les marches. Le palais lui-même est le temple intérieur. Si la maison représente souvent dans les rêves l'ensemble de la structure psychique, le palais — maison du gouverneur — sera une structure psychique ayant atteint sa plénitude, grâce à l'union du féminin et du masculin décrite dans la chanson.

« Y'a une tant belle fille » : ce symbole de l'âme et de la féminité se présente tout d'abord en état de dispersion — *« Elle a tant d'amoureux qu'elle ne sait lequel prendre ».* Il est nécessaire qu'un choix se fasse entre les différentes tendances d'une personnalité.

Le choix s'effectue donc — *« C'est un p'tit cordonnier qu'a eu sa préférence ».* Le cordonnier renvoie à une symbolique plus précisément sexuelle ; on retrouve la notion d'adéquation du pied et de la chaussure dans l'expression « trouver chaussure à son pied » qui signifie réussir un mariage heureux. Dans le conte de Cendrillon, l'héroïne est la seule qui puisse chausser la pantoufle de vair car son pied est assez petit ; elle a perdu un objet — la chaussure — qui symbolise sa féminité (comme l'anneau laissé dans le gâteau par Peau d'Âne) et possède une masculinité intérieure adaptée à cette féminité. L'adéquation interne, subjective, des tendances masculines et féminines se répercute sur le choix d'un époux ou d'une épouse. Le geste du cordonnier qui chausse « la tant belle fille » en lui faisant sa demande en mariage est le même que celui du prince qui passe l'anneau au doigt de Peau d'Âne ; la reconnaissance de l'union sexuelle y est implicite ainsi que l'accord intime des deux parties. Le pied ne symbolise pas seulement le membre sexuel viril, et par extension l'acte amoureux, il symbolise aussi l'âme et le psychisme en tant qu'outil de notre démarche dans la vie, notre point d'appui. On dit ainsi d'une personne qui ne va pas bien psychologiquement qu'elle est « à côté de ses pompes » ou on parle d'attitudes boiteuses... Ce contexte nous renvoie à Œdipe — « pieds enflés ». Qu'on songe également à l'expression concernant les chevilles des personnes peu modestes... Œdipe lui-même est boiteux du fait de son père qui lui a coupé les tendons du pied ; il représente l'enfant qui n'a pas reçu de la dimension parentale, malgré les parents adoptifs, tout ce qui lui était nécessaire. Plus précisément, il n'a pas reçu la connaissance de son existence comme futur roi. Il lui faut donc s'arroger cette royauté par des moyens détournés inconscients : il ne sait pas que le vieil homme qu'il tue est son père et répond à la question du sphinx sans comprendre que la question le renvoie à lui-même. Le sphinx, figure de l'inconscient, retourne dans l'abîme car quelque chose n'a pas été compris et se révèlera plus tard.

On voit que le choix du cordonnier comme époux par la « tant belle fille » a des implications insoupçonnées car il est celui qui sait fabriquer un objet profondément symbolique et adapté à la démarche.

La demande en mariage elle-même est superbe : *« La belle, si tu voulais, nous dormirions ensemble »*. Ici encore, la relation sexuelle est évoquée, mais aussi bien plus que cela. Dormir ensemble représente l'intimité la plus grande car les inconscients se réunissent dans le sommeil. Dans le sommeil en commun, moment où l'on est sans défense, il y a abandon profond de l'un à l'autre. Ainsi, dormir ensemble, c'est se donner totalement.

L'endroit où va se réaliser cette fusion des inconscients, cette union des contraires que représente l'union du féminin et du masculin, est un lieu de quaternité — le *« grand lit carré orné de teille blanche »*. La toile est aussi représentative de la façon dont on tisse sa vie — ne dit-on pas de quelqu'un qu'il « file du mauvais coton ». L'entrecroisement du fil de trame et du fil de chaîne figure l'intime intrication des tendances opposées dans un tissu harmonieux, sorte de quaternité se répétant à l'infini. Ce tissu figure la nature psychique — on dit : « De quelle étoffe es-tu fait ? » pour signifier « quel est ton caractère ? ». Des trois déesses grecques du Destin, l'une file, l'autre tisse et la dernière coupe le fil qui représente la vie.

Ainsi le lit, lieu d'exercice de la vie, est en lui-même un mandala : carré, orné de bouquets de pervenches aux quatre coins et tendu de la toile blanche qui représente la texture d'une vie et la pureté de l'union qui s'y déroule.

Le lit représente l'espace psychique de la personnalité qui a trouvé sa structure carrée, équilibré et purifiée. Les quatre bouquets de pervenches qui l'ornent nous rappellent le ciel par leur couleur. Il s'agit d'ailleurs d'une fleur assez particulière, à cinq pétales découpés inégalement, ce qui semble leur donner un léger mouvement en spirale. La fleur est symbole de l'âme.

« Dans le mitan du lit, la rivière est profonde » : l'image qui semblait cohérente et réelle jusqu'ici, prend maintenant une dimension presque surréaliste, telle une image de rêve. La rivière rappelle la vie et la force, force de l'eau, éminemment féminine, qui nourrit toute la vie végétale. La rivière profonde, c'est la qualité de l'affectivité qui unira les deux amants et nourrira leur vitalité : *« Tous les chevaux du roi pourraient y boire ensemble »*. L'image du puzzle, précédemment évoquée, montrait une petite fille — personnalité rénovée — accompagnée d'un cheval. Les chevaux apparaissent très souvent dans les rêves. Parfois dangereux tout d'abord, ils sont les forces de l'instinct, chevaux de cauchemars —

du mot celtique « mare » qui signifie jument ; le rêveur est alors habité par un cheval de mauvais augure, cheval de cauchemar qui représente un instinct, une pulsion, un besoin d'agressivité qui, n'étant pas apprivoisés, n'ont pas trouvé le moyen de s'écouler de façon harmonieuse. Ici, les chevaux du roi qui viennent boire dans le lit sont apprivoisés ; ce sont *« tous les chevaux du roi »*, toutes les tendances d'une personnalité, harmonisées, dynamiques, et puissantes, mais apprivoisées en buvant l'eau de la rivière profonde. L'amour nourrit l'action qui, dirigée, devient la monture : l'instinct, devenu dynamisme et point d'appui, peut porter durablement la personnalité.

« Et là, nous dormirions jusqu'à la fin du monde »... Cet état de réunification intérieure ouvre sur l'absolu et sur l'infini.

L'INDIVIDUATION

Étudions maintenant plus précisément le déroulement du processus d'individuation qui a été mis sous l'éclairage de la symbolique des saisons. Pendant la première phase, on assiste au nettoyage de l'inconscient personnel par une décantation du passé de l'individu qui puise dans les données enregistrées par sa mémoire — consciente ou inconsciente —, événements heureux ou malheureux vécus depuis l'enfance. Actuellement, certaines techniques permettent de remonter même jusqu'à l'état prénatal. Dans les religions et les systèmes philosophiques orientaux, la régression va plus loin encore et fait appel à une mémoire profonde, la mémoire karmique. Qu'il s'agisse du souvenir, de vies antérieures réellement vécues ou d'une mémoire ancestrale, héréditaire ou collective, importe peu ici ; l'essentiel est que cette mémoire soit présente et que le psychisme puisse y trouver des informations inépuisables.

L'analyse se présente donc comme une remontée progressive dans l'histoire de l'individu, puis dans l'histoire de l'humanité et de la collectivité à laquelle il appartient, au-delà de l'inconscient personnel. L'investigation de l'inconscient personnel, pratiquée dans la plupart des psychothérapies courantes, renvoie au passé propre du sujet et aux événements traumatiques de ce passé. La

« mémoire » du sujet est sollicitée par des entretiens, l'étude des rêves ou des méthodes plus particulières de régression, comme celle de Janov, la Gestalt-thérapie ou la Bio-énergie... Les techniques de travail sur le corps renvoient aussi à cette mémoire individuelle — mémoire tissulaire cette fois — qui a fixé les événements du passé dans les tissus, dans les cellules de l'individu. Il n'est pas rare qu'une séance d'Ostéopathie, par exemple, traitant un traumatisme physique, évoque aussi l'état psychique qui accompagnait le moment de la lésion ; comme dans un flash, le sujet se trouve replongé, corps et esprit, dans le moment de son accident. Un travail sur le corps peut alors libérer des émotions enfouies profondément. Des rêves peuvent également évoquer un état physique ou physiologique bloqué. Les rêves de renaissance peuvent exprimer un processus de transformation psychique, mais un examen approfondi montre parfois que de telles images, inexplicables sur le seul plan psychologique, peuvent traiter aussi du traumatisme physique de l'accouchement et des angoisses vécues alors par le fœtus. On voit ainsi que le corps et l'esprit sont étroitement imbriqués : la mémoire cellulaire contient des images évoquant des états psychiques et, inversement, des états psychologiques induisent des tensions ou des relâchements physiques précis. Voilà donc à nouveau un tissu qui entremêle étroitement deux dimensions. Il est possible d'avoir accès à l'un et à l'autre des deux domaines — le corps et l'esprit —, d'approcher la problématique d'un individu par l'une ou l'autre voie, de mettre ces deux plans en résonance l'un avec l'autre et de favoriser ainsi l'évolution bénéfique.

La décantation de l'inconscient personnel représente donc le champ d'action de la Psychanalyse, au sens freudien du terme. Ce champ d'action recouvre essentiellement les problèmes affectifs résultant du schéma familial, l'étude du développement harmonieux des instincts et l'intrication des problèmes affectifs et instinctifs ; il permet aussi de repérer la tendance à projeter la problématique sur l'environnement, à reporter sur les personnes rencontrées dans la vie les attitudes complexes qu'ont créées le passé et le schéma familial — projection qui déforme la vision objective de l'environnement. L'analyse de ces systèmes d'attitudes complexes, qui emprisonnent parfois complètement une personne dans un schéma de comportement donné, amène une destructuration de ces schémas.

Différentes méthodes d'analyse sont nées de la méthode freudienne. L'analyse transactionnelle, par exemple, schématise les modes de comportement possibles en trois types généraux : « l'enfant », « le parent » et « l'adulte ». L'attitude « enfant » d'un sujet est faite de spontanéité et de créativité, d'insécurité et de caprice aussi ; l'attitude « parent » est protectrice, nourricière et autoritaire. L'enfant représente le symbole créateur, le parent le symbole ordonnateur. Ces deux tendances s'expriment dans les relations humaines — parfois en dehors de toute réalité objective —, certaines personnes réagissant aux situations sur un modèle parental, d'autres sur un modèle infantile. L'équilibre des deux tendances et l'adaptation objective à une situation donnée représente l'attitude « adulte », capacité à régler en soi-même la quantité de fantaisie créatrice et de responsabilité de l'une ou de l'autre attitude.

D'autres méthodes cherchent à éveiller par la régression vers la toute petite enfance, jusqu'à la naissance, les besoins, les désirs et les souffrances endormis, raisonnés par l'éducation — Janov et le cri primal. La Bio-énergie et la Gestalt-thérapie entreprennent de lever les blocages créés par le Sur-moi, les défenses éducatives et de rendre aux instincts leur libre manifestation.

Si, au lieu d'appliquer une méthode particulière, il est possible de suivre pas à pas le cheminement que propose l'inconscient du sujet — à travers ses rêves en général — pour reconstituer et réintégrer les différentes tendances du psychisme, on s'aperçoit que, suivant les cas, l'une ou l'autre de ces méthodes se propose spontanément ; ou l'inconscient plonge dans le passé en amenant au jour des contenus affectifs violents ou, au contraire, il décrit les tendances « parent », « enfant » ou « adulte » du sujet en les illustrant dans certains rêves. L'intérêt de la méthode jungienne, qui suit pas à pas les données fournies par l'inconscient du rêveur, consiste en ce qu'elle propose une progression analytique individuellement adaptée au cas particulier du sujet, et non pas une progression plaquée sur un modèle général. Une telle méthode exige du thérapeute qu'il se réfère moins à la théorie qu'à la pratique et qu'il garde, quand il s'aventure dans le maquis d'un psychisme particulier, l'attitude de l'explorateur qui ne sait pas a priori ce qu'il va découvrir.

La première exploration s'effectue donc dans le domaine limité du passé et de l'univers psychique affectif de la personne, domaine de l'histoire d'un individu, son enfance, ses relations affectives, son développement... A un moment cependant, s'opère un glissement, un passage à des images plus profondes. Les rêves et les réflexions de la personne ne décrivent plus simplement la chronique familiale ; des résonances plus vastes apparaissent qui souvent renvoient à des mythes, à des traditions religieuses particulières à chacun, à une mémoire « ancestrale ». Des rêves laissent entrevoir des lambeaux mythiques ou des motifs dont la signification dépasse l'histoire de l'individu : images de démembrement renvoyant à Osiris, envols aventureux rappelant le mythe d'Icare... Nous découvrons ainsi les racines communes de notre inconscient et de celui des hommes qui nous ont précédés dans le passé.

C'est l'ouverture de ce que Jung a appelé « inconscient collectif », qu'il faut considérer plus comme une matrice toujours vivante que comme un réservoir de contenus mythologiques morts. Cette matrice collective, analogue au pays des ancêtres où vont traditionnellement les chamans au cours de leur initiation, est un au-delà des valeurs rationnelles, du réel, qui communique avec un autre type de perception : la perception intuitive.

La psychanalyse qualifie généralement de fantasmes les images surgissant de l'inconscient et dépassant le cadre du réel ; dragons, sorcières ou divinités seraient des produits de notre imagination fantasmatique qui nourrit ainsi de produits de remplacement illusoires les instincts frustrés du sujet. Ainsi l'analyse cherche-t-elle à détruire le fantasme qui, semble-t-il, fait obstacle à la fonction du réel. C'est sur ce point que Jung se sépare tout à fait du point de vue freudien, en proposant la notion d'archétype pour étudier le sens et la fonction des images « fantasmatiques ».

Qu'une personne qui a eu une mauvaise mère et le sait vienne à créer inconsciemment l'image d'une mère idéale, d'une personnalité secourable — sorte de fée-marraine protectrice —, elle reçoit ainsi de son inconscient l'énergie maternelle secourable qu'elle ne peut attendre de sa mère. Que cette image s'élargisse jusqu'à une symbolique divine de la Mère céleste ou de la déesse-mère initiatrice des mystères, elle peut alors, grâce à cet archétype, mobiliser l'énergie correspondante qu'elle n'a pas reçue de l'être humain limité qu'était sa mère. Est-ce une illusion, un fantasme ou une fonction psychique réparatrice qui tend à restaurer l'individualité ?

Ce passage dans la dimension mythique n'est pas toujours accepté intellectuellement ; il se trouve alors rejeté comme illusoire et les dynamismes qui auraient pu être réanimés restent lettre morte. Quand un individu peut faire confiance à cette réalité mythique qui relève d'un autre domaine, d'une autre dimension que l'univers factuel et rationnel jusque-là exploré, le travail psychologique se trouve réalimenté d'une nouvelle énergie.

Accueillir cette dimension ne dispense pas cependant d'une analyse critique qui vise à comprendre et à intégrer les images mythologiques qui se proposent, afin de les faire passer du « ciel », où elles résident hors d'atteinte, sur la « terre » — c'est-à-dire dans la vie pratique de la personne. Cette démarche consiste en particulier à accueillir les rêves et les produits imaginatifs en les reliant par amplification aux différents motifs mythiques qu'ils évoquent. Cela permet tout d'abord à l'individu de découvrir qu'il n'est pas irrémédiablement isolé dans son aventure familiale et affective, mais qu'il a des liens avec l'humanité ; il pourra ensuite élargir son univers psychique en transférant sur des figures mythiques ou cosmologiques ses relations parentales et devenir ainsi fils du ciel-père et de la terre-mère et frère des hommes. C'est à cette découverte et à cette rupture avec le noyau familial que visaient aussi les initiations de l'adolescence dans les diverses civilisations. Ce qui résulte du travail sur ce plan peut avoir pour certains une formulation religieuse ou mystique, pour d'autres une formulation philosophique, peu importe... Grâce à ce travail, l'individu est entré dans un univers plus vaste, a quitté définitivement le noyau familial et ses critères d'enfance et découvert son appartenance à l'univers et à l'humanité.

Les figures archétypiques secourables peuvent se présenter sous la forme mythologique du dieu-père ou de la déesse-mère mais elles peuvent aussi apparaître d'une façon plus masquée, anodine et en apparence banale : la vendeuse du grand magasin ou l'employé au guichet de la sécurité sociale, le roi, le président ou le maire, une ancienne maîtresse d'école, etc. Ce qu'il faut noter, c'est que ces figures secourables sont porteuses d'un dynamisme réparateur.

Recensant les figures qui apparaissent dans l'inconscient, nous avons passé en revue les images parentales, les symboles protecteurs archétypiques. Un autre type de personnages représente les attitudes opposées aux attitudes conscientes, en particulier la féminité inconsciente de l'homme — l'Anima — et la masculinité inconsciente de la femme — l'Animus. Ces fonctions inconscientes se présentent sous différents aspects plus ou moins évolués ; la transformation de ces images correspond à l'évolution vers la maturité des tendances jusque-là immatures. Le plus souvent, il s'agit pour un homme de développer sa sensibilité, ses capacités affectives, ses dons artistiques, et pour une femme, sa force intérieure, sa réflexion sans a priori et sans préjugés, ses capacités créatrices et sa responsabilité.

LA CONJONCTION

Le passage des tendances opposées, de l'inconscient où elles résident vers le conscient où elles peuvent s'exprimer, crée une réunification des aspects divergents de la personnalité, réunification qui s'exprime par la symbolique du mariage et de l'amour, la conjonction des opposés. Toute une gamme de symboles unificateurs se présente, tendant à architecturer une psyché par une série d'oppositions polaires qui s'équilibrent l'une l'autre. Le grand mérite de Jung est d'avoir su montrer l'importance du problème des contraires et la nécessité d'une réunification intérieure qui se fasse, non par l'évacuation de l'un des pôles, mais par la complémentarité des opposés. L'étude de la dialectique des contraires propre à un individu — qui définit son équation personnelle — requiert du temps et de l'énergie. Il faut équilibrer les tendances rationnelles et irrationnelles, actives et passives, introverties et extraverties, conscientes et inconscientes... et cette équilibration est une réponse unique pour chaque individu, unique et créatrice en somme. Cette étude intérieure requiert du temps mais aussi du courage.

En effet, la rencontre avec l'inconscient et les dynamismes qu'il contient n'est pas anodine. D'une part, sont reléguées dans l'inconscient toutes les problématiques non résolues, d'autre part une fonction créatrice dort, qui peut être difficile à mettre à jour. On ne peut ainsi se fier aux seules forces de l'inconscient dans une thérapie analytique, car elles peuvent aussi faire éclater une personnalité. Si le conscient ne possède pas une armature suffisante pour recevoir les données archétypiques, celles-ci peuvent faire une irruption brutale, incompatible avec le réel, si éloignées de lui qu'elles en deviennent réellement fantasmatiques et sont inutilisables pour rééquilibrer la personne. L'instinct, la passion, l'émotivité peuvent surgir et submerger la conscience. Le travail des opposés fondamental, la conjonction des contraires à l'état pur, c'est la dialectique continuelle du conscient et de l'inconscient et l'interdépendance des deux mondes qu'ils recouvrent. Cette dialectique éveille le troisième terme, le Tao des Chinois.

Notre monde chrétien a renforcé la dialectique d'opposition du bien et du mal, symbolisée par les termes d'ombre et de lumière. Pourtant cette dualité ne correspond pas à l'utilité respective de l'ombre et de la lumière dans la nature. Déjà nous savons que tout faisceau lumineux qui rencontre un objet engendre une ombre : l'ombre accompagne nécessairement la création et la lumière. On peut aussi constater la nécessité de l'ombre et les dangers de l'excès de lumière et découvrir que leur alternance et leur conjugaison sont plus bénéfiques que la seule lumière. Les notions de bien et de mal qui sont souvent symboliquement rattachées aux concepts de lumière et d'ombre ont elles aussi quelque chose de relatif. Dans le monde créé, le « bien » n'a rien d'absolu, il n'est pas rare qu'il porte avec lui certaines conséquences plus ou moins néfastes et le début de la sagesse est de pouvoir les reconnaître. La sociologie et la politologie ont ainsi mis à jour un certain nombre « d'effets pervers » des mesures prises en vue d'un bien ; citons-en un exemple entre autres : la construction en Afrique de puits permettant d'alimenter les villages en eau — bien indéniable — a occasionné la réapparition de l'esclavage pour assurer le transport de l'eau — « effet pervers » du bien.

La médecine connaît aussi des effets pervers : l'apparition des antibiotiques a permis de nombreuses guérisons mais a aussi sélectionné des souches de germes résistants qui pourront causer de nouveaux problèmes...

Ainsi, ce qu'on appelle « bien » n'est pas absolu et comporte un cortège de conséquences bonnes et mauvaises. Un « mal », pareillement, peut avoir des conséquences bénéfiques inattendues. Cette notion de relativité oblige à corriger un opposé polaire par son contraire pour obtenir le troisième terme qui assure l'équilibration.

Bruno Bettelheim[66] — psychologue qui a créé à Chicago une école pour enfants autistes — disait : « l'amour est ambivalent ». C'est qu'en effet le mouvement d'amour qui est élan vers l'autre crée à la fois un état de fusion et d'intégration à celui-ci et détermine une réaction en retour, destinée à préserver l'intégrité de l'individu. L'amour, dans son élan qui cherche la fusion avec autrui, crée une immersion ou un engloutissement qui sont aussi dépersonnalisation, le moi se perdant dans le toi. Les structures du moi créent alors un mouvement en retour qui tend à reconstituer l'individu. Que ce soit dans l'amour sexuel ou dans tout autre échange affectif, les deux temps sont toujours présents : immersion et fusion du moi dans le toi, retour vers soi-même.

L'immersion et la fusion peuvent être ressenties comme bénéfiques ou comme dangereuses, suivant l'intensité de la fusion qui dépersonnalise. Nous retrouvons là les images de mère engloutissante, dragons et ogres des contes, comme les images d'incendies dévorants. L'être a alors besoin de retourner en lui-même, ce qui se présente, après le mouvement d'élan, comme un mouvement d'agressivité ou de refus. Toutes les nuances peuvent apparaître dans ce jeu du pour et du contre, du moi et du toi, qui vont du normal au pathologique : simple alternance de la fusion et de l'individuation ou alternances passionnelles d'amour destructeur et de rejet agressif. C'est encore un troisième terme qui va régler l'alternance normale des deux pôles.

Le long travail psychologique de l'analyse amène peu à peu la personne à se connaître à travers ses oppositions intimes et à définir son équation personnelle, équation où entrent divers facteurs : les influences du passé, l'histoire personnelle, le type psychologique, les influences ancestrales et la situation affective et sociale actuelle de l'individu. L'équation personnelle qui décrit les différents axes de la structure psychique montre aussi comment les oppositions peuvent se résoudre et s'harmoniser en devenant complémentaires. Ce phénomène intérieur, décrit par le terme « conjonction » (complexio oppositorum), est le mariage interne de différentes tendances qui, de contradictoires, sont devenues complémentaires, créant ainsi un nouvel équilibre.

La démarche analytique s'est présentée jusque-là comme presque exclusivement causale. Quand les différentes données causales qui ont déterminé un individu ont été élucidées, un nouveau problème se pose, qui est cette fois final et sans lequel les démarches précédentes perdent leur sens. Cette notion a été défendue par Jung, face à la position exclusivement causale de Freud. Quand une personne a pu définir les grandes lignes de sa personnalité, elle pose inévitablement la question du sens de sa vie, que ce sens soit éthique, religieux ou simplement pragmatique. Il apparaît qu'il ne suffit pas d'avoir remis en état de marche le véhicule psychique, il faut aussi découvrir la direction qu'il veut prendre.

Prenons une autre image : l'analyse pourrait être comparée à la remontée en amont d'un fleuve jusqu'à sa source, pour la désobstruer ; mais quand la source coule librement, il devient impératif de s'intéresser au cours du fleuve et à sa destination finale.

Retrouver le sens du courant et laisser le flux s'écouler, apportent un dynamisme profond. On peut voir aussi que certains problèmes, qui ne se résoudraient pas par un éternel retour en arrière, se trouvent résolus dans le mouvement. L'apparition d'un nouveau dynamisme est souvent figurée dans l'inconscient par toutes sortes de véhicules à moteur mais aussi par le vélo qui, en plus de l'autonomie qu'il apporte, représente l'équilibre qui ne peut se faire que dans le mouvement : il faut aller de l'avant pour tenir en équilibre !

Le sens de la vie, c'est d'une façon générale l'élan créateur d'un individu. Cette créativité ne s'exerce pas dans le seul domaine artistique mais peut s'exprimer dans tous les actes de la vie, mener vers une vie simple pour l'un et vers un engagement particulier pour l'autre ; le besoin de créer est l'élan universel qui anime tout dans la nature. Il arrive toujours un moment où le besoin créateur propre à l'individu fait pression sur lui et lui demande de sortir des sentiers battus de son existence. Des problèmes moraux peuvent aussi se poser, qui demandent une réponse meilleure que celle donnée jusqu'à présent ; il apparaît alors comme indispensable de répondre à cette pression.

Certains parcourent seuls le chemin difficile de la découverte intérieure ; d'autres, que cette découverte et les événements du passé ont blessés, ont besoin d'une aide qui les accompagne et jalonne leur chemin : c'est là le sens du dialogue psychologique.

Ce dialogue, suivant les méthodes psychothérapiques, peut prendre différentes formes. Dans la relation psychanalytique classique, l'analyste est là comme témoin et n'intervient que très peu dans le déroulement de l'investigation psychologique. D'autres techniques consistent à rentrer dans un rapport beaucoup plus intime où le thérapeute est en quelque sorte concerné, sur un plan d'affectivité profonde, néanmoins dégagé des projections.

L'importance du dialogue en psychothérapie nous conduit à considérer la notion de transfert[67]. Le sujet qui est en train d'analyser certaines de ses expériences passées a tendance à projeter sur la personne du thérapeute les émotions positives ou négatives engendrées dans le passé. Il voit ainsi le thérapeute à travers « une paire de lunettes » qui déforme quelque peu sa vision. Si le transfert est négatif, il attribuera au thérapeute les attitudes parentales contraignantes ; s'il est positif, le thérapeute deviendra alors le parent ou l'ami idéalisé à qui l'on demande tout et dont on ne peut se passer, ce qui crée une grande dépendance. Face au refus ou à la demande du sujet, le thérapeute ne doit pas — me semble-t-il — devenir un parent de remplacement. Il s'agit au contraire, à travers le dialogue, de faire découvrir à la personne en quoi elle a tendance à reproduire les situations de l'enfance face au personnage parental, et comment elle peut s'en affranchir, en intégrant en elle-même les fonctions parentales, décantées par l'examen analytique. Elle pourra ainsi se détacher des effets négatifs de son rapport enfant-parent, tout en gardant l'héritage positif possible de ce rapport affectif.

Le transfert peut apparaître d'une façon différente, si l'on prend en compte la réponse que donne le thérapeute lui-même dans le dialogue. Dans une réaction chimique, on sait que deux corps mis en contact réagissent l'un à l'égard de l'autre et créent quelque chose de nouveau — un acide et une base, par exemple, forment un sel et de l'eau. Ainsi, le dialogue peut aussi créer quelque chose de nouveau en transformant les deux interlocuteurs. Les problèmes du patient concernent intimement le thérapeute, parce que les questions posées sont communes à l'humanité et que la réponse qu'apporte le patient est précieuse et enrichissante pour le thérapeute lui-même. Là s'abolit la distance qui séparait l'analyste — en position quelque peu juridique — du patient-jugé. Le rapport thérapeutique est un rapport humain, où l'un devient le compagnon de voyage ou le guide expérimenté qui va aider l'autre dans son exploration. C'est parce que le guide est aussi concerné par cette exploration, cette évolution, que surgissent les réponses bienfaisantes. Cette forme de « transfert » crée une interpénétation des inconscients, témoignant de la solidarité humaine. Cette aventure à deux dont chacun tirera un bienfait, après en avoir partagé la peine, il faut l'appeler « amour », un amour qui abolit la distance juridique sans dispenser de l'exigence.

Nous débouchons là sur une notion plus subtilement alchimique du transfert : seul celui qui a pu lui-même analyser ses problèmes et parvenir à sa propre conjonction, son propre équilibre, peut induire l'équilibre chez l'autre.

Il ne s'agit pas ici de transmission d'une connaissance intellectuelle, mais d'une autre nature de transmission. Le terme d'induction serait peut-être plus adéquat. Les alchimistes parlaient ainsi de la pierre, capable de transformer toute matière, ou de l'aimant. L'état décrit par la conjonction, la structure quaternaire du mandala, la centration, possède une capacité énergétique particulière qui a tendance à se transmettre autour d'elle. Cet état d'ordre intérieur, toujours mouvant, peut facilement être remis en cause ; il faut donc au thérapeute un travail personnel d'équilibration intérieure pour apporter au dialogue cette dimension particulière « alchimique ».

Jung, à ce propos, aimait à rappeler l'anecdote suivante, rapportée par Richard Wilhelm, missionnaire traducteur et commentateur du Yi-King :

> *Dans un village de Chine, régnait la sécheresse. Les prêtres boudhistes et taoïstes de l'endroit avaient fait des processions pour faire venir la pluie et les chrétiens en avaient fait de même, mais la sécheresse persistait. On fit alors venir de la province voisine le « faiseur de pluie ». Celui-ci demanda simplement une maison où s'isoler, à l'écart du village, et y resta trois jours. Le troisième jour, il se mit à pleuvoir et même à tomber de la neige, ce qui était inhabituel en cette saison. Intrigué, Richard Wilhelm alla voir le faiseur de pluie et lui demanda ce qu'il avait « fait » pour réussir aussi rapidement. L'homme lui dit : « Je n'ai rien fait. J'étais dans la province voisine où tout était en ordre (Tao) et moi aussi j'étais en ordre. Je suis venu ici où les choses étaient déséquilibrées et moi aussi je l'étais. Alors, je me suis remis en Tao et le Tao s'est restauré aussi dans la province. »*

Nous retrouvons là le troisième terme, notion d'ordre et d'équilibre, Tao, centre de la quaternité ou quintessence, germe de renouvellement, pierre philosophale, aimant, centre intérieur qui, se mettant en ordre, crée l'ordre autour de lui.

Souvent, certains parents, parlant du problème de leur enfant, demandent ce qu'on pourrait faire pour le corriger. Comment pourraient-ils corriger quelque chose dans leur enfant, si ce n'est en corrigeant d'abord le désordre qui s'est installé en eux ? Alors quelque chose pourrait s'éclaircir pour leur enfant[68].

La notion de transfert envisagée ici est assez différente de la notion classique ; le transfert y joue dans les deux sens. La mise en ordre qui se fait chez le patient doit se faire aussi chez le thérapeute ; de ces deux mises en ordre sortira quelque chose de nouveau pour les deux.

LE SOI ET SES SYMBOLES

L'apparition d'un ordre structuré s'exprime par une symbolique particulière — les symboles unificateurs cités plus haut. Des images organisées autour d'un centre, concrètes ou abstraites, apparaissent alors dans les rêves : quaternité, mandalas, passage du quatre au cinq qui les réunit, etc. Les images biologiques du centre organisateur existent aussi : le noyau de la cellule, par exemple. Indispensable à la vie de la cellule, il contient dans les chromosomes toutes les informations nécessaires à son fonctionnement. Les images plus abstraites du centre architecturé figurent des lois numériques. Nous avons vu la structure carrée centrée sur le cinq, le sceau de Salomon — étoile à six branches —, les rosaces des cathédrales multipliant la division du cercle du quatre au douze, les quatre évangélistes et les douze apôtres centrés sur le Christ — figure unique —, la roue du zodiaque représentant douze signes astrologiques différents... L'apparition dans les rêves de ces images symboliques centrées apporte un apaisement et une sensation d'harmonisation interne. Toutes ces figures géométriques représentent donc une fonction psychologique intérieure au sujet, capable de l'orienter, de l'ordonner, de le guider. Cette fonction peut aussi apparaître sous la forme d'un être humain, guide secourable — vieux sage ou fée-marraine des contes — qui indique la direction à prendre ou les actes à accomplir.

Cette fonction de « sagesse intérieure » — pourrait-on dire — qui s'exprime par une symbolique très variée, peut être définie comme une personnalité surordonnée, un Moi supérieur englobant les données du conscient et de l'inconscient. Jung lui a donné le nom de « Soi » en référence au terme hindou « Atman ». Centré, il peut guider les différents dynamismes de la personne. Évolutif et pourtant permanent, il est paradoxal, renvoyant à la maxime hindoue « Deviens celui que tu es depuis toujours ». C'est ce que le langage occidental dénomme l'Essence. Le guide qui y mène est à la fois la préfiguration de cette fonction et la fonction elle-même. Nous avons vu qu'il pouvait être un vieillard, un vieux sage, la fée ou la sorcière des contes, mais il peut apparaître aussi comme un animal magique, l'animal totem des indiens d'Amérique ; il donne un objet magique qui permettra de l'appeler à son secours... En général de même sexe que le rêveur — contrairement à l'Animus ou l'Anima — il peut être aussi figuré par un enfant dont l'innocence et la pureté représentent la sagesse originelle.

Nous allons en étudier un exemple à travers un rêve long et complexe. Il s'agit d'une personne dont j'ai relaté un rêve de renaissance au printemps : elle redonnait la vie à un bébé mort. Elle prenait l'enfant mort et l'entraînait dans une sorte de danse qu'elle appelait dans son rêve une « danse pour la vie » : peu à peu, la respiration de l'enfant réapparaissait et il revenait à la vie. Cette femme, pour des raisons personnelles, avait une angoisse de la mort, une phobie grave, et craignait d'avoir elle-même des gestes dangereux pour son enfant. L'angoisse réapparaissait constamment et entraînait des sentiments de dépersonnalisation et d'étrangeté obsessionnels. Le déséquilibre risquait de s'installer durablement. Le rêve de la renaissance du bébé avait été une étape bénéfique dans l'évolution, le rêve suivant va plus loin dans l'élucidation du problème.

> *« Je suis sur la terrasse d'une amie et je parle avec un petit garçon qui se trouve sur la terrasse de droite. Soudain, il se met à pleuvoir et je m'aperçois que nous sommes au bord de la mer. Je regarde longuement la pluie s'abattre sur la mer houleuse, mais elle ne me donne pas l'impression d'être menaçante. »*

Ce début de rêve exprime une mise en rapport avec l'inconscient : la mer houleuse devant laquelle la rêveuse est projetée en situation d'observatrice sur la terrasse. Le guide apparaît sous la forme d'un petit garçon ; il va lui donner les conseils nécessaires à son cheminement.

> *« Je demande au petit garçon où je peux acheter des cigarettes et il me répond : en face, dans le château. »*

Voilà le château qui deviendra le but de l'exploration. La recherche des cigarettes, symbole d'affirmation virile, phallique, mais aussi d'éveil de l'intelligence, indique quelles ont été les premières motivations de l'exploration : trouver ou retrouver la confiance en soi et l'affirmation c'est aussi se trouver soi-même. Il faut donc aller vers le château, entreprendre une traversée.

> *« Je marche sur un petit mur qui sépare la terrasse de celle de mon jeune voisin et je veux l'utiliser comme plongeoir pour partir à la nage, mais l'enfant me dit qu'il est préférable d'y aller en barque avec d'autres personnes et la traversée commence. »*

L'impulsivité de la jeune femme voudrait qu'elle se jette à l'eau, tête baissée, dans cette traversée. Plus sage, le petit garçon lui recommande la barque qui emmène aussi d'autres personnes, c'est-à-dire l'ensemble des tendances de la psyché. Un élan trop unilatéral, qui laisserait de côté d'autres aspects de la personnalité, risquerait d'échouer. Enfin, pour aborder les eaux de l'inconscient, toujours dangereuses, il faut une embarcation, un bon outil, et une compagnie, afin de ne pas risquer de tomber dans l'isolement et la désorientation.

> *« La traversée commence. Il ne pleut plus, la mer est lisse et j'ai, à plusieurs reprises, envie de quitter la barque pour terminer à la nage* — toujours l'impulsivité et l'impatience d'aboutir mal réfrénées. *J'aperçois le château encastré dans la roche ; il est superbe, couleur chocolat, un peu impressionnant. »*

Ce château est une représentation centrale de la personne. Son appartenance à l'enfance transparaît dans la couleur « chocolat ». C'est d'une certaine façon le château de Dame Tartine, le lieu d'un certain plaisir, d'un réconfort pour la personnalité.

> *« À quelques mètres de la plage* — là, l'impatience prend le dessus — *je saute de la barque ; en quelques brassées, je suis à la porte d'entrée ouverte, par laquelle les vagues peuvent entrer et terminer leur course. À l'instant où j'entre, je croise un groupe de personnes qui quittent précipitamment le château, après la visite. Une dame très élégante dit "ce château n'est pas conforme" et se dépêche de monter dans la barque pour repartir »*

Ce château intérieur représente en effet la personnalité de la rêveuse et, dans cette personnalité, les problèmes centraux qui l'occupent et seront découverts plus tard, problèmes touchant à l'angoisse de la mort et de la folie. Ce lieu central qui contient le meilleur — l'énergie de restauration — contient aussi le pire — le problème qui ronge. Il est évident que la partie conformiste du sujet, la « dame très élégante », s'offusque du manque de conformité du château et fuit devant cette découverte, renvoyant aux sentiments d'étrangeté et d'aliénation qui pouvaient parfois assaillir la rêveuse.

> « *Je ne pense plus à mes cigarettes* — les premières motivations centrées sur l'affirmation du moi sont dépassées. *Je veux visiter le château mais je ne visite que le grand parc derrière les bâtiments : de la verdure, des allées bien entretenues, un soleil éblouissant, d'innombrables petites cascades ; derrière une pinède, on a transformé la mer en d'immenses rouleaux qui tournent sur eux-mêmes. Ma mère apparaît, elle me guide dans ma visite et, désignant les rochers qui longent les allées : "Regarde, ce sont en fait des pierres précieuses." Un architecte est venu de loin pour composer ce décor. C'est l'enchantement. Ma mère disparaît et je marche dans une autre allée, en plein soleil.* »

Cette découverte du parc fort bien entretenu peut évoquer une partie des réparations et des restaurations acquises. L'aspect merveilleux et enchanteur renvoie à l'enfance, comme le confirme l'apparition de la mère, et évoque le désir d'un monde fait d'harmonie et de beauté. Une fausse note tout de même : on dit que c'est un décor. On pourrait être tenté « d'arranger les choses » (la mer en rouleaux) et d'exorciser les forces de l'inconscient (la mer houleuse du début) en s'efforçant de recréer un monde idéal comme en imagine l'enfance. Dans ce contexte, les problèmes qui se posent à l'adulte dans le monde actuel n'ont guère de place, et ce monde idéal risque de devenir fantasmatique et de perdre son utilité. Il faut aller plus profond.

> « *Derrière moi, une jeune fille inconnue. Sur notre droite, une immense butte sur laquelle se trouve un bâtiment très long. Sur la butte, un groupe de personnes, serrées les unes contre les autres. Elles ne parlent pas ; elles sont comme des morts vivants. Les gens nous voient, s'approchent lentement de*

nous. Leur silence est angoissant. Ils sont tout près de nous, je vois leurs visages défigurés: ce sont des lépreux. Ils veulent danser avec nous. Je cherche la jeune fille et je me retourne: un lépreux lui a pris les mains gentiment et tourne doucement avec elle. Je vois la souffrance sur le visage de la jeune fille. L'homme, par ses mains, lui communique sa maladie. Elle pleure en silence. Ses mains et son visage lui brûlent mais elle continue de danser. Un lépreux s'approche de moi et me tend les mains, le visage boursouflé et défiguré; je ne vois ni les yeux ni la bouche, qu'un amas de chair, mais je sais qu'il me sourit. Je lui donne mes mains. Je distingue les seins sous le tee-shirt et lui dis: "tu es une femme, alors je n'ai pas peur". Elle porte un short; ses jambes ont été épargnées par la maladie. Je tourne avec elle et constate la jeunesse de son corps. Je me dis: "c'est une adolescente et elle est noire". Je n'ai plus peur; avec mes mains, je lui témoigne ma confiance. »

Nous voilà au point central d'une évolution intérieure: une personne prend tout à coup en charge la partie lépreuse qui est en elle. Cette partie-là du château est « celle qui n'est pas conforme ». Ce n'est plus un décor, des pierreries étincelantes ; c'est tout à fait autre chose: la partie lépreuse de la personne, prise en charge dans cette acceptation, est entraînée dans une danse de réparation comme la danse pour la vie de l'enfant mort. L'adolescence sombre et douloureuse qui a été confrontée à la mort est réacceptée entièrement. Ce point central est à la fois le secret douloureux de la personne et le trésor ; celui qui y retourne et s'y place, trouve ainsi un moyen de résoudre son problème, le moyen de se porter: « *Tu es une femme... c'est une adolescente et elle est noire* » — « C'est un aspect de moi-même, je la prends en charge et je n'ai plus peur. »

« Je n'ai plus peur » est sans doute la plus grande des phrases qu'on puisse entendre au bout d'un travail de ce genre: la fin de la peur signe l'apparition du mouvement qui regarde et assume les difficultés.

À partir de ce point central, les possibles retours en arrière n'auront plus la même gravité. Il sera toujours possible, devant une nouvelle difficulté, de retrouver le centre intérieur qui épouse la problématique et la transforme. La résolution n'est pas seulement intellectuelle, c'est une transmutation. Si les données du problème n'ont pas changé, la personnalité, elle, a changé. Ainsi qu'en témoigna la rêveuse, il est possible de « se replacer effectivement dans ce point et c'est un lieu où ce qui était avant une angoisse devient pratiquement une sérénité ».

La fin du rêve est la suivante :

> *« Je regarde à nouveau le bâtiment sur la butte : c'est une jolie maison qui ne comporte que des chambres. Chacune a une porte-fenêtre ouverte ; c'est par celle-ci que je vois l'intérieur. Mes yeux s'arrêtent sur chaque fenêtre. Chaque chambre est conçue de la même façon : très jolie, un lit recouvert en dentelle, une lampe de chevet allumée, posée sur chaque lit. Ce sont les chambres des lépreux ; c'est la maison des lépreux. Je suis dans la pinède avec l'adolescente atteinte de la lèpre : derrière un arbre, un éducateur. Nous nous parlons. Maintenant, je sais que le château et le domaine sont un centre de rééducation. J'étais dans le quartier des lépreux. »*

Ce lieu central, représenté comme la chambre intérieure, est le lieu de « rééducation des lépreux » ; il contient à la fois la maladie et le remède. Le fait d'être en communication avec cet état intérieur assure la transformation de l'angoisse en sérénité et donne une solidité intérieure — l'éducateur derrière l'arbre. Le désir d'affirmation, exprimé par la recherche des cigarettes, s'est transformé en capacité de force intérieure.

Voilà la moisson symbolique de l'été qui s'offre au terme d'un cycle, au cours d'un travail entrepris. Cette moisson est elle-même un germe pour les développements ultérieurs, tant il est vrai que la vie n'arrête jamais son cours.

Nous terminons ce chapitre en l'illustrant par un conte d'origine Tchèque, « Mahouléna ou le pèlerin pétrifié » [69]. On trouve, dans les contes de Grimm, un récit — « Le fidèle Jean » — qui lui ressemble beaucoup et doit avoir les mêmes sources.

Ce conte, dont la longueur surprendra peut-être le lecteur, ne pouvait qu'être restitué dans son intégralité. Voyage dans les « terres intérieures », quête de la totalité, ce récit condense en fait, dans ses multiples rebondissements, les différentes étapes du processus de guérison psychologique que nous venons d'étudier.

MAHOULÉNA OU LE PÈLERIN PÉTRIFIÉ

Un roi avait épousé, en secondes noces, une femme jalouse, méchante et quelque peu sorcière. Il avait, de son premier mariage, un fils devenu adolescent. Le jeune homme, toujours vêtu de noir, errait tristement dans les couloirs du château. Sa belle-mère le détestait et il avait, à plusieurs reprises, demandé au roi son père la permission de s'en aller courir le monde. Celui-ci le suppliait de rester et c'est pourquoi le jeune homme errait ainsi dans le château.

Or un jour, il vit son père sortir d'une salle où il ne permettait à personne d'entrer, en oubliant de fermer la porte. Poussé par la curiosité, le jeune homme s'approcha, poussa la porte et pénétra dans la salle. Là, il découvrit sur un chevalet, au milieu des tentures de soie et des fourrures, le portrait d'une femme merveilleusement belle. Il l'admira longuement, puis sortit en refermant soigneusement la porte ; prenant son courage à deux mains, il s'en fut vers son père pour lui rendre les clefs et lui faire part de sa curiosité et de sa découverte. Qui était donc cette femme merveilleusement belle dont le portrait trônait dans la salle ? Le roi lui répondit :

— C'était ta mère, mon fils. On l'appelait la Dame Dorée.

Le soir, au dîner, le jeune homme déclara qu'il voulait partir courir le monde à la recherche d'une épouse qui soit aussi belle que sa mère, la Dame Dorée. La belle-mère jaunit et verdit de jalousie. Quant au roi, désireux de garder encore son fils auprès de lui, il réunit ses conseillers. Ceux-ci lui dirent :

— Envoyez des messagers de par le monde avec le portrait de la Dame Dorée, afin qu'ils trouvent une épouse pour votre fils.

Ainsi fut fait, au grand dépit de la belle-mère, et des messagers partirent dans toutes les directions. Quand ils revinrent, un an plus tard, ils apportaient des portraits de princesses toutes plus charmantes les unes que les autres, mais aucune ne plut au prince qui voulut partir à nouveau. Le roi réunit encore une fois ses conseillers qui lui dirent :

— Faites obstruer tous les puits de la région. Les gens devront venir quérir de l'eau au château et là, on leur montrera le portrait de la Dame Dorée, en leur demandant s'ils connaissent princesse aussi belle qu'elle.

Ainsi fut fait, à la grande fureur de la belle-mère qui dut supporter de voir la foule défiler devant le portrait. Mais personne n'avait vu d'aussi belle femme. Le temps passait et le prince était plus triste que jamais.

Pourtant un jour, un pèlerin s'arrêtant au château contempla le portrait et dit :

— Mahouléna, la fille du roi du Sud, est cent fois plus belle.
On alla aussitôt quérir le roi et le prince, et le pèlerin répéta:
— Oui, Mahouléna, la fille du roi du Sud, est cent fois plus belle, à tel point que sa beauté fait mourir tous ceux qui l'approchent. Si le prince veut me suivre, je puis le conduire jusqu'à elle, mais il faudra qu'il m'obéisse en tout.
Le prince hésita un peu. Obéir n'était pas son fort mais la prestance et l'assurance du pèlerin l'impressionnaient et son envie de découvrir Mahouléna lui fit accepter ce contrat.
Il fit ses adieux à son père et les hommes partirent à l'aventure. Ils traversèrent une région déserte et, le soir tombant, cherchèrent un abri pour la nuit. Bientôt, ils aperçurent au loin une petite lumière ; en s'approchant, ils virent que c'était une chaumière.
Ils frappent: personne ne répond. Ils entrent et voient un grand vieillard, gris comme une colombe, qui, debout devant un écritoire, écrit dans un grand livre rouge aux fermoirs d'argent, à la lueur d'une chandelle.
Le pèlerin et le prince lui demandent s'ils peuvent passer la nuit là, mais le vieillard ne répond pas et continue d'écrire. Les deux hommes vont s'installer alors dans le foin entassé au fond de la cabane. Le prince, fatigué, s'endort aussitôt mais le pèlerin veille derrière ses yeux mi-clos et ne s'endort pas.
Quand sonne minuit, trois corneilles entrent dans la chaumière et, se posant sur l'écritoire, demandent:
— Père, pouvons-nous parler?
— Vous le pouvez, mes filles; les voyageurs dorment.
Elles se transforment alors en trois jeunes filles et le vieillard leur demande:
— Qu'avez-vous vu, mes filles?
— J'ai volé, dit la première, sur le monde large et lointain et j'ai vu le fils du roi et le pèlerin qui cherchent Mahouléna. Deux chemins s'offrent à eux. L'un, à droite, est facile et plat ; s'ils le prennent, ils ne la trouveront jamais. L'autre, à gauche, est marécageux et accidenté ; s'ils le prennent, ils ont une chance de la découvrir.
— J'ai volé, dit la seconde, sur le monde large et lointain et j'ai vu le prince dans la maison de Mahouléna. S'il la regarde le premier jour, il en mourra. Il lui faudra, le premier jour, ne regarder que ses pieds, le second jour que sa taille et le troisième jour, il pourra la regarder toute entière.
— J'ai volé, dit la troisième, sur le monde large et lointain et

j'ai vu le prince dans la maison de Mahouléna. Devant lui, un repas est servi. S'il mange tout la première fois, il mourra. Il lui faudra manger un tiers du repas le premier jour, un tiers le second jour, tout le repas le dernier jour et s'il prononce une seule parole, ce sera sa mort.
Alors, elles se transformèrent à nouveau en corneilles en disant :
— Que celui qui répètera ce qu'il a vu et entendu dans cette cabane soit changé en pierre.
Et elles s'envolèrent. Le vieillard nota les paroles de ses filles dans le grand livre rouge et le ferma. Puis, il éteignit la chandelle et tout le monde s'endormit.
Au matin, quand les voyageurs se réveillèrent, le vieillard était dehors en train de contempler le soleil levant. Lorsqu'ils prirent congé de lui, il ne leur répondit pas plus qu'auparavant.
Les voyageurs reprirent leur route et arrivèrent bientôt à un croisement où se trouvaient deux chemins, l'un accidenté et plein de ronces et l'autre tout droit et bien balisé.
— Prenons ce chemin, dit le prince ; il a l'air facile et sûr.
Mais le pèlerin, lui rappelant sa promesse, lui conseilla au contraire l'autre chemin. Le prince accepta et bien leur en prit car, quelques heures plus tard, ils débouchaient dans une ville qui se trouvait être celle où habitait Mahouléna.
Le prince voulait déjà se précipiter chez elle mais le pèlerin l'en dissuada et dit :
— Cherchons un gîte et, demain, tu iras la voir.
Au matin, avant de le laisser partir, il lui dit :
— Quand tu te trouveras dans la maison de Mahouléna, tu verras un escalier que tu monteras du regard, marche après marche ; tu verras le bas de la robe de Mahouléna et ses pieds et, pour le premier jour, tu ne regarderas pas au-delà. Puis tu te tourneras vers la table où sont exposés les mets et tu prendras un tiers du repas et pas plus ; puis, sans rien dire, tu prendras congé. Le second jour, tu pourras regarder la princesse jusqu'à la taille et prendre la seconde partie du repas, toujours sans rien dire. Le troisième jour seulement, tu pourras la regarder toute entière et consommer le repas tout entier.
Le prince exécute fidèlement les recommandations du pèlerin. Le premier jour, son regard tremblant monte de marche en marche et aperçoit les sandales dorées et le bas de la robe

bleu-nuit. Puis, se faisant violence, il détourne son regard; mais il n'a pas de peine à ne manger qu'un tiers du repas car l'émotion lui a coupé l'appétit et il rentre chez lui, sans mot dire.
Le second jour, toujours tremblant d'émotion, il laisse monter son regard, le long de la robe bleu-nuit, jusqu'à la ceinture dorée. Puis, se faisant violence, il détourne son regard, consomme une autre partie du repas et, sans mot dire, retourne chez lui.
Quand vient le troisième jour, tout tremblant, il lève les yeux vers le visage de Mahouléna et sa beauté est si resplendissante, avec sa chevelure dorée et ses yeux étincelants comme des diamants, qu'il manque de s'évanouir. Mais elle s'avance vers lui et lui dit:
— Enfin te voilà, mon fiancé que j'attendais! Viens, allons voir mon père, tu lui feras ta demande en mariage.
Ils allèrent voir le père de Mahouléna qui fut heureux qu'enfin un des prétendants de sa fille fut encore vivant et accorda bien volontiers sa main. Les noces furent célébrées et les fêtes durèrent trois jours, trois jours de joie et de festivités.
Au bout d'un mois, le prince désira retourner dans son pays et alla en parler à son beau-père. Celui-ci était un peu sorcier et comprenait le langage des oiseaux. Il savait que des dangers menaçaient les jeunes gens mais ne pouvait rien dire: il dut les laisser partir en espérant qu'ils surmonteraient les épreuves qui les attendaient. Il monta tristement dans sa tour, attendant que les oiseaux viennent lui raconter comment se déroulait la suite des événements.
Nos voyageurs repartirent donc par le chemin d'où ils étaient venus et retournèrent, car le pèlerin l'avait demandé, passer la nuit dans la cabane du vieillard. Celui-ci était toujours là, écrivant dans son grand livre rouge, à la lueur d'une chandelle, comme la première fois. Et il ne leur répondit pas plus que la fois précédente, quand ils entrèrent dans la chaumière.
Le prince et Mahouléna s'endormirent rapidement sur le foin, tandis que le pèlerin veillait derrière ses paupières mi-closes.
Bientôt les trois corneilles entrent dans la cabane et, s'adressant à leur père:
— Père, pouvons-nous parler?
— Vous le pouvez, mes filles; les voyageurs dorment. Qu'avez-vous vu en parcourant le vaste monde?
Et, se transformant en trois jeunes filles, elles répondent:

— J'ai volé, dit la première, sur le monde large et lointain et j'ai vu la reine qui prépare une boisson ; elle est empoisonnée et si le prince la boit, son cœur éclatera en morceaux.
— J'ai volé, dit la seconde, sur le monde large et lointain et j'ai vu la reine qui est en train de dresser un cheval ; si le prince le monte, il l'emportera à sa perte et le noiera dans le Danube.
— J'ai volé, dit la dernière, sur le monde large et lointain et j'ai vu la reine ; elle est sorcière et peut se transformer en dragon ; si elle pénètre dans la chambre du prince, il en sera fait de lui.
Puis elles dirent toutes ensemble :
— Que celui qui répètera ce qu'il a vu et entendu dans cette cabane soit changé en pierre.
Et, reprenant leur forme de corneille, elles s'envolèrent dans la nuit. Le vieillard écrivit les paroles de ses filles dans son grand livre rouge, souffla sur sa chandelle, puis ferma le livre aux fermoirs d'argent et tout le monde tomba dans le sommeil.
Au matin, le vieillard regardait le soleil levant quand les voyageurs prirent congé de lui et il ne répondit pas plus que la première fois.
Les voyageurs approchaient de la ville natale du prince et toute la foule, avertie de leur arrivée, venait à leur rencontre pour les accueillir. Se dégageant de la foule, le serviteur de la reine, en livrée verte, portant une coupe à la main, s'adressa au prince :
— Notre reine, dit-il, t'adresse cette boisson, en guise de bienvenue.
Déjà le prince tendait la main vers la coupe quand le pèlerin, impérativement, arrêta son geste en lui disant :
— Demande plutôt à ce serviteur de goûter ce vin lui-même.
Celui-ci pâlit, avala la coupe et s'écroula sur le sol. Le silence se fit dans la foule qui continua d'avancer en faisant cortège au jeune couple.
On vit survenir un second serviteur, en livrée rouge, tenant en bride un cheval fougueux.
— La reine, ma maîtresse, t'offre ce cheval, dit-il, en guise de bienvenue.
Le prince regardait ce pur-sang. C'était son rêve, ce dont il avait toujours eu envie ! Il s'apprêtait à prendre la bride et à sauter en selle quand, d'un geste impératif, le pèlerin l'arrêta et lui dit :

— Demande plutôt à ce serviteur de monter le cheval lui-même. Le serviteur pâlit, monta le cheval qui partit dans un galop furieux et s'enfonça dans le Danube, s'engloutissant avec son cavalier.
De nouveau, l'effroi se répandit dans la foule et, en silence, tout le monde gagna le palais. Là, le vieux roi, heureux de retrouver son fils et sa femme, leur fit fête. La reine-mère fit bonne figure, montra de la politesse et l'on décida d'un repas, d'un festin, pour célébrer le retour du prince et de la princesse.
Quand vint le soir, le pèlerin prit le prince à part et lui dit :
— Tu as toujours écouté mes conseils et tu sais qu'ils t'ont porté chance ; il faut que je te demande encore une faveur, c'est que tu ne dormes pas ce soir dans ta chambre, mais que tu me laisses veiller à ta place auprès de Mahouléna et que tu dormes, au contraire, dans une chambre éloignée du palais.
Le prince, d'abord, se récria, trouvant cette idée complètement fantastique, mais devant l'insistance du pèlerin et se rappelant comment il l'avait conseillé et conduit jusque-là, il accepta et, le soir tombant, alla discrètement se coucher dans une chambre éloignée pendant que le pèlerin veillait, l'épée au clair, près de la porte de la chambre.

A minuit, celle-ci s'ouvrit sans bruit et un dragon pénétra dans la chambre, s'approchant du lit où aurait dû dormir le prince. Alors, le pèlerin tira son épée, trancha la tête du dragon et jeta celui-ci dans les combles du château. Mais voilà qu'au moment où il allait remettre son épée au fourreau et qu'il essuyait le sang dont elle était tachée, Mahouléna se réveilla et, voyant le pèlerin tenant dans sa main une épée tachée de sang, elle poussa un cri de terreur qui réveilla tout le château.
Accoururent le roi, le prince, les serviteurs, les servantes, les chambrières et tout le monde, devant ce spectacle — Mahouléna hurlant de terreur et le pèlerin avec son épée tachée de sang — crut que le pèlerin avait voulu la tuer. Mahouléna avait beau dire qu'elle n'avait subi aucune violence et que le pèlerin ne lui avait fait aucun mal, le vieux roi voulait à tout prix faire exécuter le pèlerin sur-le-champ, l'accusant d'avoir voulu tuer la princesse. Le prince lui-même, étonné mais connaissant l'aide que lui avait apportée le pèlerin, était indécis. Tout le monde le pressait de questions et, finalement, le pèlerin dit :

— Un sortilège veut que, si je vous raconte les raisons pour lesquelles je suis dans cette situation, je sois changé en pierre.
Alors le prince lui dit:
— Je te fais confiance; ne dis rien, je te crois.
Mais le pèlerin répondit:
— Non, car ton père ne me croit pas et il faut que la lumière soit faite.
Aussi, il raconta toute l'histoire et leur dit:
— Si la reine, qui était sorcière, en a fini avec ses sortilèges, peut-être retrouverez-vous le corps du dragon dans les combles du château.
Ce disant, il fut transformé en pierre. En effet, au matin, on retrouva le corps de la reine-mère, décapité, dans les combles du château...
Le prince ne se consolait pas de la perte de son ami. Il avait installé sa statue de pierre dans le jardin, entourée de fleurs, et venait le voir tous les jours; puis, il partait tristement à la chasse.
Au bout d'un an, alors que le prince était à la chasse, il vit trois corneilles voler au-dessus de lui et quelle ne fut pas sa surprise de comprendre leur langage! La première disait:
— Le prince ne sait pas que la princesse, sa femme, est en train d'accoucher...
La seconde disait:
— Le prince ne sait pas qu'elle a mis au monde un beau garçon à la chevelure dorée, portant une étoile au milieu du front...
Et la troisième disait:
— Le prince pleure son ami; il ne sait pas qu'une seule goutte de sang de son fils lui rendrait la vie.
Et elles s'éloignèrent en quelques battements d'ailes.
Le prince, ayant entendu cela, partit au galop vers le château, monta quatre à quatre les escaliers, pénétra dans la chambre de l'accouchée, au mépris des cris des chambrières, prit l'enfant dans ses bras et se précipita au jardin. Il sortit son poignard de chasse, toujours poursuivi par les servantes qui poussaient des cris affolés, en perça juste le bout du doigt de l'enfant. Une goutte de sang tomba sur la statue et le pèlerin reprit vie.
Et ils vécurent heureux, le pèlerin, l'enfant, le prince et la princesse. Si vous allez les voir, vous les trouverez peut-être encore...

Si j'ai choisi ce conte, c'est qu'il montre d'une manière significative le cheminement avec le guide représenté par le pèlerin, qui n'est autre que la connaissance intuitive du prince, sa sagesse profonde toujours en état d'éveil. Le pèlerin ne semble pas savoir à l'avance quelles démarches précises il faudra accomplir, mais il reste à l'écoute des messages de la destinée. Pendant que le personnage représentatif du conscient — le prince — dort, l'inconscient, sous l'aspect du pèlerin, veille.

Le vieux sage est une représentation du Destin : c'est Chronos, dieu du temps, qui inscrit dans son grand livre rouge les événements de la vie des humains. Il est aidé par ses trois filles — les trois corneilles —, autre représentation de la connaissance intuitive, oiseaux symboliques de l'âme qui nous rappellent les trois déesses grecques de la destinée. L'inconscient, en éveil, perçoit les messages de l'autre monde et peut connaître à l'avance les événements futurs. Si l'esprit conscient se conforme aux conseils du guide inconscient, la quête de l'âme entreprise se déroule harmonieusement. Il faut remarquer que le personnage choisi comme symbole de la sagesse inconsciente est un pèlerin et non un homme comme les autres. On peut supposer qu'en tant que pèlerin, il a déjà accompli des voyages en quête de l'absolu ou de l'essentiel, ce qui lui donne une faculté d'éveil et de sagesse.

Si l'on considère la situation du royaume au début du conte, on voit que celui-ci est en état de dégénérescence. Le vieux roi a perdu la femme positive — la Dame Dorée — dont il ne lui reste qu'un portrait, une représentation mentale, un souvenir, une image intellectuelle figée. Il a épousé une « femme sorcière », ce qui le met sous la domination des tendances féminines négatives, comme en témoignent sa possessivité à l'égard de son fils et, plus tard, son doute envers le pèlerin. Cette possessivité, qui cherche à retenir le jeune homme au château, interdit l'activité rénovatrice et fait stagner indéfiniment la situation. C'est une sorte de mort vivante qui immobilise un psychisme et qui s'exprime par une quaternité négative composée par le roi, le prince, la reine et la Dame Dorée en portrait.

Cette situation demande une restauration : c'est l'élément porteur du renouveau, le prince, qui va la provoquer. Il veut trouver une femme aussi belle que la Dame Dorée, c'est-à-dire rendre à la fonction féminine toute sa richesse.

Cette recherche ne pourra parvenir à son terme qu'avec l'aide de la connaissance intuitive. Les qualités manquantes dorment encore dans l'inconscient. La compréhension, la lumière et la joie qu'elle peut apporter sont semblables à « l'illumination » et comportent un danger, celui de ne pas être supportables pour la conscience qui peut en mourir. Les découvertes intérieures demandent un cheminement difficile, de la vigilance et de la patience ; il faudra pour les affronter s'y reprendre souvent à plusieurs fois, faire preuve de maîtrise, ne pas vouloir aller trop vite. Cette double symbolique d'ombre et de lumière, de danger et d'illumination, est figurée dans le vêtement même de Mahouléna : elle porte une robe bleue comme la nuit mais les chaussures et la ceinture sont d'or. Sa chevelure resplendit comme du cuivre — métal de Vénus — et ses yeux comme des diamants — image de la pierre alchimique.

Le trésor enfoui dans la personnalité doit être abordé avec toute la prudence nécessaire, pour que ne soit pas détruit celui qui prétend à cette réunification avec les forces intérieures ; il faudra les intégrer progressivement. C'est l'âme qui est ainsi redécouverte dans sa totalité, après avoir été pressentie devant le tableau de la Dame Dorée. La fonction intuitive est, dans le conte, représentée de façon multiple. C'est le pèlerin, mais c'est aussi le vieillard et ses trois filles ; c'est aussi Mahouléna dont le « père » est sorcier et entend les oiseaux, comme le vieillard de la chaumière dont il est une répétition.

Cette première partie du conte représente le voyage à l'intérieur de soi-même, inauguré par une situation stagnante et mortelle. Bien mené, ce voyage conduit à la découverte d'une richesse intérieure et à la réunification, ou intégration de cette richesse dans le mariage, la conjonction.

Mais ce premier pas ne suffit pas ; il faut ramener à la surface, dans la vie, ce qui a été perçu dans le monde de l'au-delà — le « royaume du Sud », le pays des oiseaux. D'où le voyage de retour accompli dans un second temps, comme le voyage de retour du conte de « la barque de pierre ». Là aussi, la difficulté est d'affirmer et de rendre manifeste la richesse intérieure découverte.

On se heurte maintenant à un double obstacle : le retour à la conscience oblige à une actualisation et une explicitation des contenus inconscients ; cependant cette explicitation contient en elle-même un danger de pétrification. La « sagesse intuitive » ne peut être révélée n'importe comment. Le pèlerin n'est pas pétrifié quand il conseille le prince dans son action, révélant ainsi à demi ce qu'il a vu et entendu ; il l'est quand il doit se justifier auprès du vieux roi pour dissiper ses doutes. On voit ainsi combien il est difficile de manier la compréhension des données inconscientes. Négligées, elles mènent un individu à sa perte ; exposées trop complaisamment, elles le pétrifient.

Entre les deux excès, une attitude de juste milieu permet d'être averti des fils secrets du destin et d'y adapter sa conduite, sans chercher à bénéficier de cette connaissance pour la satisfaction du moi. L'individu a un secret qui doit rester le sien.

Le voyage du retour demande les mêmes précautions que celui de l'aller : arrêt dans la cabane, à l'écoute des instructions nocturnes du destin et action adaptée aux avertissements face au danger. Les tendances dangereuses de la personnalité font leur réapparition car elles n'ont pas été affrontées encore. L'individu est allé, dans le voyage intérieur, chercher une force qui lui permette cet affrontement et ne l'en dispense pas. La jalousie et la haine de la reine, le doute et l'autoritarisme du vieux roi sont encore à dépasser ; ils créent une phase de stagnation pendant laquelle tout est immobilisé.

Le groupe formé par le prince, la princesse et le pèlerin va donc se heurter à l'ombre du sentiment féminin dans sa possessivité et sa cruauté, ombre représentée par la belle-mère sorcière qui prépare ses enchantements. La foule qui vient au-devant d'eux évoque l'animation énergétique qui résulte du voyage entrepris.

A cette revitalisation, doit s'ajouter la fonction de connaissance intuitive qui permet le discernement. Ce discernement doit s'exercer à l'égard des tendances négatives du sentiment, la jalousie, l'ambition, la haine et la possessivité. Le vin offert en cadeau de bienvenue est un cadeau empoisonné ; assorti de flatterie, il s'adresse à la naïveté du prince qui croit, tout à son bonheur, aux bonnes intentions de tous. La jalousie s'exprime ainsi par les paroles empoisonnées qui font « éclater le cœur » ; le cheval est à l'image de la fougue excessive qui peut emporter son cavalier et le noyer dans les eaux de l'inconscience ; le dragon représente la haine qui engloutit tout. Dans son inexpérience, le prince, qui a reconquis une fonction sentimentale qui manquait au royaume, pourrait se laisser déborder par les excès même de cette fonction qui le mèneraient à sa perte. Sa lucidité et son intuition, incarnées par le pèlerin, sont averties du danger et le préviennent.

L'intelligence rationnelle — le vieux roi — a quelque peine à intégrer ces nouvelles notions et demande des preuves ; mais ces preuves sont elles-mêmes pétrifiantes et renvoient en exil la fonction intuitive. On peut penser néanmoins qu'il fallait aussi en passer par là : la mise au jour des contenus inconscients éclaire la conscience sur les intentions secrètes du destin mais peut aussi provoquer un temps de latence ou d'assimilation de ces contenus.

Le pèlerin est pétrifié. Ce temps de pétrification est solidaire du temps de gestation de la princesse, ce qui semble indiquer que la pétrification n'est qu'apparente et que, pendant ce temps, mûrit une nouvelle conscience, née de l'évolution du prince et de la princesse ; c'est leur « enfant », symbole du Soi, qui porte une étoile sur le front en signe d'éveil, dont le sang réanimera le pèlerin-guide. Le prince a lui-même intégré la connaissance du pèlerin, puisque c'est lui cette fois qui comprend le langage des oiseaux et peut adapter sa conduite à cette connaissance intuitive. Cette connaissance va encore à l'encontre de la rationnalité habituelle : c'est avec affolement que les servantes voient le prince saisir l'enfant et sortir son couteau de chasse, geste rappelant d'anciens sacrifices comme celui d'Abraham. Dans le conte de Grimm, le sacrifice de l'enfant est plus décisif encore, puisqu'il s'agit de l'immoler sur la statue du fidèle Jean qui, par la suite, lui redonnera vie.

La connaissance intuitive est paradoxale ; elle conduit à des actes apparemment incompréhensibles, vus de l'extérieur, alors qu'ils ont une cohérence interne qui fait peu à peu ses preuves.

Ce conte illustre sous différentes formes le « Soi », défini par Jung comme une fonction transcendante qui englobe le conscient et l'inconscient. Le pèlerin-guide en est une première figuration, l'enfant à l'étoile d'or une seconde ; la quaternité qui clôt le conte — le prince, la princesse le guide et l'enfant — est une restauration de la quaternité initiale.

Ainsi, au terme du travail entrepris, du chemin parcouru à travers les saisons, se présente le Soi, fruit de l'été, pivot temporel et spatial autour duquel s'ordonne une personnalité, mais aussi germe préparant les développements futurs.

ÉPILOGUE

Nous voilà donc au terme de notre cycle. Avec la fin de l'été et les moissons, se termine le déroulement entrepris en automne. Mais y a-t-il jamais une fin ? Et la leçon même du cycle annuel n'est-elle pas qu'il est un éternel recommencement ?

Comme l'Ouroboros – le serpent qui se mord la queue –, l'année recommence là où elle se termine. Nous savons bien pourtant que cette nouvelle année qu'inaugurent les labours de l'automne est la même sans l'être tout à fait, ce qui nous donne à la fois le sentiment de la permanence et celui du renouvellement. L'image se déroule comme une spirale, chaque tour de spire répétant la figure de la spire précédente, mais sur un plan différent. Il s'y inclut une verticalité qui est à la fois le mystère du temps et celui de la transcendance, verticalité sans laquelle l'homme ne peut vivre, verticalité qui le conduit à s'interroger sur le sens de son destin et non seulement sur les aléas de son parcours qui, eux, s'inscrivent dans l'horizontalité de la spire.

Pas de psychisme sans cette profonde prise de conscience du temps – le temps en arrière, le temps en avant – et ce curieux secret de l'abolition du temps, quand la mémoire nous replonge dans l'autrefois comme si c'était aujourd'hui même.

L'esprit humain débouche sur un paradoxe ; il est dans le temps, profondément inscrit dans un parcours semblant inéluctable et il est aussi hors du temps, capable de le parcourir grâce à sa mémoire et même de restaurer aujourd'hui ce qui a été blessé hier, chose impossible dans le domaine de la matière.

Qu'en est-il de demain ? Les mathématiciens modernes indiquent qu'il n'est pas impossible de parcourir le temps dans les deux sens – passé, futur. C'est ce que semble faire cette mystérieuse fonction intuitive, dormant le plus souvent dans l'inconscient et qui anticipe sur l'avenir, prescience du destin.

Comment vivre sans être intimement inclus dans ce parcours temporel qui est le vrai fluide dans lequel nous baignons ? Comment vivre véritablement sans avoir cette amicale intimité avec le temps, le sien, celui du monde, celui du passé, celui du futur, afin que les actes et les pensées quotidiennes ne se résolvent pas en poussière d'atomes éparpillés mais s'architecturent dans une cohérence ordonnée ? La connaissance du temps peut éveiller le désespoir devant les inévitables recommencements mais aussi l'espoir, si se dégage pour l'esprit le sens plus général de ses parcours.

Pas d'évolution psychique sans cette connaissance qui assimile le paradoxe espoir-désespoir et puisse situer l'évolution intime dans une flèche temporelle qui lui donne un sens.

Abbaye de Coatmalouen, 17 juillet 1987.

NOTES

AUTOMNE :

1. C.-G. Jung : *Psychologie et orientalisme* (Albin Michel), p. 96. Jung commente une figure alchimique représentant un homme pointant son trident vers une salamandre au milieu d'un brasier : « Le feu exprime un processus de changement intensif... Tout ce que dévore le feu monte vers le haut, vers le siège des dieux... Le supplice des flammes fait naître la clarté... »

2. *Dictionnaire Flammarion* et *Dictionnaire de la Psychologie* (Larousse).

Voir aussi C.-G. Jung : *Types psychologiques* (Librairie de l'université, Georg et Cie S.A., Genève), p. 468 — article 30 : inconscient.

3. M.-L. Von Franz : *Nombre et Temps* (La Fontaine de pierre), p.p. 42 et 43. M.-L. Von Franz y cite, entre autres, les témoignages d'Henri Poincaré, Karl-Frédéric Gauss, Félix Klein...

4. J. Piaget : *Six études de psychologie* (Gonthier, Paris).

5. Jung a présenté cette thèse dans tous ses ouvrages mais on peut citer plus particulièrement ici *Métamorphoses de l'âme et ses symboles* (Librairie de l'université, Georg et Cie S.A., Genève, 1978). Paru en première édition sous le titre *Métamorphoses et symboles de la libido*, cet ouvrage a consacré la rupture entre Freud et Jung. Dans ce travail, Jung étaye l'étude des concepts psychologiques par un large matériel mythologique et procède à l'analyse comparée des productions inconscientes d'une malade de Th. Flournoy et des productions mythiques. De nombreux autres ouvrages reprendront ce postulat de base : l'identité entre l'inconscient de l'homme moderne et l'inconscient producteur de mythes de l'homme antique — en particulier *Les racines de la conscience* (Buchet Chastel) et tous les ouvrages portant sur l'alchimie (*cf.* Bibliographie).

6. Pierre Jacquez Helias : *L'Herbe d'or* (Julliard, 1982).

7. Jacques de Voragine : *La légende dorée* (Librairie Académique Perrin), p. 18 à 27 : St-Nicolas.

8. P. Saintyves : *En marge de la légende dorée* (Réédition Robert Laffont, 1987), p. 670. Citant H. Delehaye S.J. : « C'est évidemment le peuple qui a créé la naïve légende des céphalophores (saints portant leur chef décollé entre leurs mains) qu'un type iconographique lui soufflait, et l'on attribue généralement une pareille origine à la légende de saint Nicolas et des trois enfants. »

9. À propos du mythe d'Isis et d'Osiris voir M. Éliade : *Histoire des croyances et des idées religieuses* (Payot, 1976), Tome I — *De l'âge de pierre aux mystères d'Eleusis*.

On y trouvera en particulier (p. 19) une étude sur les dispositions religieuses de l'homme préhistorique évoquées plus haut (« Homo faber », il est également « ludens, sapiens et religiosus »).

P. 109, Mircéa Éliade étudie le mythe d'Isis et d'Osiris d'après la version la plus complète, celle de Plutarque : « De Iside et Osiride », IIe siècle après J.-C.

Voir aussi C.-G. Jung : *Métamorphoses de l'âme et ses symboles (op. cit.)*, p. 390 et s.

10. Cette sentence attribuée à Hermès Trismégiste dans la « Table d'Émeraude » est la suivante : « Ce qui est en bas est comme ce qui est en haut, pour les miracles d'une seule chose. »

Voir à ce propos Alexandrian : *Histoire de la philosophie occulte* (Seghers, 1983), p. 33, p. 50 et s.

11. Voir à ce propos l'œuvre de Freud et en particulier :
— *Introduction à la Psychanalyse* (Payot)
— *Essais de Psychanalyse* (Payot)
— *Cinq leçons sur la Psychanalyse* (Payot)

12. Jung raconte dans *Ma vie — Souvenirs, rêves, pensées* (Gallimard, 1966) la période de collaboration avec Freud, puis les divergences qui l'amenèrent à une rupture, divergences qui se sont précisées pendant la rédaction des *Métamorphoses et symboles de la libido (op. cit.)*, ce dont témoigne aussi leur correspondance : *Sigmund Freud C.-G. Jung : Correspondance*, 2 tomes (Gallimard, 1975).

13. Sophocle : *Œipe Roi in Tragédies de Sophocle* — Traduction de Paul Mazon (le Club Français du Livre, 1953).

— Mario Meunier : *La légende dorée des dieux et des héros* (Albin Michel, 1945, 1980), p. 155 et s.

— Paul Diel : *Le symbolisme dans la mythologie grecque* (Payot P.B.P.).

14. *Dictionnaire des symboles* (Seghers) — Article Sphinx.

15. Dans *Métamorphoses de l'âme et ses symboles (op. cit.)*, p. 310, Jung étudie la légende d'Œdipe et plus particulièrement la figure du sphinx comme « mère terrible ». L'affrontement avec le sphinx ayant été résolu avec trop de facilité, comme une énigme enfantine, le destin suit son cours. Ce qu'Œdipe aurait dû considérer dans l'apparition du sphinx, c'était l'image du dangereux attachement à la mère, attachement régressif qui conduit à l'inceste. Il s'agit aussi dans cette image composite du monstre mi-humain, mi-animal, d'une figuration de la libido, énergie à la fois instinctuelle et spirituelle.

16. C.-G. Jung : *Ma vie — Souvenirs, rêves, pensées (op. cit.)*, chapitre « Sigmund Freud », p. 173.

17. Sigmund Freud — C.-G. Jung : *Correspondance (op. cit.)*.

18. C.-G. Jung : *Ma vie (op. cit)*.

19. S. Freud : *Un souvenir d'enfance de Léonard de Vinci* — Traduction de Marie Bonaparte (Gallimard, 1927).

20. C.-G. Jung : *Ma vie (op. cit.)*, p. 177.

21. S. Freud — C. G. Jung : *Correspondance (op. cit.)*, Tome II, 1910-1914.

La lettre de Jung du 17-05-1912 (p. 275), évoquant la parution des *Métamorphoses et symboles de la libido*, aborde le problème de l'inceste et prévient Freud d'éventuelles divergences : « Je crains de vous faire une impression très paradoxale... »

Celle de Freud du 23-05-1912 (p. 277) étudie les divergences avec Jung sur la conception de la libido, l'inceste, l'origine de l'angoisse et réaffirme ses positions. Toute la suite de leur correspondance témoigne de la rupture progressive.

La séparation avec Jung n'était pas un événement nouveau pour Freud qui a ainsi rompu avec bon nombre de ses élèves. Tous les ouvrages traitant de l'histoire de la psychanalyse en font état ; on peut citer entre autres :

— Elizabeth Roudinesco : *Histoire de la Psychanalyse en France* (Seuil, 1986).

— P. Roazen : *La saga freudienne* (P.U.F., 1986).

— Lydia Flem : *La vie quotidienne de Freud et de ses patients* (Hachette).

22. *Mutus Liber — Le livre d'images sans paroles* (René Baudouin).

23. Olivier Costa de Beauregard : *Le second principe de la science du temps* (Seuil, 1963).

24. M.-L. Von Franz : *Aurora consurgens* (La Fontaine de pierre).

25. *Contes et légendes de Bohême* (Nathan, Paris).

26. Hermann Hesse, dans son roman *Siddhartha* (Le Livre de Poche) traite du thème du passeur. Vers la fin de sa vie, le héros rencontre au bord d'un fleuve un passeur, auprès duquel il décide de vivre. Là se produit son illumination. À la mort du passeur, c'est lui qui reprendra la rame.

HIVER :

27. *Cf. Dictionnaire de la mythologie* (Marabout, Paris). Mario Meunier : *La légende dorée des dieux et des héros* (Albin Michel).

28. C.-G. Jung — Ch. Kerényi : *Introduction à l'essence de la mythologie* (Payot P.B.P.). Voir l'étude de Kerényi sur *La jeune fille divine* (p. 145 et s.), en particulier p. 168 : « Vue à travers le mythe de Perséphone, la mort fertile du blé — soulignée dans le culte par les détails du sacrifice des ports — acquiert un sens symbolique. Ainsi, en partant d'une autre idée, cette mort devait devenir parabole "... si le grain de blé qui est tombé en terre ne meurt, il reste seul ; mais s'il meurt, il porte beaucoup de fruits" — Jean XII, 24. »

Voir aussi l'étude de Jung : « Contribution à l'aspect psychologique de la figure de Koré » (p. 215 et s.) où Jung fait apparaître différentes typologies féminines, toutes figures de l'Anima.

L'extrait de la préface de la 2e et de la 3e édition (p. 7) est aussi remarquable. Kerényi cite, d'après Frobénius, les paroles d'une noble Abyssine qui expriment en langage direct la dualité entre les attitudes maternelles et les attitudes féminines.

29. M. C. Dolghin : *Les grandes étapes de la vie féminine* — Thèse pour le doctorat en Médecine (Paris, 1967).

Esther Harding : *Les mystères de la femme* (Payot, 1953).

30. Guy Breton a proposé cette interprétation dans une série d'émissions sur France Inter, en 1979 : *Histoires magiques de l'Histoire de France*.

31. Ce problème — l'image ambivalente de Dieu — a été abordé par Jung dans *Réponse à Job* (Buchet Chastel, 1964). Dieu, par contentement tacite, livre Job aux persécutions du démon. Si la toute-puissance de Dieu n'est pas mise en doute, on doit penser qu'il veut bien laisser persécuter son serviteur fidèle Job — préfiguration du Christ. Ceci révèle une face sombre de la divinité, reconnue dans les mythologies antiques et rejetées dans le christianisme sur la figure de Satan ou de l'Antéchrist — « l'adversaire » ; le problème du mal est toujours présent mais Dieu est innocenté. La question du sens de l'existence du mal se pose aujourd'hui avec toujours plus d'acuité et sans réponse satisfaisante.

32. L'imagerie de Noël s'est cristallisée au Moyen Âge. C'est saint François d'Assise qui a eu l'idée de cette représentation naïve de la crèche. Si l'âne était un animal courant en Palestine, la présence du bœuf y est plus douteuse. Toutefois la représentation naïve parlait symboliquement et l'imagerie a ainsi pris racine.

33. *L'Express* — n° Noël 1984.
34. C.-G. Jung: *Ma vie (op. cit.),* p. 186 et s.
35. M. Éliade: *Histoire des croyances et des idées religieuses* (Payot, 1976), Tome I: *De l'âge de pierre aux mystères d'Eleusis* — chap. 1.
36. *Le monde des cryptes* (Zodiaque) et *L'archéologie du mystère* (Atlas, Paris, 1983), p. 113 à 134 — « Chartres cathédrale païenne », « L'architecture secrète de Chartres », « Les vierges noires », « Le secret des vierges noires ».
37. Philippe Soupault: *52 contes merveilleux* (Le Club Français du Livre, Paris, 1953).
38. Jean Markale: *Les Celtes et la civilisation celtique* (Payot, 1969).
39. La notion d'abaissement du niveau de conscience a été proposée par le psychiatre français Pierre Janet — Jung y fait souvent référence. On peut consulter une récente réédition de ses écrits par la société Pierre-Janet, en particulier *La médecine psychologique* (Flammarion, 1923 — Nouvelle édition, 1980).
40. M.-L. Von Franz: *L'Ombre et le mal dans les contes de fées* (La Fontaine de pierre).
41. Jung a longuement développé le thème de Jonas et de la baleine dans *Métamorphoses de l'âme et ses symboles (op. cit.),* p. 546 à 548, p. 665 et s., montrant l'ambivalence de la régression infantile: retour négatif à l'enfance ou plongée dans l'inconscient qui conduit à la renaissance.
42. Philippe Soupault: *52 contes merveilleux (op. cit.).*

PRINTEMPS:
43. L'opposition entre homogénéité et hétérogénéité est traitée tout particulièrement par Stéphane Lupasco dans *Du devenir logique et de l'affectivité,* 2 tomes (Librairie philosophique Vrin) ainsi que dans *Les trois matières* (Julliard, 1960).
44. Au sujet de l'apprentissage, de l'imitation et des comportements qui en dérivent, voir le livre de René Girard: *Des choses cachées depuis la fondation du monde* (Le Livre de Poche, Grasset) où l'auteur pose la mimesis d'appropriation, la rivalité mimétique, leur répression et leur transgression comme fondement des comportements culturels.
45. J. Giono: *Jean le bleu* (Le Livre de Poche, Grasset).
46. Philippe Soupault: *52 Contes merveilleux (op. cit.).*
47. Guy Breton: Série d'émissions (France Inter, 1979) — *Histoires magiques de l'Histoire de France.*
48. C.-G. Jung: *Réponse à Job (op. cit.).*
49. C.-G. Jung: *Types psychologiques* (Librairie de l'université, Georg et Cie S.A., Genève, 1950), particulièrement le chapitre X — « Description générale des types » — et le chapitre XI — « Définitions ».
50. M.-L. Von Franz: *C.-G. Jung, son mythe en notre temps* (Buchet Chastel), chapitre IX — « Connaissance du matin et connaissance du soir ».
51. C'est Lorenz et l'école éthologique qui ont mis en évidence les systèmes de régulations instinctifs assurant un fonctionnement adapté à la pulsion instinctive. Ainsi la dualité s'installe à l'intérieur même du fonctionnement instinctif — pulsion et régulation de la pulsion — et non dans une confrontation instinct-conscience. L'espèce humaine est cependant dépourvue de certaines régulations automatiques — donc inconscientes — et doit parvenir à des régulations conscientes, culturelles, acquises. La dualité se déplace ; elle n'est plus à l'intérieur du fonctionnement instinctif mais oppose l'instinct à la conscience. Ainsi s'introduit le problème éthique.

Voir Konrad Lorenz : *Il parlait avec les mammifères, les oiseaux et les poissons* (Flammarion) — *L'Agression, une histoire naturelle du mal* (Flammarion) — *Essai sur le comportement animal et humain* (Seuil).

52. C.-G. Jung : *Métamorphoses de l'âme et ses symboles (op. cit.)*, p. 492 et s.

53. C.-G. Jung : *L'Homme et ses symboles* (Robert Laffont). Les différents types d'Anima et d'Animus sont étudiés dans l'article de Marie Louise Von Franz — « Le processus d'individuation » — p. 158.

54. *Contes de Bohême* (Nathan).

55. M.-L. Von Franz : *L'âne d'or — interprétation d'un conte* (La Fontaine de pierre).

56. *Contes de Hongrie* (Nathan).

57. Konrad Lorenz : *Cf.* ouvrages cités plus haut (note 51).

58. M.-L. Von Franz : *La femme dans les contes de fées* (La Fontaine de pierre), p. 195 — Les six cygnes.

59. Tahar Ben Jelloun : *L'enfant des sables et la nuit sacrée* (Seuil).

ÉTÉ :

60. Dans la théorie des éléments chinois, l'Air est assimilé au Bois ; Souen — le doux, le vent, le bois — a comme propriété la douceur qui « pénètre à la façon du vent ou du bois qui pousse ses racines... La qualité pénétrante du vent repose sur son caractère continu... »

Yi-King — Version allemande de Richard Wilhelm, traduction française d'Étienne Perrot (Librairie de Médicis), p. 258.

61. C.-G. Jung : *Types psychologiques (op. cit.).*

62. C.-G. Jung : *Psychologie et alchimie* (Buchet Chastel), p. 209.

63. Jean Markale : *Les Celtes et la civilisation celtique (op. cit.).*

64. *Cf.* Georges Perpes : *Les colonnes du temps* (1987), p. 28. En Provence, le mois de mai était surnommé « mois des âmes » (en migration) ou « mois des ânes » (l'âne étant un animal diabolique dont la période de rut coïncide avec le mois de mai). À Rome, le mariage était interdit du 1er mai au 15 juin, à cause de la ténébreuse fête des Lémures — placée le 13 mai — « fête funéraire destinée à apaiser les mânes des morts ».

65. J. Giono : *Le serpent d'étoiles* (Le Livre de Poche, Grasset).

66. Bruno Bettelheim :
— *La forteresse vide* (Gallimard, 1967).
— *Un lieu pour renaître* (Laffont).
— *L'amour ne suffit pas* (Laffont).

67. C.-G. Jung :
— *Psychologie du transfert* (Albin Michel, 1980).
— *Le Moi et l'inconscient* (Gallimard).

68. Bruno Bellelheim : *Dialogues avec les mères* (Laffont).

69. *Contes de Bohême* (Nathan).

BIBLIOGRAPHIE

ALEXANDRIAN: *Histoire de la philosophie occulte* (Seghers, 1983).
ARCHÉOLOGIE DU MYSTÈRE (Atlas, 1983).
BEAUREGARD, Olivier Costa de: *Le second principe de la science du temps* (Seuil, 1963).
BEN JELLOUN, Tahar: *L'enfant des sables* (Seuil).
– *La nuit sacrée* (Seuil).
BETTELHEIM, Bruno: *La forteresse vide* (Gallimard, 1967).
– *Un lieu pour renaître* (Laffont).
– *L'amour ne suffit pas* (Laffont).
– *Dialogue avec les mères* (Laffont).
CONTES ET LÉGENDES DE BOHÊME (Nathan).
CONTES ET LÉGENDES DE HONGRIE (Nathan).
DICTIONNAIRE FLAMMARION.
DICTIONNAIRE DE LA MYTHOLOGIE (Marabout).
DICTIONNAIRE DE LA PSYCHOLOGIE (Larousse).
DICTIONNAIRE DES SYMBOLES (Seghers).
DIEL, Paul: *Le symbolisme dans la mythologie grecque* (Payot, P.B.P.).
ÉLIADE, Mircéa: *Histoire des croyances et des idées religieuses* (Payot, 1976).
EXPRESS – N° Noël 1984.
FLEM, Lydia: *La vie quotidienne de Freud et de ses patients* (Hachette).
FRANZ, Marie-Louis Von: *L'Âne d'or – Interprétation d'un conte* (La Fontaine de pierre, 1978; 2e édition, 1981).
– *L'interprétation des contes de fées* (La Fontaine de pierre, 1978; 2e édition, 1980).
– *La voie de l'individuation dans les contes de fées* (La Fontaine de pierre, 1978).
– *La femme dans les contes de fées* (La Fontaine de pierre, 1978; 2e édition, 1983).
– *L'ombre et le mal dans les contes de fées* (La Fontaine de pierre, 1980).

– *Aurora consurgens (Le lever de l'aurore)* (La Fontaine de pierre, 1982).
– *Les mythes de création* (La Fontaine de pierre, 1982).
– *Nombre et temps* (La Fontaine de pierre, 1983).
– *C.-G. Jung. Son mythe en notre temps* (Buchet-Chastel, 1975).
– *Le fleuve et la roue* (Éditions du Chêne, 1978).
– *L'homme et ses symboles* — Ouvrage collectif réalisé sous la direction de C.-G. Jung, puis de Marie-Louise Von Franz qui a composé deux des articles : « Le processus d'individuation » et « La science de l'inconscient » (Robert Laffont, 1965 ; nouvelle édition, 1978).
FREUD, Sigmund : *Introduction à la psychanalyse* (Payot P.B.P.).
– *Essais de psychanalyse* (Payot P.B.P.).
– *Cinq leçons sur la psychanalyse* (Payot P.B.P.).
– *Psychopathologie de la vie quotidienne* (Payot P.B.P.).
– *Totem et tabou* (Payot P.B.P.).
– *Un souvenir d'enfance de Léonard de Vinci* (Gallimard, 1927).
FREUD, Sigmund — JUNG, Carl-Gustav : *Correspondance* (Gallimard, 1975).
GIONO, Jean : *Jean le bleu* (Le Livre de Poche, Grasset).
– *Le serpent d'étoiles* (Le Livre de Poche, Grasset).
GIRARD, René : *Des choses cachées depuis la fondation du monde* (Le Livre de Poche, Grasset).
HARDING, Esther : *Les mystères de la femme* — Préface de C.-G. Jung (Payot, 1953).
HESSE, Hermann : *Siddhartha* (Le Livre de Poche).
JAKEZ-HÉLIAS, Pierre : *L'Herbe d'or* (Julliard, 1982).
JANET, Pierre : *La médecine psychologique* (Flammarion, 1929 ; nouvelle édition, 1980).
JUNG, Carl-Gustav : *Psychologie et orientalisme* (Albin Michel, 1985).
– *Types psychologiques* (Librairie de l'université, Georg et Cie S.A., Genève et Buchet-Chastel, Paris, 1950 ; 5e édition, 1983).
– *Métamorphoses de l'âme et ses symboles* (Librairie de l'université, Georg et Cie S.A., Genève et Buchet-Chastel, Paris, 1953 ; 5e édition, 1983).
– *Les racines de la conscience* (Buchet-Chastel, 1971 ; 2e édition, 1975).
– *Ma vie — Souvenirs, rêves, pensées* (Gallimard, 1966 ; 2e édition, 1967 ; 3e édition, 1973).
– *Réponse à Job* (Buchet-Chastel, 1964).
– *Psychologie et Alchimie* (Buchet-Chastel, 1970 ; 2e édition, 1975).
– *Mysterium conjunctionis* — 2 volumes (Albin Michel, 1980, 1981).
– *La psychologie du transfert* (Albin Michel, 1980).
– *La dialectique du moi et de l'inconscient* (Gallimard, 1964 ; 2e édition, 1967).
– *L'Homme à la découverte de son âme* (1943, 7e édition, 1973, Éditions du Mont-Blanc, Genève, Buchet-Chastel, 8e édition, Payot P.B.P., 1966, Paris).

– *L'Homme et ses symboles* — Ouvrage collect tion de C.-G. Jung, puis de M.-L. Von Franz ; J articles : « Essai d'exploration de l'inconscie 1965 ; nouvelle édition, 1978).
JUNG, Carl-Gustav et KERÉNYI, Charles : *Introd mythologie* (Payot, Paris, 1953 ; 2e édition, Pa
LOYER-DOLGHIN, Marie-Claire : *Les grandes éta* (Thèse de doctorat en Médecine, Paris, 1967)
LORENZ, Konrad : *Il parlait avec les mammifè poissons* (Flammarion).
– *L'Agression, une histoire naturelle du mal* (I
– *Essai sur le comportement animal et humain*
LUPASCO, Stéphane : *Du devenir logique et de* (Librairie philosophique Vrin).
– *Les trois matières* (Julliard, 1960).
MARKALE, Jean : *Les Celtes et la civilisation celt*
MEUNIER, Mario : *La légende dorée des dieux et d* 1980).
MONDE DES CRYPTES (LE) (Zodiaque).
MUTUS LIBER — Le Livre d'images sans par
PERPES, Georges : *Les colonnes du temps — Histoi*
PIAGET, Jean : *Six études de psychologie* (Gonth
ROAZEN, Pierre : *La saga freudienne* (P.U.F., 1
ROUDINESCO, Elizabeth : *Histoire de la psychan* 1986).
SAINTYVES, Pierre : *En marge de la légende do* Laffont, 1987).
SOPHOCLE : *Tragédies* (Le Club Français du Liv
SOUPAULT, Philippe : *52 contes merveilleux* (Le C 1953).
VORAGINE, Jacques de : *La légende dorée* (Librair
YI-KING — Version allemande de Richard Wil çaise d'Étienne Perrot (Librairie de Médicis).

Achevé d'imprimer en mars 1999
dans les ateliers de Normandie Roto Impression s.a. 61250 Lonrai
N° d'imprimeur : 990726
Dépôt légal : avril 1999

Imprimé en France

Achevé d'imprimer en mars 1999
dans les ateliers de Normandie Roto Impression s.a. 61250 Lonrai
N° d'imprimeur : 990726
Dépôt légal : avril 1999

Imprimé en France

BIBLIOGRAPHIE

ALEXANDRIAN : *Histoire de la philosophie occulte* (Seghers, 1983).
ARCHÉOLOGIE DU MYSTÈRE (Atlas, 1983).
BEAUREGARD, Olivier Costa de : *Le second principe de la science du temps* (Seuil, 1963).
BEN JELLOUN, Tahar : *L'enfant des sables* (Seuil).
— *La nuit sacrée* (Seuil).
BETTELHEIM, Bruno : *La forteresse vide* (Gallimard, 1967).
— *Un lieu pour renaître* (Laffont).
— *L'amour ne suffit pas* (Laffont).
— *Dialogue avec les mères* (Laffont).
CONTES ET LÉGENDES DE BOHÊME (Nathan).
CONTES ET LÉGENDES DE HONGRIE (Nathan).
DICTIONNAIRE FLAMMARION.
DICTIONNAIRE DE LA MYTHOLOGIE (Marabout).
DICTIONNAIRE DE LA PSYCHOLOGIE (Larousse).
DICTIONNAIRE DES SYMBOLES (Seghers).
DIEL, Paul : *Le symbolisme dans la mythologie grecque* (Payot, P.B.P.).
ÉLIADE, Mircéa : *Histoire des croyances et des idées religieuses* (Payot, 1976).
EXPRESS — N° Noël 1984.
FLEM, Lydia : *La vie quotidienne de Freud et de ses patients* (Hachette).
FRANZ, Marie-Louis Von : *L'Âne d'or — Interprétation d'un conte* (La Fontaine de pierre, 1978 ; 2e édition, 1981).
— *L'interprétation des contes de fées* (La Fontaine de pierre, 1978 ; 2e édition, 1980).
— *La voie de l'individuation dans les contes de fées* (La Fontaine de pierre, 1978).
— *La femme dans les contes de fées* (La Fontaine de pierre, 1978 ; 2e édition, 1983).
— *L'ombre et le mal dans les contes de fées* (La Fontaine de pierre, 1980).

– *Aurora consurgens (Le lever de l'aurore)* (La Fontaine de pierre, 1982).
– *Les mythes de création* (La Fontaine de pierre, 1982).
– *Nombre et temps* (La Fontaine de pierre, 1983).
– *C.-G. Jung. Son mythe en notre temps* (Buchet-Chastel, 1975).
– *Le fleuve et la roue* (Éditions du Chêne, 1978).
– *L'homme et ses symboles* – Ouvrage collectif réalisé sous la direction de C.-G. Jung, puis de Marie-Louise Von Franz qui a composé deux des articles : « Le processus d'individuation » et « La science de l'inconscient » (Robert Laffont, 1965 ; nouvelle édition, 1978).
FREUD, Sigmund : *Introduction à la psychanalyse* (Payot P.B.P.).
– *Essais de psychanalyse* (Payot P.B.P.).
– *Cinq leçons sur la psychanalyse* (Payot P.B.P.).
– *Psychopathologie de la vie quotidienne* (Payot P.B.P.).
– *Totem et tabou* (Payot P.B.P.).
– *Un souvenir d'enfance de Léonard de Vinci* (Gallimard, 1927).
FREUD, Sigmund – JUNG, Carl-Gustav : *Correspondance* (Gallimard, 1975).
GIONO, Jean : *Jean le bleu* (Le Livre de Poche, Grasset).
– *Le serpent d'étoiles* (Le Livre de Poche, Grasset).
GIRARD, René : *Des choses cachées depuis la fondation du monde* (Le Livre de Poche, Grasset).
HARDING, Esther : *Les mystères de la femme* – Préface de C.-G. Jung (Payot, 1953).
HESSE, Hermann : *Siddhartha* (Le Livre de Poche).
JAKEZ-HÉLIAS, Pierre : *L'Herbe d'or* (Julliard, 1982).
JANET, Pierre : *La médecine psychologique* (Flammarion, 1929 ; nouvelle édition, 1980).
JUNG, Carl-Gustav : *Psychologie et orientalisme* (Albin Michel, 1985).
– *Types psychologiques* (Librairie de l'université, Georg et Cie S.A., Genève et Buchet-Chastel, Paris, 1950 ; 5e édition, 1983).
– *Métamorphoses de l'âme et ses symboles* (Librairie de l'université, Georg et Cie S.A., Genève et Buchet-Chastel, Paris, 1953 ; 5e édition, 1983).
– *Les racines de la conscience* (Buchet-Chastel, 1971 ; 2e édition, 1975).
– *Ma vie – Souvenirs, rêves, pensées* (Gallimard, 1966 ; 2e édition, 1967 ; 3e édition, 1973).
– *Réponse à Job* (Buchet-Chastel, 1964).
– *Psychologie et Alchimie* (Buchet-Chastel, 1970 ; 2e édition, 1975).
– *Mysterium conjunctionis* – 2 volumes (Albin Michel, 1980, 1981).
– *La psychologie du transfert* (Albin Michel, 1980).
– *La dialectique du moi et de l'inconscient* (Gallimard, 1964 ; 2e édition, 1967).
– *L'Homme à la découverte de son âme* (1943, 7e édition, 1973, Éditions du Mont-Blanc, Genève, Buchet-Chastel, 8e édition, Payot P.B.P., 1966, Paris).

– *L'Homme et ses symboles* – Ouvrage collectif réalisé sous la direction de C.-G. Jung, puis de M.-L. Von Franz ; Jung a composé l'un des articles : « Essai d'exploration de l'inconscient » (Robert Laffont, 1965 ; nouvelle édition, 1978).
JUNG, Carl-Gustav et KERÉNYI, Charles : *Introduction à l'essence de la mythologie* (Payot, Paris, 1953 ; 2e édition, Payot P.B.P., 1968).
LOYER-DOLGHIN, Marie-Claire : *Les grandes étapes de la vie féminine* (Thèse de doctorat en Médecine, Paris, 1967).
LORENZ, Konrad : *Il parlait avec les mammifères, les oiseaux et les poissons* (Flammarion).
– *L'Agression, une histoire naturelle du mal* (Flammarion).
– *Essai sur le comportement animal et humain* (Seuil).
LUPASCO, Stéphane : *Du devenir logique et de l'affectivité*, 2 volumes (Librairie philosophique Vrin).
– *Les trois matières* (Julliard, 1960).
MARKALE, Jean : *Les Celtes et la civilisation celtique* (Payot, 1969).
MEUNIER, Mario : *La légende dorée des dieux et des héros* (Albin Michel, 1980).
MONDE DES CRYPTES (LE) (Zodiaque).
MUTUS LIBER – *Le Livre d'images sans paroles* (René Baudouin).
PERPES, Georges : *Les colonnes du temps – Histoire du calendrier* (1987).
PIAGET, Jean : *Six études de psychologie* (Gonthier, Paris).
ROAZEN, Pierre : *La saga freudienne* (P.U.F., 1986).
ROUDINESCO, Elizabeth : *Histoire de la psychanalyse en France* (Seuil, 1986).
SAINTYVES, Pierre : *En marge de la légende dorée* (Réédition Robert Laffont, 1987).
SOPHOCLE : *Tragédies* (Le Club Français du Livre, 1953).
SOUPAULT, Philippe : *52 contes merveilleux* (Le Club Français du Livre, 1953).
VORAGINE, Jacques de : *La légende dorée* (Librairie Académique Perrin).
YI-KING – Version allemande de Richard Wilhelm ; traduction française d'Étienne Perrot (Librairie de Médicis).